How to Get a PhD

A Handbook for Students and their Supervisors

E. M. Phillips & C. G. Johnson

博士号のとり方

学生と指導教員のための実践ハンドブック

E・M・フィリップス／C・G・ジョンソン［著］

角谷快彦［訳］

名古屋大学出版会

本書第7版（初版刊行から35年が経った）は，
ギラド，リアト，シャニ，リチャード，オリヴァー，ザック，ジョージア，ジェイク，
そしてミアとタミに捧げる。
あわせて，ピュー家およびアリエル家にも。

How to Get a PhD (7th edition)
A Handbook for Students and their Supervisors
by Estelle M. Phillips and Collin G. Johnson

第七版への序文

本書前版の好評は、充実した博士課程教育プロセスとは何かを理解することが、学生およびその指導教員にとって不可欠であることを示しています。また、本書が簡体字中国語、スペイン語、ポルトガル語、繁体字中国語、ロシア語、アラビア語、韓国語、そして日本語（翻訳の時系列順）へと翻訳されてきたことは、本書で扱われる諸問題が多くの国々において高い関連性を有することの証左です。さらに、この理解の必要性は、英国の高等教育で現在進行中の大規模な制度改革によっても示されています。本書の初版（一九八七年）が議論を喚起して以来、私たちが提唱してきた多くの改革が実現されました。たとえば、大学における博士課程学生の認知度と支援の向上、学生の進捗状況の効果的なモニタリング、研究指導教員のための教育研修の充実、指導教員および学生の責任に関する実践規範の確立などです。そして、これらの変革は現在も急速に進んでいます。このような状況を踏まえ、本書を改訂し、最新の状況に合わせアップデートした新たな版を刊行することが適切であると考えました。

これまで同様、前版に対して、匿名の査読者の方々から多くの有益な情報、提案、建設的な批評をいただいたことに改めて感謝申し上げます。また、ブラッドリー・リバック氏には貴重なコメントと提案をいただき、深く感謝します。さらに、困難な時期においても力強い支援を提供してくださったマグロウ・ヒルおよびオープン・ユニバーシティ・プレスのサム・クロウ氏、ベス・サマーズ氏、ハンナ・ジョーンズ氏、アリ・デイビス氏、ブライオニー・ウォーターズ氏、ローラ・ペイシー氏、ドミニク・ケネリック氏、デイビッド・カミングス氏、カレン・ハリス氏に感謝の意を表します。また、「学生のための研究進捗度自己診断表」（付録1に掲載）を再録する許可を与えてくださった、DSP〔デレク・ピュー〕と共同著作権をもつジャネット・メトカーフ氏およびVitae〔研究者サポートグループ〕にも謝意を表します。

本書は、博士課程学生が学位取得に向けて直面する課題を現実に即して描写することを目的としています。私たちの意図は、博士課程を「売りこむ」ことではなく、学生に自身の選択についての十分な理解を促すことです。実際、本書を読んだ後に博士課程への進学を断念した方も少なからずいますが、私たちはこれは完全に適切な結果だと考えています。

一方、本書のアプローチは博士課程のプロセスにおける「病理」に焦点を当てすぎているのではないか、との指摘を受けることがあります。私たちもその可能性を否定できず、ここで改めて博士課程学生であることの肯定的な側面を強調したいと思います。研究に取り組むことの喜びは計り知れず、研究を遂行できる立場にあること自体、大きな特権です。探究、興奮、挑戦、熱意、情熱といった感情を経験することは多く、本書にもたびたび登場します。さらに、学位を取得するときの胸いっぱいの達成感は一生を通じて大きな意味を持ちます。苦労が大いに報われることは明らかです。そうでなければ、これほど多くの人が今日のように博士課程に進むことはないでしょう。

本書は、ＥＭＰ〔エステル・フィリップス〕自身の博士課程研究――研究学生に関する継続的な一連の研究――、そしてＤＳＰが長年にわたりロンドン・ビジネススクールで、その後ＥＭＰとＤＳＰがオープン・ユニバーシティで実施した博士号取得プロセスに関するセミナー、ＣＧＪ〔コリン・ジョンソン〕のケント大学における大学院教育担当副部長としての経験、そして、私たち三名が博士課程の指導教員および審査委員として積み重ねてきた豊富な経験にもとづいています。

これらの活動に長年にわたり貢献してくださった方々、そしてセミナーに参加し、本書の「登場人物」となった方々のご支援に深く感謝申し上げます。私たちは彼らから多くを学び、心から感謝しています。

本書の第七版を準備するにあたり、第六版の校了直後に逝去したデレク・ピューの貢献が深く偲ばれます。彼の洞察力、知性、広範な知識、そして機知に富んだ発想は、本書の特徴を形作る重要な要素でした。私たちは、彼の独特の文体、洗練された表現、そして思慮深い助言を可能な限り保持しながら、本文の改訂に努めました。

エステル・Ｍ・フィリップス
コリン・Ｇ・ジョンソン

目次

第1章
博士課程の学生になるということ

本章のポイント

1. 博士課程では自己管理が求められる。何が必要か決断し、実行するのは自分の責任である。
2. あなたがこれから何度か経験することになる自信喪失感は、博士号を手に入れるという明確な目的をもってこそ乗り越えられるものである。
3. 必要に応じて本書を活用しよう。博士課程全体を通して使える、手頃なガイドとして位置づけるとよい。

本書は博士課程の学生のためのハンドブックであり、サバイバルマニュアルである。あなたが研究学位取得に向けて一歩を踏み出そうとしているのなら、本書は博士課程の仕組みを案内するとともに、博士課程に対するあなたの理解を深め、大学、研究科、指導教員選びの役に立つだろう。また、本書は最終試験と博士号の取得に至るまで、博士課程全体のプロセスをガイドする。

あなたが本書を手にした時点ですでに研究学生〔後述〕なら、本書を熟読し、また頻繁に参照できるよう大切に手元に置いておくべきだ。本書は博士号取得にとってきわめて重要なスキルとプロセスについて述べている。本書の各章は博士課程の異なるフェーズに対応するよう構成されている。

あなたが指導教員である、もしくは指導教員になろうとしている場合でも、本書はきわめて重要である。本書は学生を無事に研究学位取得へと導くため、あなたが責任を持って援助すべき教育的プロセスについても述べている。指導教員へのアドバイスは特に第11章で述べる。

さらに、あなたが〔研究科長など〕上級のアカデミックな管理職にあるなら、あなたにとって本書の意義は、研究学位に関する手続きや制度についての手引きを提供し、貴学の研究科学生の適切な指導体制について評価の指針を与える点にある。管理体制に関するアドバイスは特に第12章で述べる。

本書は、特定の専攻に偏ることなく、学位取得までの過程に焦点を置いて叙述する。個々の専攻にまつわる専門知識を要するような、調査法や実験法には立ち入らない。同様に、個々の状況によって大きく左右される博士号取得までの〔学費などの〕経済的困難にもふれない（これについては〔英国の場合〕、www.postgraduatestudentships.co.uk や www.findaphd.com を参照のこと）。

本書はまた、博士号取得者が利用できるキャリアの選択肢など、博士課程修了後にあなたが直面する事柄も扱わない。Delamont and Atkinson（2004）はポスドクのキャリア形成について議論しており、Ratcliffe（2015）、Gould（2020）、Smith et al.（2021）、Woolston（2017）にもポスドクのキャリアに関するアドバイスがある。

しかし本書は、博士号をめざして博士課程へ踏み出す前に、いくつかの基本的な問いについてしっかり考えておくことをお勧めする。人生の三年ないし四年を、パートタイムの学生の場合はさらに長い年月を、一つの研究テーマのために費やしたいか？　その期間、比較的少ないお金で生活することに満足できるか？

博士号を得る意志は固まっているか？「クリエイティブな思考」を自分だけの手で生み出す際に定期的に襲ってくる知的な孤独に耐えられるか？　これらの質問には、すべて断固として「イエス」と答えられることが不可欠だ。博士課程に進むときには、それに力を注ぐことが自分にとって正しいことだ、という確信が必要なのだ。もしあなたの目的がベストセラー本を書くことなら、論文を書くことが目的である研究は最適な選択肢ではないだろう。また、「これから先、自分が何がしたいのか分からない。大学に残って決断を先のばしにするのがよさそうだ」と考えているのなら、あなたはその解決策としてはとてつもなく困難な選択をしてしまったと言わざるをえない。

博士課程教育の本質

博士課程とは、少なくとも英国では、その分野の経験豊富な学者の指導の下、三年以上にわたって研究プロジェクトに取り組むことのみで構成される学位プログラムである。博士号を目指して勉強している人は、博士課程学生、博士号候補者、研究学生、大学院生、博士課程研究者などさまざまな呼称で呼ばれる。この多様な用例に慣れるために、本書ではさまざまな用語を使用する。成功に必要なスキルの習得とプロセスは、一度読んだだけで理解するのは難しい。研究学生として、あなたは本書のアイデアを継続的に活用して、自身がおかれた状況に応じた独自の洞察を深める必要がある。そうすることで、専門的な学習は、あなた自身の管理の下で適切に発展していくだろう。

この「あなた自身の管理の下で」が博士課程教育の本質である。学部教育では、カリキュラムの大部分は学生のために構成されている。あなたは宿題に追われてそう感じる機会がなかったかもしれないが、たとえば学士課程にはシラバスがあり、読むべき教科書は指定され、実践方法は提示されており、試験は一定の知識を想定してつくられていた。講義の範囲外のことを問われれば簡単に、「でも、こんなトピック（または方法論、理論、歴史的背景）は勉強しろと言われてない」と不満を述べることができた。ほとんどの場面において、あなたは教員が設定したカリキュラムに従っていた。

博士課程では、自らの学びを管理し、博士号取得に向けた自身のプロジェクトに責任を持たなければならない。もちろん、この困難な旅にはサポートが与えられる。そうしたサポートは、あなたの専門分野の研究者であり、助言や指導を与えてくれる存在、すなわち指導教員を通じて主に与えられる。博士課程の期間中は、彼らとの定期的なミーティングがある。本書ではこれらをチュートリアルと呼ぶが、指導または指導教員面談と呼ぶ人もいる。これらについては第6章で詳しく述べる。また、学部内の他の教員、学生仲間、そして多くの場合大学全体の研究科からも、正式な形ではなくとも助言を得られる。しかし、誰が何と言おうと、最終的には自分の研究プログラムと論文の内容・構成に自分で責任を持つ必要がある。自分の研究に特定のテーマや理論が必要となった場合、「でも、それが関連しているなんて誰も教えてくれなかった」という言い訳はできない。それはあなたの責任となる。

あなたは他人が敷いたレールの上を走るわけではない。あなたは、自ら議論を呼び起こしたり、必要な手助けを求めたり、学ぶべき事柄を考えたりしなければならない。あなたは自己管理のもとにあり、「いつか誰かが来て次にすべきことを教えてくれるかも」と待っていたり、「誰も何をすべきか教えてくれない」と不満を述べたりするのはもってのほかだ。大学院という世界において、これはチャンスであって、欠陥ではないのだ。だから、必要なときに本書が役立つ。巻頭の細目次を活用して、博士課程の学生として直面した何らかの問題について、必要な答えが得られると思われる部分を読んでみるとよい。本書は最初から最後まで通読することを想定していない。作業の適切な段階に達するまで、あなたには関係ない部分があると思われるからだ。

大学院全体の枠組みは、研究を進めるすべての学生たちに共通の基本的な事柄を担保するために存在する。しかし、特に研究室を基盤とする共同研究文化と、人文社会科学系統の自立的研究文化には相違がある。なお、そうした違いは、科学的研究に必須の設備や素材にかかる資金の大きさに主に起因する。

自然科学分野の指導教員は、必要な研究資金を獲得し研究室人事を主導しなければならない。博士課程の学生のなかには、奨学金をもらって研究の指定された部分を担当する者もいるだろう。こうした状況では、博士課程学生の「徒弟制度」的側面が強調される。また、この学生は指導教員の研究に付随する形で、研究テーマがはっきりと規定され、創造性にも一定の制約がかかる。その過程で、研究室あるいはコンピュータの前であくせくと下働きさせられることもあるだろう。指導教員と学生の研究が、いわゆる「共同所有」の状況にもなりかねない。指導教員は研究を進め、結果を出すことに強い興味を示すようになるだろうし、研究の共著はノルマのようなものになる。

こうした状況下で危険なのは、指導教員の搾取をうけ、単なる助手にすぎないと感じて嫌気がさすことである。研究分野における独自の貢献のために、学生の自主性が十分に尊重されることが重要だ。そして、その自主性こそが博士号授与を正当化するのだ。

一方、人文社会科学系の学生は、指導教員の専門分野で独自のトピックを選び、個別に研究指導を受ける。多忙な指導教員にとって「指導」とは、非常に時間をとられるものだ。さらに博士課程学生の研究指導は、指導教員自身の研究（学生の研究とは異なることがありうる）、学部学生の指導、あるいはその他の事務仕事と競合する。指導教員は学生の研究結果に「一般的な」関心を払うようにしかならず、師弟関係の師というよりはむしろ模範（ロールモデル）のような役割を果たすようになる。こうした文化において危険なのは、学生が数週間、数カ月、時に数年の長きにわたって放置されることである。学生が博士号をとるためには、指導教員の定期的なサポートが必要なことは銘記されねばならない。

これらの説明は極端な状況を示すものであり、その間には多くのグラデーションがある。博士課程の学生に個別指導を提供する科学者や、同じトピックの関連する課題に全員で取り組むチームを編成する社会科学系の研究者もいる。あなたは、自分自身の状況を理解して努力しなければならない。

ここ数十年で、教育、薬学、実践神学、臨床心理学などの分野で多くの専門博士号が誕生した。これらは、高度なトレーニングと作業ベースのプロジェクトを組み合わせたものであり、論文は資格評価のための評価の一部にすぎないため、博士論文よりも短く、求められる範囲も狭い場合がある。これらについては第5章で簡単に説明するが、より詳しくは、Smith (2008) および Fulton et al. (2013) を参照するとよい。

大学は、学生がそれぞれ一人の指導教員に依存するのは必ずしも好ましくないと考えている。部局には、一人の主指導教員および一〜二人の副指導教員からなる指導チームがある。このチームには、学生のトピックにかかわる専門家と、補佐的なサポートおよび研究に関する広範なアドバイスを行う担当者が含まれなければならない。集団指導体制により、若手教員は、部局の経験豊富な教員の指導の下で、研究指導法を学べる。研究科には、研究チューター（大学院チューター、大学院研究責任者、または同様の肩書き）として知られるスタッフもいることがある。彼らは、部局内の博士課程の学生の進捗確認の責任を負う。たとえば、学生が指導教員との間で問題を抱えている、指導教員チームを変更したい、といった場合などは、彼らに助言を求めることができる。

研究学生になる心理

新入生は、自らの研究分野に多大な知的貢献をしようと決意して入学してくる。しかし、博士論文が佳境に入る頃までには「とにかく書いて、あとは忘れよう！」と決心することになる。その間数年にわたって、誰が自分の研究を理解し、興味をもってくれるかも分からないなか、特定のテーマに集中し、単調な日課と繰り返し作業をこなす必要に追われて、学生たちの熱意は少しずつ冷めていく。

入学の際、彼らは自分自身がどんな人間であるかを正確に知っている。「院試を潜り抜けた、恵まれた知的素質の持ち主」である。しかし、その自信が揺らぎ、セルフイメージに疑問を投げかけはじめるのにそう時間はかからない。原因は、（どれほど散発的で、距離があったとしても）アカデミアとの接触である。研究スタッフや、初年次の学生よりはるかに進んだ研究に取り組む先輩学生、あるいは学術誌や学会で目にする出版物は、そうした接触の一例である。こうした接触は、若い学生が不可侵のものと思っていた前提や思考に疑問を投げかける。うまくいくタイプの新入生は、この自信喪失と自問の段階を乗り越えると、有能なプロとしての新たなアイデンティティを構築し、相手の肩書きに関係なく自分の見解を述べ、限界を見据えながらも自分の知識に自信をもつようになる。バカだと思われることを恐れてうまくいっているふりをするのをやめ、自己の無知を表明し、分からないことを認め、必要な情報を尋ねることができるようになる。このレベルに達することこそ、実は博士課程学生になることのすべてなのである。

本書は全体を通じて、こうした博士号取得にあたっての心理学的な側面を、実用的側面および学術的側面とあわせて扱っている。博士号取得に向けたさまざまな段階にある他の研究学生と会話するのも勉強になるだろう。勉学におけるさまざまな側面について語り合うオンラインのフォーラム、日記、ブログなどを読んだりすることも同様に役立つ。〔英語版のリソースでは〕たとえば www.postgraduateforum.com や thesiswhisperer.com がある。ツイッター（X）にも活発な博士号コミュニティがあり、ハッシュタグ #phdchat や #phdlife、および @PhDVoice などのアカウントがある。

本書の目的

学士課程と博士課程の文化の違いにおいて中核をなすのは、博士課程ではアカデミックなイニシアチブを自分自身が握らなくてはならない、という点だ。これは学部時代とは異なるスタイルの取り組みを要する。だからこそ、ここまでの本書のように、課題を「指摘」するだけでは十分ではないのである。学生は、大学院の環境に適応する能力を得るため、情報と指導を必要とする。私たち著者は、多くのフルタイムの学生が環境に適応するのに長い期間（一年、さらには二年！）を要し、博士号の取得が危ぶまれるケースを数多く見てきた。パートタイムの学生にとって、この調整期間に対する対応はさらに困難となる。

なかには、結局適応に失敗し、苦い思いとともに博士課程を途中で去る者もいる。

すべての新入生は、フルタイムであろうが、パートタイムであろうが、学生としてこれまで受け入れてきた原理原則をいったん捨てる心構えがなければならない。このとき大切なのは、たとえそれが少し突飛に見えようが、無関係に思われようが、あらゆるアイデアについてあなたが指導教員と主体的に話し合うことである。そうすることにより、驚くべき手がかりが得られることもあるのだ。

本書の第一の目的は、博士号を首尾よく取得するのに必要なタスクを理解・達成するため、こうした問題を現実的な仕方で掘り下げることである。第二の補完的目的は、博士課程のプロセスマネジメントをめぐる実践的指導の手助けとなることである。三つ目に、博士課程の全体をその文脈から考察するという目的もある。というのも、博士課程教育を円滑にすべく改善を行う制度上の責任を大学側が把握することこそ、必要な変化を促す鍵であるからである。

これらを達成するために、私たち著者は自らの博士課程指導の経験と体系的な考察をともに手がかりとしてゆく。本書で紹介する学生や指導教員は、実際の事例である。これらは、フルタイム、パートタイムを問わず、さまざまなバックグラウンドや〔男女のような〕人口学的グループなど、高等教育で見られる多様な学生を反映している。また本書は、芸術、ビジネス研究、自然科学、社会科学および科学技術など、さまざまな分野からの例も挙げている。私たちは多くの実践的なトピックのなかから、教育システムの特徴、博士号授与要件の本質、博士課程の心理的側面、指導教員との付き合い方について考察する。

なお、巻末の付録1にて、自分と関連の深い課題を絞り込む手助けとなるよう、博士課程の進捗状況にかんする自己診断アンケートを付した。付録2は指導教員が一考すべき事柄を記載している。付録3は指導してもらいたい教員に最初にアプローチする際に使える文例集である。

第**2**章

博士課程に入る

本章のポイント

1. 教育機関を選択する前に、できるだけ多くの情報を手に入れよう。候補となる指導教員、研究文化、研究環境、および部局で博士課程の研究がどのように位置づけられているかについて調べよう。
2. 候補となる指導教員の研究履歴、研究業績と指導スタイルについて、決断を下すまえに確認しよう。
3. 大学の入学要件と助成金授与団体の資格要件の両方に自身が合致するか確認しよう。合致しないとしたら、例外的な扱いを受けられる可能性があるかどうか、あらかじめ知っておこう。
4. 締切を細かく設定した小さな研究課題を立ちあげるため、早めに指導教員と会っておこう。課題を達成し書き上がったら、結果についてだけでなく、どのようにそれを進めたか、またそこから何を学べるかについても話し合おう。
5. 指導教員や同僚学生との人間関係を構築しよう。期限付きの目標を掲げ、それらを達成しよう。

高等教育システムのなかで博士号のための研究を続ける決意をしたら、しなければならないことがある。第一に、希望する分野の大学院研究科に合格しなければならない。第二に、博士課程研究のための資金を獲得しなければならない。しかし、どの大学？　どの地域の？　そしてどうやって受験し、どうやって資金を獲得したらいいのだろうか？

研究機関と研究分野の選択

博士課程に入るためには、主に二つのことをしなければならない。一つ目は大学に博士課程学生として認められること。認められるには、いくつかの一般的条件を満たす必要がある。たとえば、博士課程に入るのに必要な資格を事前にクリアしている、博士課程をこなすための必要最低限の英語力がある、などである〔本書は英国の視点から描かれているため「英語」としているが、それは国語、あるいは基本的にその博士課程に必要な語学力といってもよい。日本の場合、日本語や英語はもちろん、分野によっては他言語の理解も必要とされる〕。そしてさらに大事なこととして、博士課程学生として受け入れてくれる指導教員を見つけることも必要である。第二の重要条件は、研究に必要な資金を調達することである。これには学費と、日々の衣食住に必要なお金が含まれる。あなたには、幸いにも蓄えが十分にあり、博士課程の一部始終を自費で賄うことができるかもしれない。しかし、ほとんどの学生は大学や国、あるいは基金から何らかの奨学金を得る必要がある。また、留学生であればビザや政府が求めるその他の条件を満たす必要もある。

次に、自分の研究分野にもとづいて、応募する研究科をいくつか特定する必要がある。学部の学習とは対照的に、研究科は博士課程の研究に特化している。志望する分野の専門家がいない大学は選ぶべきではない。あなたが研究をしたい分野に関心を持っている指導教員を見つける必要がある。

人生の今後三〜四年、あるいはそれ以上の年月をかけて、自ら選んだ研究内容や分野に身を投じる自分の姿を、自信をもって思い描けることが重要である。多くの博士課程学生は、研究分野に対する興味や確固たる意志を失うことでくじけてしまうのだ。

さらに、進学を検討している大学の研究科について、評価が確立されているか、博士課程学生の教育に真剣に取り組んでいるかを確かめる必要がある。まずはウェブサイトを確認すること。そして、これらの取り組み具合にあなたの成功がかかっているのだから、その学科に面接をしに行った際には躊躇せずそれについて尋ねるべきだ。教員の正確な研究分野など、研究科に関するあらゆる情報を集めよう。Research Excellence Framework（ＲＥＦ、最新の結果はresults.ref.ac.ukで閲覧可）における部局の評価と、部門の研究展開計画を調べよう。ただし、ＲＥＦの結果はその大学の科目全体に対する評価であり、優れた指導教員が全体的に評価の低い部局に属している可能性があることには留意が必要である。研究論文のコピーを入手し、スタッフや博士課程の学生が行っている既存の研究の範囲と、その研究が自分の興味のある分野へと発展する可能性についてできる限り調べよう。ほとんどの大学はウェブサイト上に研究論文のリポジトリを持っており、その多くは直接ダウンロード可能だ。各部門のページがあり、スタッフとその出版物がリストされているものもある。

学生の研究スキルの向上や、大学院生のコミュニティ構築支援のために、大学が（おそらくは大学院で）全体として何をしているかも調べよう。現役の博士課程学生と話す機会をつくってもらい、こうした工夫が十分かどうか、彼ら視点の意見にも耳を傾けてみよう。

教育機関と研究分野の適合性の両方で、自身の将来について楽観的になれる場合にのみ、進学しよう。本書で後述するように、この「楽観」はすぐに消えてしまうため、最初はある程度楽観的になれることが重要だ。

関連する学術活動について知る方法の一つは、インターネットで調べて（または大学図書館に行って）、自分の研究分野の雑誌の最新号を体系的にレビューすることだ。出版社のウェブサイトから論文全文にアクセスできない場合もあるが、論文のタイトル、著者、アブストラクトのリストはいつでも入手できる。これにより、関連する論文を発表している研究者を見つけることができる。ほとんどの大学図書館は、正当な理由があれば来館者に館内利用を認めてくれるので、許可を求めるだけでよい。オンラインで研究科や指導教員に関する情報を調べたり、自分の研究分野のフォーラムやメーリングリストで、興味のある分野の今後の研究に関するアドバイスを求めることもできる。

インターネットでは、Google Scholarを利用して、ほとんどの分野の学術論文を検索できるし、また、図書館にも分野別のデータベースがあり、図書館司書が喜んで手助けをしてくれる。

最後に検討すべき点は、研究スペースだ。ほとんどの部局では博士課程の学生にある程度の作業スペースを提供しているが、大学によって大きく異なる。一部の部局は、博士課程の学生に共有オフィス内の専用机を提供しているが、席が開いているときだけ使える「ホットデスク」制度を採用しているところもある。また、一部の大学では、図書館に「キャレル」と呼ばれる多数の個人用作業スペースがあり、図書館の蔵書を日々使用するプロジェクトに取り組んでいる場合は、数週間または数カ月の期間予約もできることがある。一方、実験科目の場合は、まず研究室自体が主要なワークスペースになる。ただし、データ分析や執筆に取り組むことができる静かなスペースがあるかどうかは確認する必要があるだろう。

提供されるものと自分のニーズのバランスを取る必要がある。主に自宅で仕事をするので、大学のワークスペースは時々使うだけだろうか？　それとも、毎日定時に大学に登校して、仕事と勉強を明確に区別するつもりか？静かで孤独な作業空間を望んでいるか、それとも作業日に他の学生との社交が重要か？　指導教員がすぐ近くにいて、カジュアルな会話ができるようにしたいか、それとも日々の仕事を「監視」されている感じがしすぎるか？これについては、（特にパートタイムの学生について）第９章で詳しく説明する。

初めての連絡

進学したい研究科を二、三に絞ったら、自身の研究計画について話ができそうな、志望分野の最新トレンドを知る人たちにコンタクトをとろう。この連絡は最初は電子メールで行い、さらに興味がある場合は、大学で会う約束をするか、Zoom, FaceTime, 電話などを通じたオンライン会議を設定しよう。ほとんどの学者は研究について喜んで話しあってくれるだろう。ただし、アプローチは正確でなければならない。何百人もの学者に送信されたように見える電子メールは無視される可能性がある。博士号取得を志望する研究分野と、相手が書いた研究論文などとの接点を明確にするとよい。たとえば、相手がある出版物で発案した技術を取り上げ、新分野への応用を提案するのもよいだろう。多くの人や研究科に一度にコンタクトをとろうとするなら、オープンキャンパスなどを利用しよう。こうした初めての連絡に使えるメールの例文は付録3に収録したので、参考にするとよい。

この段階で完全な研究プロジェクトを用意するのは尚早だが、なぜその研究テーマについて興味をもち、その研究科を志望するのかについて、説得力のある説明ができなければならない。研究計画書の草稿を作ることを考えているなら、その作り方について志望先の研究科に協力を依頼することも可能かもしれない。

研究計画書には、研究で焦点を当てたいテーマとともに、取り組みたい分野の現状分析を含める必要がある。さらに、テーマをどのように調査する予定なのか、なぜそれが重要であると考えるのかを述べなければならない。

人によって書き方はさまざまである。考えながら書くアプローチを好む人もいれば、考えてから書く戦略の方が自然と感じる人もいる。①言いたいことを言うことと、②それをできる限り最善の方法で言うことの両方を同時に実現するのは容易ではないため、ラフな草案（これにこだわりすぎずともよい）を一度書いてみて、そこから肉付けしながら構成していくのがうまい方法に感じられるかもしれない。研究計画書は必ず読みやすい英語で書き、必要に応じて学術用語を使うのもよいが、過度な専門用語（ジャーゴン）は避けるべきだ。自分の分野における引用文献や脚注の作法などについても調べて、それに従うことをお勧めする。友人や家族に研究計画についてコメントを求めることもよい手である。そうすることで指導教員候補に提案を出す前に、修正を加えることができる。そして最後に、不確実な表現や手抜かりのある文章などを見つけることができるよう、自分が書いたものをあたかも他人が書いたかのような客観的な視点をもって読み直す必要がある。研究における執筆については第7章で触れるほか、初めて問い合わせをする際の手紙やメールの文面例を付録3に収めてある。

この時点で留意すべき他の問題は、作業工程に関わるものだ。適切な実験設備を利用できるか？　提供されるコンピューティング設備――個人のラップトップ／デスクトップ、適切なソフトウェア、および必要なら大規模なコンピューティング設備――は何か？　図書館の設備はあなたのプロジェクトに適しているか？　また、他の図書館にアクセスしたり、図書館間貸与によって資料を入手したりするための手続きはどうか？　調査、インタビュー、アンケートを実施する場合、どのようなサポートが受けられるか？　たとえば、大学は回答者候補のデータベースにアクセスできるか？　ウェブアンケートサービスのサブスクリプションに加入しているか？　旅費や紙の質問票の作成と発送に利用できる資金はあるか？　さらに、一緒に働く人々との相性を確認しよう。これは、志願先の決定を行う際の重要な要素となりうる。

英国の博士課程指導教員を対象に英国大学院教育評議会（UKCGE 2021）が行った最近の調査からは、指導教員が研究生志願者に何を求めているかについて有益な情報が得られる。最もよく言及された要素は、研究計画書のクオリティであり、すぐその下に申請者の関心分野と指導教員の関心分野の一致が続いた。両方とも、志願者であるあなたが将来の指導教員の研究について丁寧に調べ、あなたの研究が彼らの研究にどう適合するか説得することの重要性を示している。卒業した学位課程の違いや、学部や修士課程と比較した博士課程レベルでの成功に必要なスキル・態度・行動はそれほど重要ではなかった。学部時代の成績より上位にランクされたのは、これまでの研究経験である。したがって、あなたは夏の研究インターンシップ、学術雑誌にレター形式で発表する機会、または地元の〔学術的〕会議で修士論文の概要を発表するといった機会を優先すべきだ。教育機関からの推薦と、申請者が学んだ大学の評判は、最も重要度の低い要素の二つだった。これは、指導教員が、他人の主張や卒業した教育機関の評判に頼るのではなく、自らの価値観にもとづいて議論できる志願者を求めていることを示唆している。

▼留学生のためのＡＴＡＳ証明書

研究計画書に加えて、海外の学生の場合、特に科学・工学の分野で研究している場合は、申請書の一部としてＡＴＡＳ（Academic Technology Approval Scheme）証明書の提出が求められる場合がある。ＥＵ加盟国、欧州経済領域、オーストラリア、カナダ、日本、ニュージーランド、シンガポール、韓国、スイス、米国のいずれかの国民はこれを免除される。

この証明書の目的は、留学生が国家安全保障や国防に脅威を与える可能性のあるテーマを研究しないことの保証である。コース開始の最大九カ月前から申請でき、通常二〇～三〇日以内に返答が届く。ＡＴＡＳ証明書は、特定の大学の特定のコースに関連している。ほとんどの大学は、申請が必要になる時期を通知しているが、通常は博士課程プログラムへの入学許可を出した後である。詳細はオンラインで閲覧できる（www.gov.uk/guidance/academic-technology-approval-scheme）。

資　格

未来の指導教員に連絡を取り、研究計画書を練る際に私たち著者のアドバイスを参考にするのはよいが、自分に博士課程への入学資格を満たしているかどうか、自問することはさらに重要だ。

最初の問いは「あなたは研究学生として受け入れられるアカデミックな要件をそろえているか？」である。ほとんどの大学が、英国でいえばファーストあるいはアッパーセカンドクラスの優等学位〔日本に直接該当する学位はないが、おおよそ博士課程前期もしくは修士課程修了に相当〕を必要とする。大学によっては、特に関連する専門的経験があれば、それ以下のクラスの学位でも受け入れてくれるところがある。修士号をもっていれば、一般的に学部学位のクラスがどれであろうと要件を満たすとされる。

これらの要件を満たしていれば、次のステップを踏むのは比較的簡単である。しかし、要件が何らかの形で満たされていなかったとしても、道が閉ざされたわけではない。代わりに、研究に対する特別な背景を指導教員になりうる人に提示し、その教員が強く後押ししてくれれば、道は開ける可能性がある。たとえば、英国の学位をもっていない場合、海外の学位が英国のそれと同等と認められれば要件を満たすことができる。あるいは、学位以外の専門資格としっかりした実務経験があれば、特別なケースとして入学を許可されるかもしれない。二一ページで後述するように、一般的に奨学金の申請の方が要件が厳しい。

私たちは通常の正式な条件を満たしていない人であっても、すぐに諦めないようにアドバイスをしている。希望する指導教員とともに例外的な受け入れルートを常に探るべきだ。たとえば、条件付き合格。特定の科目の履修や特別試験の合格を条件に入学が許されるかもしれない。また、一つの大学に不合格でも、他の大学を受験すればよい。しかし、不合格が複数回続いた場合、そのまま願書を送り続けるのは賢いやり方ではない。自身の成功可能性を見直し、実力をより現実的に自己評価する必要がある。あるいは、願書を送る前に修士課程レベルでのさらなる研鑽を積むべきだ。

二つ目の問いは「何の学位を取得するつもりか？」である。もし、研究に対して初心者であり、修士号をもっていないのであれば、まず一般研究生か博士前期課程に入学する。実際の論文執筆に入る前に、いくつかの講座の履修を求められるのが一般的で、研究修士号の学位授与につながる一年間の教育プログラムを修了することが求められる場合もある。

博士号への正式な登録は、研究が順調に進んでいることがある程度確認できる、研究開始一年目以降に決定される。指導教員と密に連絡をとりあい、正式に博士課程の学生となれるかどうか確認すべきだ。この段階で、論文のタイトルと希望する研究計画を提示する。博士課程登録への移行に成功した場合、修士（MPhil）の学位登録期間は博士号取得に必要な期間としてカウントされる。しかし、多くの大学はより柔軟になってきている。外国政府が、経済的支援を与える学生に対して博士課程に直接入学するよう要求することも多くあり、多くの留学生を抱える大学の場合、その要求を満たすよう条件を調整している。

三つ目の問いは、入学から〔博士論文〕提出期限までの期間である。フルタイムの学生には、通常、最低在籍期間（三〜四年）と最長在籍期間（四〜五年）があり、その期限を過ぎた場合、特別（かつ説得的）な理由がない限りなかなか延長は認められない。研究を途中で休止し、後でまた研究に戻るといった場合も、休学手続きを逐一とらなければならないので注意しよう。休学は、インターミッション、学業の自発的中断、学業の休息など、大学によってさまざまな名前で呼ばれ、異なる制度で実施されている。申請方法の詳細は、大学のウェブサイトに記載されているだろう。

四つ目の問いはパートタイム学生に対し特別な配慮があるかどうかである。パートタイム学生にとって、タイムリミットは比較的緩やかに設定されており、最短四～六年、最長七～八年である。しかし、大学にリサーチアシスタントなどとして勤務していれば、たとえ博士課程の研究をパートタイムで行っていてもフルタイムとしてカウントされる可能性がある。博士課程の実態は、プロになるための研究トレーニングであり、リサーチアシスタントも実地研修のうちに数えられることがある。

入学手続きが終われば、指導教員の名前、研究テーマもしくは在籍する専攻、学位論文提出までの最短在籍期間についての正式な連絡を受けることになる。次年度以降の在籍可否は通常、年次の進捗状況により決定される。この進捗状況は、あなた自身による研究報告書の提出、指導教員による報告書、面接またはプレゼンテーションの後に評価される。毎年末に、この作業を準備する時間を確保しよう。

研究費と研究サポート

先に述べたように、博士課程学生になるにあたり重要なことの一つに、資金の調達がある。つまり、学費や研究費だけでなく、学位取得を目指す間にかかる衣食住の費用も支払わなければならない。これらの経費を自費でまかなうこともできるかもしれないが、ほとんどの学生の場合そうはいかない。いずれかから助成を得る必要がある。

こうした助成金の提供元は多数ある。

・ほとんどの大学は助成金／奨学金の枠組みを用意しており、それを助成金と呼ぶ大学もあれば、奨学金と呼ぶ大学もある。その仕組みは同じである。人数枠は限られており、何らかの形で競い合うことになる。大学のウェブサイトで締切をしっかりと調べておくこと。大学が中心となって助成金を扱うこともあれば、研究科が直接扱うこともある。「英国国籍の学生に限る」など、対象が絞られていたり、研究分野に制限を設けていることもある。また、大学への寄付金を原資とし、大学が使途を限定する奨学金もある。
・大学によっては大学院においてティーチングアシスタントとなる選択肢もある。これは奨学金といった手当の支給がある代わりに、講義補助や実験の行い方などを教えたりするような教育活動に一定の時間を費やすことになる。
・大学は多くの場合、政府の主要な研究資金提供団体である英国研究・イノベーション機構（ＵＫＲＩ）、またはレバーヒューム・トラスト（the Leverhulme Trust）などの研究慈善団体から奨学金を託されている。これらもまた何らかの形の競争によって分配される。ときには資金提供者が承諾する学生のみに与えられることもある。またあるときは特定のプロジェクトやセンターなどに充てられるものもある。従来の研究評議会が一つの組織に統合されつつある現在、私たちは助成金の授与と資金提供を含むすべての質問をＵＫＲＩにのみ問い合わせることになる。
・出身国の政府から授与される奨学金。世界中の多くの国が、多くの博士課程の学生に海外留学の資金提供制度を設けている。これらは、ウェブで検索するか、あなたの国のキャリアアドバイザーに相談して、自分で見つける必要がある。コモンウェルス奨学金（cscuk.dfid.gov.uk）やシュルンベルジェ財団フェローシップ（www.slb.com/who-we- are/schlumberger-foundation）など、少数の国際的な制度もある。

奨学金に関する情報源はいくつかある。個々の大学のウェブサイトは情報を見つける出発点として適しているだろう。さらに、毎年更新される *The Grants Register*（2021）という参考書籍があり、図書館で見つけることができる（購入すると非常に高価だ）。一部のウェブサイト（たとえば、www.findaphd.com や www.jobs.ac.uk）も、さらに詳しく調べるための出発点として役立つ。特定の奨学金の基準を満たしていることがわかった場合、締切にかなりの余裕をもって申請するとよい。応募資格がなさそうなものでも、募集要項を入手して検討し、例外が存在する可能性があることを認識しておく価値があるかもしれない。あなたの経済状況について、将来の指導教員との最初の面談で話し合うべきだ。

大学独自の資金には、多くの場合個別の申請プロセスはない。大学の入学願書には資金援助の機会に関する項目があり、その大学が管理している奨学金への応募が可能となる。他の奨学金については、詳細を個別のウェブサイトで確認する必要がある。奨学金獲得競争のプロセスは個別に異なり、場合によっては、申請書の情報を大学側が使用するだけで済む場合もある。一方で、面接に出席するか、資金提供を受ける資格がある理由について追加の書類提出が求められる場合もある。

奨学金を得られれば、それは三年ないし四年の一定期間にわたるものとなるだろう。そうした助成の運用には、実に多くの種類がある。特定の研究プロジェクトに限定されるものもあれば、初年度にコースワークを必要とするもの（それによって研究修士号を得ることもあるため、一プラス三システムと呼ばれている）、あるいは産学協同にもとづくものもある。また忘れてはならないのは、状況によっては助成金延長の可能性もあるということだ。自分の指導教員には延長などの可能性について確実に連絡をとり、時機を見て適切なときに支援してもらい、延長依頼を提出すべきである。

状況によっては、奨学金だけでは博士号取得に十分な資金がそろわないこともあるだろう。たとえば、学費分だけを賄うといった奨学金を獲得したとする。そのような奨学金を受け取るとすれば、残りの生活費などをアルバイトなどで賄うことになるかもしれない。そうであれば、できるだけ自分の研究に役立つような職を見つけることをお勧めする。たとえば科目のチューターをやったり、大学で教育関連の仕事を得たりする方が、長時間バーカウンターの後ろに立って働くより断然よい。

高等教育機関は、〔保育園や義務教育と違って〕もはや親代わりになって面倒を見てくれるところではないが、大学が運営する助成を得られれば、大学はあなたにとって「雇用主」のようになってくれるだろう。あなたが突然経済的に困ったら、短期的に一定額を貸し付けてくれることもあるかもしれない。これは分割返済が可能である。

研究のための資源を大学がどのように規定しているか調べてみよう。机、研究室、設備、(研究用の化学物質といった)消耗品など、必要なら指導教員を通じて、確保できるかどうか確かめよう。その他にも、ある程度使途の裁量がきく資金があるかもしれない。それらは、研究科の技術者およびコンピュータ技師からのサポートや、学会参加や他大学のラボへの訪問の際の旅費に使えるかもしれないので覚えておこう。

博士課程教育センター

近年、英国では博士課程教育センターに充てられる博士課程予算が増加している。特定の大学(または小規模な大学グループ)の学生が特定の分野で働くための資金を提供する仕組みである。このようなセンターでは、毎年五人から一五人の博士課程の学生を新たに受け入れ、全員が幅広い分野の研究を行っている。これらのセンターの多くは学際的な分野に焦点を当てており、大学内の複数の部局から指導教員が参加している。

このようなセンターの一員になれば間違いなく多くのメリットがある。あなたは関連プロジェクトに取り組む仲間の一員となり、アイデアを交換するグループに入ることができる。このセンターでは、地域での研究講演や短期講義コースといったプログラムを定期的に開催し、発表される最先端のアイデアから学びを得ることができる。通常、施設には十分な資金が提供される上、指導教員は主にセンターで働くことになるため、主として博士課程学生の育成に集中できる。一部のプログラム、特に科学分野では、学生は全体の仕事に貢献する最若手のスタッフとして扱われる。これは、一般的な仕事に近い形へとより構造化された博士号取得へのアプローチを希望する場合に適していかもしれない。

ただし、このようなセンターの一員になることにはデメリットもある。特に研究室中心型の場合、指導教員はあなたと日常的に緊密に連絡をとる可能性がある一方で、個人的な指導があまり行き届かない可能性がある。さらに、そのような環境にいる学生にとっては、集団作業に多くの労力がかかるため、自身の論文のために独自の研究成果を仕上げるのが難しい場合もある。また、センターがうまく運営されていない場合、関連性の高い問題に取り組んでいる同僚に自分のアイデアや分析結果が盗まれるのではないかと疑心暗鬼になり、学生同士が不信感を抱く可能性もある。

しかし、全体として、私たち著者は、あなたがより社交的な環境で学びたいタイプの学生であり、博士号を専門分野における大きな課題への貢献と考える場合には、これらのセンターがあなたによい機会を提供すると考える。ただ、追求したいアイデアが独特で個人的なものである場合には、あまり適していないかもしれない。

通信教育は可能か

多くの大学では、大学周辺に移住・定住しなくても研究が可能となるような機会を与えている。ただし、たいていの場合は年に何回かキャンパスを訪れることを規定していたり、場合によっては週末合宿への参加が求められる。電子メールやインターネットの発達のおかげで、より柔軟な在学制度が増えてきている。そのため、どのようなオプションがあるか、各機関の規定要項を徹底的に調べることをお勧めする。

研究によって学位を得たいと考えながらも、物理的に大学に毎日通うことが困難な人は常に存在してきた。大学のない地域に住む志願者や、障害者、介護中の人、また幼い子供を抱えるため、自分の環境で働くことはできるが、通常の時間帯にあわせて大学に通えない人々がいる。もしもあなたがそのような立場にあるとすれば、通信教育を検討してみるとよいだろう。研究期間中に何らかの理由で海外に行かなければならない学生（たとえば、人類学や地質学の学生のフィールドワーク期間など）は、遠隔地からでも、数年前と比べはるかに優れたレベルの指導を受けることができる。通信テクノロジーの劇的な進化は、世界的なパンデミック発生前と比べても一目瞭然だ。

電子メール、テキストメッセージ、さらにはツイッターを介して、指導教員、専門分野の学者、他の学生と連絡を取り合うことができる。Zoom や FaceTime などのビデオ会議テクノロジーを使用すると、全員の顔が見えるだけでなく、さらに重要なことに、ディスカッション用のドキュメント、グラフ、図表を共有できる。図書館や雑誌には自宅からもアクセスできる。

学部での遠隔学習には確立された伝統があり、実際、オープン・ユニバーシティ〔日本では放送大学などが該当〕では、すべての学生が遠隔で学習している。高いレベルのモチベーション、組織力、自己規律が必要だが、多くの世代の学生がこのプログラムや他の通信教育プログラムを卒業してきた。しかし、完全に遠隔地からの博士課程の指導は別の問題である。あなたと指導教員が互いにアイデアを出しあうためには、指導教員との定期的なやりとりが必然的に対面で行われる必要がある。このプロセスこそが研究を創造的に前進させるのだ。情報技術は指導プロセスをより効率的にするのには役立つが、対面のやりとりを完全に置き換えることはできない。学部での学習教育と同様、このモードでも学生側のより高レベルなモチベーションとコミットメントが必要だ。これは、一人でいる場合、継続の動機となる組織的な圧力が間違いなく弱いためだ。研究の道は決して簡単ではないのだ。

現在、英国のすべての大学は、学習期間中に一定期間キャンパスに出席するよう要求していることにふれておきたい。したがって、学生になろうとする者が、完全に遠隔で博士号取得のための研究ができないか検討するのはまだ現実的ではない。

指導教員を選ぶ

指導教員の選択は、博士号へのステップのなかでおそらく最も重要である。一般的には、学生は指導教員を選べず、研究科によって指定される。ときに指導教員が選ぶこともある。

しかし、あなたは指導教員の選択に影響を及ぼすことはできるし、むしろ積極的にそうすべきだ。特定の学者が、あなたの指導教員に適していると確信するには一定の情報が必要である。重要な要素は、確立された研究実績があり、専門分野の発展に貢献し続けているかどうか、だ。あなたが自分で考えるべき問いには次のようなものもある。つまり、彼らは最近研究論文を発表したか？　彼らは研究助成金を持っているか？　研究室は効率的に組織されているか？　彼らは英国や海外の会議の講演に招待されているか？　これらの問いに対し、少なくともいくつかの答えはイエスであることが望ましい。

その他に指導教員を選ぶ際に考えなければならないのは、「どれくらい親しい関係をその学者と持ちたいか？」である。指導教員と学生の関係は、あなたがこれまで経験したなかで最も近い関係の一つだ。たとえ結婚相手でも毎日長時間、密にコンタクトをとりつづけることはない（少なくとも、新型コロナウイルス感染症が流行する前はそうだった）だろうが、指導教員と学生の関係ではそれがありうる。学生のなかには（特に最初のうちは）指導教員につきっきりで指導してほしい者もいれば、様子を聞かれたり、次に何をすべきかを言われ続けたりするのは御免だと感じる者もいる。

指導教員との関わりには、少なくとも二つのパターンがある。第一は、すでに述べたが、学生がサポートや確認を欲し、指導教員が指導のためにフィードバックを与え、研究に方向性を与えるというもの。第二は、指導教員と議論する前に、学生が多くの失敗を経験しながらもまずはやりたいようにやらせてみるというものである。この関係では、指導教員は落ち着きをもって、学生が試行錯誤を繰り返しながら学ぶための時間を与えなければならない。こうした指導教員は、学生やその研究にずっと寄り添って指示を与えるよりは、時間を空けつつ定期的に学生の進捗を確認しようとするものだ。

〔本書の著者の一人、〕エステル・M・フィリップス（EMP）の研究によれば、じっくり時間をもらって研究計画を立て、共有に値する成果が生まれるまで急かされずに研究を続けたい学生の場合、有意義な成果をコンスタントに求めるタイプの指導教員にあたってしまうと、学生はいらだち、必要な水準に達した成果も出せなくなる。ここで指導教員は、この学生は慎重すぎて一人で研究できないと思っている。逆に、コンスタントに助言と励ましを与えてほしいと思っている学生に対し、ある程度の進捗が生まれるまで十分な間をちゃんとおいてから進展やアイデアを共有してほしいタイプの教員があてられてしまうと、学生は邪険にされたと感じ、指導教員はもっと気にかけてほしいという学生の要求に腹を立てる（学生がより長い指導時間を教員に要求するのに十分な自信がある場合）。

学生と指導教員の間の良好なコミュニケーションと信頼関係は、「指導」の最も重要な要素である。人間関係がうまく軌道に乗れば、すべてうまくいくが、もしうまくいかなければ、研究学生であることにかかわる全てのことがネガティブなものに見えてくる。したがって、できるだけ早い機会にこの点について話しあい、お互いに一定の合意を得る必要性は、強調してもしすぎることはない。

理想的には、学生と指導教員がお互いに選択しあえるプロセスがあるに越したことはない。大学によっては、これを促進するために多大な努力を払っており、申請段階の前に学生と指導教員が何度も話しあうことを要求し、多くの場合、指導教員が研究提案の作成に協力することを求めている。

学生はまた、在学中の指導教員のポストの安定性を考慮する必要がある。退職した指導教員は、まだ在籍している学生を最後まで指導し続けるのが通常だが、他の大学に異動した指導教員の場合は必ずしも当てはまらないからだ。

研究学生としての始動

高等教育機関が、新入生や研究学生を受け入れるにあたり組織として提供しているオリエンテーションはきわめて重要であり、絶対に参加すべきだ。質の高い第一学位を最近取得して学部を卒業したばかりの人たちは、何年かの社会人生活を経て大学に戻ってきた同級生たちと同様、自分たちが何を期待されているかいまひとつ分からず、混乱や方向感覚の喪失に陥るからだ。

新入生は「博士号保持者はとんでもなく頭脳明晰」だと思いがちである。新入生は「自分が傑出した才能を持っているわけではない」と知っているだけに、自信を喪失しがちだ。彼らに学術論文を読んだ経験があれば、こんなに長く質の高い文章なんて、たとえほんの少しでも似たようなものすら書けるはずがないと怖気づいてしまうことがよくある（なお、読んだことがなければぜひとも読んでもらいたい。四四〜四五ページを参照）。

新入生が足を踏み入れる世界は、苦痛をともないつつも飛躍的な知的変革をとげる「不明確な中間域」と以前からみなされている。それは、自分が何をすべきなのかを少しずつ発見するために、それまでに学んだ専門知識を忘れ去り、一からやり直すことを強いられる世界でもある。学生はこの過程で、大学にいることの意義に疑問を感じることもあるだろう。

だから、このような研究開始時のつらさを解消する上で、他の学生と出会い、自身をコミュニティのメンバーとして感じられるようになることは重要である。そのために大学によって提供されているさまざまな機会を逃さないことを勧める。周りの研究学生と博士課程の経験について話してみるとよい。不安を共有し、悩んでいるのは自分だけではないと気づく。また、悩むのは自分だけが悪いのではなく、博士課程のシステムが「完璧」ではないせいだと分かり、気分が和らぐだろう。博士課程を始めた学生をどうサポートすべきかといったガイドラインも教職員などに提供されている。学生の代表、つまり自主的に大学と学生の間をとりもつ学生もいる。必要となれば、こうしたことについて彼らがアセスメントの手助けになってくれるだろう。

また、指導教員との定期的なミーティングを確立することも重要だ。本書ではこれをチュートリアルと呼ぶが、大学によってはスーパービジョンまたはスーパーバイザー会議と呼ばれ、その頻度も分野によって異なる。しかし、重要なことは、直近の仕事、次のステップ、博士課程全体の進捗状況について指導教員と定期的に徹底的かつ正直に話す習慣を早い段階で確立することだ。

明確な期限つきの小規模プロジェクトに取り組むことについて、早い段階で指導教員との間で合意をしておくのは賢いやり方だ。その際、プロジェクトが完了したら、成果自体とそれについての自分の気持ちの両方について指導教員と話し合うことを約束しておくとよい。この演習は、研究や論文執筆の能力についての疑念払拭に役立つ。また、あなたが感嘆しながら読んだばかりの論文、記事、書籍が、出版できる水準に達するまでに必ず通る改善プロセス（修正、草稿、書き直しなど）を理解するのにも役立つ。

博士課程の俗説と現実

▼象牙の塔

研究に対する最も一般的な誤解の一つは、研究とは現実社会と乖離した「象牙の塔」のなかの活動だ、というものである。もし「研究をしているのだ」と他人に言えば、「日夜世俗を絶って孤独な年月を過ごし、ある日新たな発見を携えて世に出てくるに違いない」と思われかねない。

現実には、そのようなことはない。確かに一定期間自分の力で頑張り続けなければならない（たとえば、考えたり書いたり）が、それがすべてではない。研究者のネットワークには、指導教員や他の研究者、総合図書館のスタッフ、専門分野の文献についてアドバイスをしてくれる司書、ラボの機械について手を貸してくれたり、パソコンでの統計的分析やデータ解析を手伝ってくれたりする技術者、セミナーを開催する研究者、会議でペーパーを配布する同僚など、アクティブな研究者なら必ず触れあわなくてはいけない数多くの人々がいる。効率よく研究を行うには、そうしたネットワークが提供する機会を積極的に活用しなければならない。研究にはインタラクティブな要素があり、アカデミックスキルだけでなく社交のスキルも必要なのだ。

▼人間関係

もう一つのよくある誤解（これは指導教員に対するもの）は、指導教員が学生とファーストネームで呼びあえば、学生と指導教員の間に友達のような信頼関係が生まれるという信念である。なかには「仲間意識」を強めるために、学生を自宅に招待したり飲み屋につれていったりする指導教員もいる。しかし、どんなに指導教員が新入生と友好的な関係を築こうと努力しても、学生にとって「打ち解けた関係」になるには実際にはとても時間がかかる。これは年配の学生も新卒学生も同じだ。

学生が難しく考えてしまう理由は、指導教員が学生の一番欲しいもの、つまり博士号をすでにもっているからである。指導教員たちは「PhD」の称号を有し、学生たちが専攻する分野でエキスパートとして認知されている。学生たちは学部時代に講義や書物、あるいは他人の書物での引用を通じて指導教員を知り、畏敬の念を抱いている。学生たちはそのような人たちと個人ベースの近い関係で研究できることを光栄に感じており、また専攻科目における指導教員の権威、自分との間における「力関係」がよく分かっている。

研究科にはたくさんの同僚学生がいるかもしれないし、また誰もいないかもしれない。いずれにしても研究科の導入セミナーや講義、あるいは大学や学生組合主催の研究学生の会合で他人と接するだろう。さらに、自分の大学の他学生と接点をもつ方法としてソーシャルネットワークがある。たとえばフェイスブックやLinkedIn のグループ、もしくはシンプルに自分の大学の博士課程学生のメーリングリストがあるかもしれない。もしなければ自分で始めるのもよい。自分の通う大学の学部や大学院の学生会などが運営しているツイッターで、フォローできるものがあるだろうか。これらのつながりは大学の休講期間中などに大変便利である。休暇中などでも、たとえばクリスマス期間中に簡単に実家に戻れない人など、大学付近にいる人たち向けのフェイスブックグループやメーリングリストを設ける大学などもある。また、自分の分野に関してもフェイスブックやLinkedIn など国内外のグループに参加し、他の博士課程学生や経験豊かな研究者のツイッターなどをフォローすることをお勧めする。

たとえ出会う相手が専攻の全く異なる研究科に属する人でも、連絡をとりあうことは有用だ。彼らはあなたと同じ環境にいるので、あなたの経験を理解してくれるだろう。このような接点は自分の分野以外の人と友達になる機会をもたらし、そのような機会がなければ会うこともなかったような人たちと会うことができる。トレーニングセッションは特定の技能を教授する場ではあるものの、人とのつながりや日程の確認にとっても重要な意味があると理解しておくべきである。特に博士課程の最初の数カ月は、非常に不安定な時間に感じられることは念頭に置いておくべきだ。いくつかのグループの同期の学生の名前と携帯番号、そしてメールアドレスを最初に聞き出しておこう。このリストを使って、メールやテキストで彼らと連絡をとり、お互いに有益な支援グループを形成しよう。WhatsApp などのモバイルアプリケーションを使用すると、グループメールと同じようにテキストでグループにメッセージを送信でき、役に立つ。このグループでは、大学院プログラム全体を通じて、研究の進捗だけでなく、研究に対する意識も比較することができる。人生のあらゆる領域と同様に、学術コミュニティ内の個人的な関係も築くのに時間がかかり、努力する必要があるのだ。

チームワーク

「私はたくさんの研究学生がいる研究室で孤独に作業する。他の研究学生もみな、孤独に作業する」。生物化学専攻で、効果的な抗がん剤の研究に取り組んでいた研究学生チームの一人だったダイアナの言葉である。この一言は、大規模なプログラムに資金が提供され、その助成金をもつ教授が何人かの研究学生を周囲に集めている科学研究の現場の一例を端的に表している。学生はそれぞれ特定の課題に取り組んでいるが、各々の研究課題は互いに密接に関連している。理論上は自由闊達な情報交換があり、調和のとれたグループワークがなされている……はずである。しかし実際には、他の誰かの発見によって自身の研究が続けるだけの価値を失ってしまうかもしれない、といった不安から、担当している課題を注意深く隠す学生もいる。

博士号はオリジナルな業績に与えられる。ダイアナのような環境にいる学生は、二つの心配をしている。一つは、他の学生の研究が自分の研究領域を「侵食」し、研究のオリジナリティを台無しにしてしまう、あるいは先着順で二番目にしてしまうこと。もう一つは、他の誰かが何かを証明し（その人には博士号が授与される）、それと同時に自身の研究の方向性が誤りであることが示されることである。

必要なのは、競争ではなく協力であり、お互いの仕事をより理解しやすくし、孤独を軽減することだ。うまく運営された研究室では、タスクについての一般的な知識を共有し、関連する問題や困難について話しあうために、定期的なグループ会議が開催される。しかし、多くの場合、学生は大学院時代の最重要テーマとして疎外と孤立を経験することになる。不思議なことに、自然科学を専攻する学生の方が、社会科学や人文科学の学生よりも強い孤独に陥りがちだ。おそらく、自然科学には仲間意識の幻想と、「研究仲間の一員になるのだ」という淡い期待が入学時にあるためだろう。他の研究科の学生は最初から、実験するよりも、図書館や自宅で孤独に読んだり書いたり考えたりすることを覚悟している。セミナー、研究スペースの共有、または企画されたイベントに出席することで得られる「社交」は、ボーナスなのだ。

第3章

博士学位の本質

本章のポイント

1. 自分の専攻分野で完全なプロの研究者となるために必要な業績の水準（それには他の職業に応用可能な技能を含む）を知ろう。それは博士号授与の水準ともなる。
2. 同じ専攻分野の人が書いた博士論文を読んで、審査委員を満足させる博士論文にはどの程度のオリジナリティが必要なのか知ろう。
3. 入学したての頃もっていた研究への情熱は必ず次第に冷めていく。論文完成と博士号取得に必要なのは、（聡明さよりは）決意と日々コツコツ行う努力である。自分にそれがあることを証明しよう。
4. 研究の適切な助けとなる大学院のサービスや講義などはフル活用しよう。
5. 指導教員があなたとどう関わることを望んでいるのか（たとえば研究助手のような関係を望んでいるのか、独立した研究者としての道を歩みはじめてほしいのかなど）を探り、それが自分も望んでいる関わり方なのかを見極めよう。
6. 学生と指導教員は、研究領域の設定と学位取得までの決められた時間の間に生じるギャップを常に意識し、必要に応じて常に調整をしていくよう心がけよう。

この章では、博士号の本質について議論する。博士課程の目的、それが学術システムの中で果たす役割、そして博士課程において学生、指導教員、審査員がそれぞれもっている、必然的に異なる目的について考察する。

博士号の意味

英国の大学の学位構成の歴史的背景と現状を概略的に振り返ってみよう。

・学士号は伝統的に、取得者が一般教育を受けていることを意味した（このレベルでの専門化は比較的最近の一九世紀に発展した）。

・修士号は実務のための資格だった。もともとこれは神学を実践すること、つまり教会で生計を立てることを意味していたが、現在では経営管理、電子工学、土壌生物学、コンピューティング、応用言語学、中世史など、あらゆる分野にわたる修士号があり、学位は、専門分野における高度な知識があることを示している。

・歴史的に博士号は学部（および研究科）の一員として大学で教鞭をとるための「教員免許」であった。今日では、博士学位はアカデミックな場の外部でもキャリア上の広い意義を有し、学位保持者は必ずしも学者のポストを得るわけではなく、よって博士号取得は大学教員になることを目指してとは限らない。しかし、博士号のコンセプト自体は、領域について最新の知識を持つだけでなく、それらをさらに発展させる力を有する権威ある人材を、研究科のメンバーの中から育てる必要性に由来している。博士号は、取得できる最上級の学位であり、学位保持者は近接領域の大学教員からみて、対等な存在として傾聴に値する意見を言える人物である。

英国大学の博士は、伝統的に、専攻分野によって呼び名が違っていた。たとえば、DD（神学）、MD（医学）、LLD（法学）、DMus（音楽）、DSc（科学）、DLitt（文学、つまり教養）である。これらのいわゆる「論文〔上級〕博士」は、通常、長年にわたる研究による分野への貢献を認定して授与される。英国の大学において、Doctor of Philosophyは、二〇世紀初頭に米国から輸入されたものだ。一部の大学はこれまでこの称号をDPhilと略したが、現在ではオックスフォードを除くすべての大学がPhDという呼称を使用しており、本書もこの称号を使用する。三年程度の限られた研究で博士号を授与されるようになってから、博士の意味は論文博士に比べて限定的にはなったが、博士号保持者は研究分野を熟知するものであり、学術的な貢献を行える人物であるという意義は変わらない。

英国の大学は「独立自治」を誇りに感じているので、博士号の定義については例外も数多くある。いったん教育機関が大学として認められさえすれば、大陸ヨーロッパと違い、英国の大学には、どの学位を、誰が誰に、どのような基準で与えるかについて明確な国家規定はない。

歴史を振り返ると、この独立性ゆえに、たとえばスコットランドの伝統的な大学の教養部局が最初の学位を「修士」としていた一方、理系部局は「学士」とした。伝統的に、オックスフォードとケンブリッジでは修士号を取得するための追加試験はなく、さらに二年間大学に通い続けることが要件とされるだけだった。現在では、二年後に登録料を支払い、出席しなくても学位が取得できるようになっている。また、医学領域ではその慣行はさらに奇妙である。たとえば、一般の医師は博士号をもっていなくてもドクターの称号を得られる。医師免許取得の過程は修士号に相当するとはいえ、事実上、彼らは二つの学士号を有しているにすぎない。もちろん、そうした例外はその分野における正当な歴史的背景があってのことだ。

完全なプロの研究者になる

上述のように、英国の各大学は独自の学術的基準に責任を負うが、一九九七年に政府は高等教育質保証機構(the Quality Assurance Agency for Higher Education：ＱＡＡ）を設立した。その使命は、大学が設ける学位の基準と手順をモニターし、ベストプラクティスを認定し、推奨することが目的だ。ほとんどの大学はそのガイドラインに従う意向である。二〇二〇年のＱＡＡの説明では次のように述べられている。

英国のすべての博士号は、その形式に関係なく、独自の研究、または既存の知識や理解を独自に応用することで、そのトピック、分野、またはプロフェッションにおける知識へのオリジナルな貢献を候補者の研究に求めている。

つまり、博士号保持者とは、関連する研究科および学外の学者や科学者によって権威として認められた者である。さらに現代風にいえば、博士号取得とは当該分野の「完全なプロの研究者」になることである。「完全なプロの研究者」とは次のことを意味する。

- 最も基本的なレベルでは、同僚にとって傾聴に値する意見を言える。
- 右の目的のために、専門分野で何が起きているかを把握し、自分や他人の研究の価値を評価できる。
- 自分が研究にうまく貢献できる領域を見つける嗅覚がある。
- 職業倫理を必ず理解し、その範囲内で研究をする。
- 現在使われている研究手法をマスターし、さらに手法の限界について知っている。
- 自身の研究結果を専門的な場で印象的に説明できる。
- これらすべてが、国際的な文脈、すなわち地球規模に存在する〔国際的に通用する〕研究仲間のグループのなかで実践されている（もちろん、以前からそうだったのだが、オンライン・コミュニケーションの急速な普及と海外渡行の増加によって、〔学術情報の〕普及のスピードは以前とは比べものにならないほど速くなっている）。世界中の研究者コミュニティの間で何が発見され、議論され、書かれ、出版されているかを把握している。

このリストが、スキルと知識の双方から構成されていることは重要である。哲学者のライル（Ryle 1949）が述べたように、「何かを知っている（knowing that）」と「どうやるか知っている（knowing how）」は決定的に違う。「これが成果の出る学問領域だよ」、「このテクニックが使えるよ」、「学術的貢献をしっかり説明できる論文を書くべきだ」と言えるだけでは十分ではない。研究しうるトピックを開拓し、必要なテクニックをマスターし、説得力をもって自らの発見を示せるようにならなければならない。

したがって、完全なプロフェッショナルになるにはスキルが必要だ。これらの基礎は講義で学べる。しかし、そのようなスキルを本当に習得するには、指導教員のサポートと指導を受けながら実際の状況で実践し、フィードバックにもとづいて改善する必要がある。これらのスキルのいくつかの側面——ポランニー（Polanyi 1966）はそれらを「暗黙知」と呼んだ——は、経験豊富な者であっても、簡単に説明できない。経験豊富な人々と協力し、ある程度の観察と試行錯誤を経て初めて、必要な専門スキルが身につく。「模索」と「実践」という二つの要素は、すべての技術習得の基本である。そしてこれこそが、博士号取得に時間がかかる理由の一つだ。

これだけでは十分ではなく、さらに複雑な問題がある。博士課程において研究するのは、「ゴールポストが動き回るグラウンド」でサッカーをするようなものだ。今日の明らかにすぐれた研究手法は、明日には廃れるかもしれない。現在の新しい分野の研究への貢献は、来年までに古びてしまうかもしれない。絶対に修得しなければならないスキルは、研究の現在の発展状況に照らして、自身、あるいは他人の仕事を評価する能力である。プロフェッショナルには専門分野とともに成長できることが求められる。

学問的な成長に必要な手段の一つは、同じ分野の論文を読むことだ。論文は学術雑誌に掲載されており、大学図書館のウェブサイトからもアクセスできる。まずは、自分の研究に直接関連する論文を読む必要がある。これらの中には、指導教員から推奨されるものもあれば、Google Scholar などのウェブサイトを通じて見つけるものもある。論文の参考文献リストから関連論文を見つけることもできる。関連があると思われる論文を見つけたら、その論文の参考文献に目を通すとよいだろう。次に、Google Scholar などを使用して、この論文を引用している論文のリストを見つけよう。こうすることで、その論文の研究がどこから来て、どこに影響を与えたかの両方がわかる。

ただし、自らのテーマにまつわる知識の深化もさることながら、分野の論文は幅広く読む必要がある。これは、自分のテーマに関連する新たなトレンド、方法論、類似テーマの存在に気づき、研究を鳥瞰的に位置づけるのに役立つ。そのためには、自分の分野のジャーナルを定期的に数冊読むことだ。論文のすべてを読むのではなく、どのような方法論が使用されたか、どのような結果が得られたか、将来の研究に向けてどのようなアイデアを提案したかを知るために、目的をもって読む必要がある。これは、専門分野における知識の深化と合わせ、あなたの狭い専門領域では採用されていない新しいアイデアを、研究プロジェクトに採用し、応用していくうえでも有用である。

分野の重要な論文のほとんどが掲載されている単一のジャーナルがある、という幸運もあるかもしれない。そのような雑誌が存在するかどうかは、早い段階で指導教員に聞くとよい。しかし、多くの研究分野では学術出版が成長し、現在では膨大な数のジャーナルが発行されている。対抗策の一つは特定の分野の重要な新しい論文を追跡するブログやソーシャルメディアアカウントだ。これらを活用することで、分野の多数のジャーナルの論文出版のアラートを受け取ることができる。

また、分子生物学なら*Cell*など、その分野の一流ジャーナルを読むとよい。通常、多くはあなたの研究テーマに直接関連しないだろうが、研究のより広い文脈を理解し、専門分野の新たな傾向を把握するのに役立つ。他の方法としては、生物科学における*Quarterly Review of Biology*など、特定の分野に関するチュートリアルや調査論文を掲載する雑誌を定期的に読むことだ。

学生が自分の分野にまつわる知識を常に最新に保つためのもう一つの工夫は、特定の領域についてジャーナルクラブや輪読会を組織することだ。典型的な方法は、学生のグループ（おそらくポスドク研究者や学術スタッフも含む）が毎週一～二時間集まり、交代で自分たちのテーマに関する研究文献から最近の論文を要約し、議論するものだ。

テーマの特定分野に興味をもつ人が十分な数いれば、これでかなりの量の文献を理解できる。学期中に毎週会っていれば、一年間で約三〇本の論文を知ることになるだろう。

▼博士スキルの習得

かつては、長年にわたる研究の最も重要な成果は学位論文だった。現在では、博士号取得後にも有用な、二種類のスキル開発が重視されている。一つは多くの学術研究に適用できる専門スキル、もう一つは大学外のさまざまな雇用分野でも活用できる汎用スキルだ。こうした取り組みは「Researcher Development Framework」として知られており、博士課程学生のスキル開発と雇用に関する政府有識者報告書である二〇〇二年のロバーツ報告書（Roberts 2002）から生まれた。

調査研究に携わる期間において、望む結果を得るためには、数多くのタスクをこなす必要があることに気づくだろう。たとえば、文献調査では、論文や書籍の特定部分の重要性や関連性を評価しながら、集中して読むことが求められる。さらに、要点をつかみ、それがあなたの論文のテーマとどう関連するかを示す必要がある。こうした能力は、生活や仕事における他の多くの場面でも活用できる汎用性がある。重要なことに焦点を絞り、自信をもって状況を他人に説明できることは、研究だけに役立つスキルではない。

博士号取得者の大多数は、キャリア全体を通じて大学で働くわけではない。この種のコミュニケーションスキルを備えた人材は、民間部門と公共部門の両方で求められる。雇用保障、昇進、機会の面で最高の条件を提供する雇用主は、特にコンサルティングや渉外に有用な、これらの適性をそなえた人材に関心をもつ。

繰り返すが、アイデアを公の場で発表するスキルは、博士号取得と将来の雇用の両方に不可欠だ。これらには、セミナーの開催、学会での発表、そしてもちろん、バイバ（Viva, 博士論文口頭審査）での弁論も含まれる。したがって、博士課程ではプレゼンテーションやパブリックスピーキングなど、人前で話す能力という非常に価値のあるスキルを身につけることになる。これは、結婚式でのスピーチは言うまでもなく、広告、ビジネス、管理職、さらには学界でのキャリアでも、何物にも代えがたい強みとなる。

同様に、データを集めて統計的に分析する能力も、ＩＴプログラムや統計ソフトの利用に精通することで、ビジネス、政治、そしてメディアなど多くの分野で役立つ。高度なインタビュー能力や調査票の設計能力もさまざまな場面で有効だ。もちろん研究期間中に嫌でも身につけなければならないさまざまなオンライン技術に長けていることも、多くの雇用先で重宝される。

研究期間中の研鑽によってあなたは、生涯を通して役立つ多くの技能を（学ぶというよりも）身につけることができる。これらの技能のなかでも、時間管理や期限を守ること、自身と仲間の仕事ぶりを評価する能力、そして自分の研究課題に関して常に客観的でありつつ問いかけを続ける姿勢については、本書においてかなりの紙幅を割く。他にも、交渉やお互いの立場に立ってモノを見る力を含むチームワークの能力などは、孤独な研究者というイメージとは矛盾して映るかもしれないが、指導教員や同じ分野の他の研究者、あるいは学会の討論者との議論を経て、一つの結論に到達する力の重要性を認識するようになるだろう。

学業を続けるなかで身につく文章力のような明らかな能力以外にも、雇用主が魅力的に感じる能力が存在することにあなたは気づくだろう。あなたは会社に貢献できるたくさんのスキルを手にすることになる。すべてとは言わないまでも、多くの会社は安全衛生、製品デザイン、マーケティングなど、幅広い問題に対処しなければならない。顧客サービスのスキルを求めない企業、あるいは変化の時期や職場での紛争に際して同僚とコミュニケーションをとるといった、難しく、複雑で、変化が早い状況をうまく切り抜け、問題を解決する能力に長けた思慮深い従業員を欲さない企業など、何の価値があるだろうか。

学術界で仕事を探すとしても、他の分野で働くとしても、大学院生のうちに幅広い能力を意識的に開発しておけば、将来のキャリアにおいて間違いなく大きな助けとなる。アカデミア以外の職に就く場合は、これらのスキルをどう示すか考えることが重要だ。博士課程の学生は、専門分野内の特定のトピックや研究分野の専門家として自身を狭い範囲で表現することに慣れてくるものだが、これは柔軟なスキルの組み合わせを求められることが多い他の雇用分野とは大きく異なる。上記のガイダンスを活用して、自分自身とそのスキルを適切に提示できるようにしよう。

専門スキルと汎用スキルの習得は博士課程の重要な部分だ。博士課程の目的とは完全なプロの研究者になることであり、実際にあなたがそうであることを証明することである。これは、あなたがなすべきことを指し示すものとして、常に心に留めておく必要がある。たとえば、あなたは研究をするために研究をしているのではない。あなたは、自分が完全にプロの水準（このことは本章の後半でさらに述べる）に達した研究のやり方を会得していることを証明するために研究するのだ。

あなたが研究分野の先行研究レビューを書いているのは、それが面白いから、あるいは「誰もがやっている」からではない（両方とも真実かもしれないが）。先行研究レビューを書くのは、それが完全なプロとしての成熟と理解のもとで、対象を吟味する方法を学んだことを実証する機会であるがゆえなのだ（これについては第7章で詳しく説明する）。

▼自分がプロの水準に達しているかを見極めるには

大事なのは、あなたの学びが専攻分野でプロの水準にあることを示すことだ。自分がそのレベルに達しているか、どうすれば知ることができるだろう？　あなたはそれを指導教員や先行研究から学ばなければならない。事実、指導教員にとって、適切な「プロの水準」に慣れ親しむ機会を学生に逐次与えることは重要な責務だ。プロの水準がどのようなものかを理解せずに、そこに達することはできない。役に立つものとして ethos.bl.uk というウェブサイトがある。ここでは五〇万以上の論文が無料でダウンロードできる。

一つ確かなのは、プロの研究者の水準とは何かを知らずして博士号は得られないということだ。その理由は、博士課程全体を通じて目指すことになる目的とかかわる。このプロセスの目的は、単にどこかのタイミングで「博士」の称号を名乗ることを許可することにあるわけではない（あなたはとてもうれしいだろうし、家族は誇らしいだろうが）。大学や学術界を代表して論文を審査する審査委員は、あなたを完全にプロの研究者として認めて学位を授与するのであり、最も気にかけるのは、あなたを「仲間に加える」べきか否か、またあなたが研究を通じて、あるいはアカデミック・キャリアを目指すなら学者として、研究分野の発展に貢献し続ける力があるか否か、である。彼らはあなたが博士論文の発表以後、学者としての権威を確立する論文を世に問い続け、今度は他人の博士論文を指導し、審査する立場になることを望んでいる。

これは実際、博士課程全体のねらいである。権威をもって他人の博士課程を指導し、審査できる高みにまで学生を育てるのだ。したがって、あなたはプロとしての技術を身につけ、求められる水準を理解しなければならない。当面、このことが含意するのは次の二点である。

・できるだけ早い段階で、自身が専攻する分野の博士論文を読まなくてはならない。それにより水準を知ることができる。他にどんな方法で目指すべき水準を知ることができるだろうか？
・研究が進むごとに指導教員のところに行き、これで十分かどうか聞かなければならないとしたら、あなたは間違いなく博士号の水準に達していない。博士とは、完全なプロの研究者としての仕事の水準を（自身のものも含めて）評価できる者に与えられるのだ。

▼博士課程では何を教わるのか

所属研究科からのサポートに加え、ほとんどの大学には学生の学問的および専門的な能力開発を大学全体でサポートすることを目的として、大学院が設置されている。「大学院」の別名には、「研究者アカデミー」や「ドクター・カレッジ」などがある。採用された名前に関係なく、これらの機関は、大学全体での博士課程の学生のためのネットワーキングの機会や、研究トピックに関する無試験の短期コースのいずれも提供する。自分の大学で何が利用できるかを認識しておく必要がある。

たとえば、次のような講義がある。

- 研究プロジェクトの計画および管理
- アカデミックな研究にふさわしいイングリッシュ・ライティング
- 研究倫理ガイドライン
- 学術雑誌や引用データベース、参考文献管理ソフト、そしてオンライン質問票などを駆使したオンラインでの研究

状況に応じて、他に次のようなコースがある場合がある。

- 研究室の安全衛生（理工系の学生向け）
- 統計コンピュータパッケージSPSSの使用（社会科学系の学生向け）
- デジタル定性的研究手法（人文科学系の学生向け）
- 効果的な指導（ティーチングアシスタントをする学生向け）

あなたの研究科では、分野に関連する研究方法論の講義、訪問研究者による定期的なセミナー開催があるかもしれない。大学が提供しているものを最大限に活用しよう。

一例として、ある大学院（ロンドンのインペリアルカレッジ）は、一年生、二年生、三年生を対象としたさまざまな講義を提供している。最初の年には、「プロジェクトマネジメント」や「アカデミック・ライティング」、「統計学」など。二年目には「キャリアプラン」、「学会プレゼンテーションスキル」、そして「学生のモチベーションを落とさない方法」などがある。三年目には「博士論文口頭審査の準備」、「論文のオープンアクセス化」、そして「ＣＶや申請書の上手な書き方」といった具合である。

それ以外に外部のコースに参加することもできる。研究学生や、大学および支援団体から助成金を受けている学生なら、しばしば無料で出席できる。たとえば、大英図書館は人文科学の学生を対象に大学院生の研修を設けている（www.bl.uk/research-collaboration/doctoral Research）し、理系の学生向けには GRADschools organization がキャリア開発セミナーを提供している（www.vitae.ac.uk/vitae-publications/vitae-researcher-development-programmes/gradschools）。

修士号と博士号の違い

修士号（MPhil, Master of Philosophy）は、当該分野を理解し、二年間のフルタイム学習を完了することが求められる、博士号よりは下位の学位である。修士論文は通常、博士論文よりも短い。また、さらに発展的な研究に向けたトレーニングとして用いられることもある。あるいは、研究の基礎と新たなテクニックの習得段階として位置づけられることもある。ただし、研究修士（MRes, Master of Research）と呼ばれる修士号がこれに該当し、より多く用いられている。

修士号はそれ自体で正当な高等学位でもある。実際には誇るべき資格だが、よく「失敗した博士号」とみなされる。博士号が最も高い学位である場合、修士号はその二番目に位置し、高いスキルおよび知識を獲得した証明となる。

博士号と同様、特定の分野について修士号をとるための手続きを形式的に事細かに記すことは不可能である。必要な水準を知るためには評価の高い論文を読んでみるしかない。ここでは一般的な、修士号と博士号との違いを述べる。

- **修士号の候補者は分析を行う必要があるが、博士号と比較すると、その範囲やオリジナリティの程度は限られている。**博士課程ではオリジナルの研究にかなり重点が置かれ、博士論文には修士論文よりも深い内容が含まれる。実例の提示の仕方のみならず、議論を統合する力、批判する力に関しても博士号に対する要求度の方が高い。
- **修士号は、既存の研究のまとめに限られることが許される。**同様に、二次的資料を使うことも許される。つまり、修士課程では引用の「孫引き」が許される。たとえば「フランシスはオリジナリティを定義した（Phillips and Pugh 2015)」と書くことができる。しかしこれは、フランシスの論文を読み、評価することが期待されている博士課程では許容されない。
- **さらに、先行研究の全面的要約が必要とされる場合でも、批評的に総括する博士課程のレベルは、修士課程では要求されない。**違いは、期待される批評的考察の度合いだけではなく、レビューの広さと深さをも含む。しかし、修士課程でも高度なものになるとアイデアをテストし、適切なテクニックを理解し、既存研究や情報源を使いこなし、さまざまな理論や実証研究への習熟度を証明することが必要とされる場合もある。ただし、修士号は、博士号ほど批判的な文献批評は求められない。

修士号に関しては各大学が独自の規則をもつので、出願の際には十分考慮する必要がある。

学生のねらい

博士号を取得しようと考える理由は数多く存在する。最もよくある研究開始時の目的は、自分の専攻する分野に大きく貢献したいという願いである。このような場合は、学部時代（場合によっては社会人として働きはじめてから）特に興味をもつようになった分野に対して、既存の知識に新たな貢献をしたいと思うようになった、というのが一般的である。たとえば、建築学部を卒業したアダムは建築家として、また建築学を教える者として数年を過ごし、次のような動機で大学へ戻ってきた。

私は、ビルをデザインするときのバリュー問題に興味があり、より理論的な勉強をしたかったのです。建築家は将来の利用者との相談なしに、どうしたらビル利用のコンセプトを決めることができるでしょうか。私にとって、学部での学習と仕事を通じての観察の延長線上にある関心事でした。私はそれがプロとしての仕事を進める上で非常に重大な課題であると考えました。

歴史学専攻のグレッグは博士課程に進んだ理由を次のように述べた。

修士課程に進み、さらに研究を続けたいと思いました。私にとって博士号とは、専攻分野に新たな貢献をすることであり、そして、それこそ本当にやりたいことでした。これまで、その学位課程が終わりに近づくまで「次」の学位について考えたことなどありませんでした。私の仕事に博士号は必要ありませんし、むしろ不利でさえあるかもしれません。

多くの大学院生にとって、博士号の取得は将来のキャリアパスや期待収入を高めるものでもあり、グレッグの心情はすべての研究学生から共感を得られるものではないだろう。将来の計画のために学位の取得を考える者がいる一方で、以下に紹介する薬学専攻のフレディのように、学部を卒業してすぐに職を探すのは難しいと考えて大学院に進む者もいる。

私が学士を取得したところの学部長が、大学院での研究ポストをくださったので、研究内容の概要をいただいた後、それを受けることにしました。

博士課程に進学する理由は他にもある。学生の中には、彼らが働く研究室や病院に入ってくる人から「ドクター」と呼ばれて肩身の狭い思いをし、博士号の取得を思い立った者もいる。また医療関係の同僚がいる者は、「ドクター」の肩書を自分も持つことで話がしやすくなると感じて学位取得を決めるかもしれない。さらに研究グループのなかで自分だけ「タイトル（称号）」がないことを引け目に感じて進学する者もいるだろう。博士課程への進学には、単に学部時代の成績が非常によかったため、奨学金や研究ポジションをもらって勧められるままに進学する場合もある。そして、英語学科の学生であるブラッドリーのように、研究の楽しさによって動機づけられる者もいる。

これ以上に充実した楽しい時間を過ごす方法は考えられませんでした。それはほとんど本能的なものです。メリットとデメリットを比較検討したことはありませんが、本当に感情的な決断でした。

こうした動機は、「高度な知識を提供し、当該分野のすぐれたエキスパートになる」という「博士学生の理想像」とは、大きくかけ離れている。

博士号取得へのプロセスについては第8章で詳しく述べるが、すべての博士課程学生とフレッシュな新入生は、研究の日々を経験し、プロの研究者としての道を歩むにつれ、博士号についての「語り口」が変化してくる。学位取得の過程が終わりに近づくにつれ、志が小さくなるのである。つまり、シンプルに博士号を「とりにいかなきゃ」、そして、まだ終わっていない業務を「終わらせなきゃ」、となる。

聡明さよりも決意と努力が必要なのだ、と最終的に気づくことが重要だ。これを知るのは早ければ早いほどよい。研究を成功裏に遂行することは、他の仕事がそうであるように、「しなければならないこと」である。他の仕事と同じように、目標を立ててそれを達成していくことがとても重要なのである。

指導教員のねらい

これまで見てきたように、学生はさまざまな理由で博士号取得を目指す。同様に、研究者が博士課程の指導に参加する理由もさまざまだ。共同研究（collaboration）をモチベーションとする者もいる。特定の分野に対する熱意を共有する博士課程の学生と議論し、トピックを発展させることができるのが楽しいのだ。

他の指導教員にとっての主な動機は大規模研究への野心だろう。分野によっては、研究プロジェクトで、実験やヒアリングなど多大な人的労力が必要となり、指導教員だけではその全作業を行うことができない。このような指導教員にとって、博士課程学生はプロジェクトの研究助手として機能し、指導教員の指示の下で複雑なタスクを実行する。もちろん、そのような学生はスキルや知識を身につけられる。このスタイルの指導を受けることは、同じく広範な研究プログラムに取り組んでいる他の博士課程学生との接点が多く、アイデアについて議論し、スキルを学び合う、切磋琢磨の機会が多いという利点もある。

指導教員のもう一つの動機は、次世代研究者の育成だ。このタイプの指導教員は、学生を広義の独立した研究者とみなし、研究の方向性を設定したり、研究に積極的に協力したりするのではなく、助言や指導を提供することが自らの役割と考える。彼らは、学生の自律性の向上に向けた成長をサポートすることが役割だと考えており、多くの場合、そのような指導教員は、自身と同じようなキャリアに向けて学生を奨励する。そして彼らはすでに教授となった元教え子の業績を、大きな誇りを持って語るだろう。

これらの区分は互いに排他的ではない。多くの指導教員は、上記の要素の組み合わせにより動機づけられるだろう。さらに、これらの動機は博士課程の途中で変化する可能性もある。一部の指導教員は、博士課程の初期には細かな指導をするが、その後は学生の自主性を尊重するかもしれない。この変化に気づかないと問題が生じうる。たとえば、指導教員の指導機会の減少は、あなたの自主性を尊重してのことかもしれない。この意図が明確でないと、指導教員があなたの研究への関心を失ったように感じるかもしれない。

こうした崇高な動機に加えて、指導教員は、昇進のために優れた指導力をもつアクティブな学者として評価されたい、教え子をアカデミアに送り込むことで自身の評判を高めたいなど、あまり崇高ではない願望に突き動かされる場合もある。

指導教員の動機に気を配る必要がある。動機は、指導スタイルやあなたへの期待に影響を与えるからだ。特殊なテーマをあなたが選択した場合、あなたを研究助手とみなす指導教員と組みたいとは思わないだろう。もしあなたの方向性が定まっていないのなら、常に自主性を重んじる指導教員とはうまくいかないだろう（もちろん、どの博士課程の学生も最終的には自身のオリジナルの成果を生み出す必要があるが）。あなたが望むキャリアも指導教員とは異なるかもしれない。博士号取得後にアカデミック・キャリアに進む予定がない場合、そのような結果を想像できない指導教員と組むとうまくいかないかもしれない。研究テーマに対するアプローチの不一致さえも、問題となる可能性がある。たとえば、あなたが理論的なアプローチに動機づけられており、指導教員が実証的なアプローチにしか価値を見出さない場合、幸せな職場関係を築くことは困難だろう。

こうしたモチベーションの違いの理解は、入学申請プロセスと博士課程の研究の初期段階の両方において重要であり、成功と失敗の分かれ道となる可能性がある。これに対しては、以前の学生がどのようにテーマを選択したかを指導教員に尋ねるとよい。現役の先輩学生と話す機会があれば、このことを話題にするよう努めるべきだ。

論文審査委員のねらい

論文審査委員は、所属大学を超えた博士号授与にまつわる一定の水準を理解し、その水準に沿って博士号授与の成否を決める人々である。審査委員のなかには、博士号取得とは研究におけるトレーニングの一環であると考える者もいる。一方、書籍刊行への第一歩だという者、アカデミアへの登竜門だという者、また私たちがここで提案するように、「完全にプロの研究者」になるためのものと考える者もいる。

論文審査委員は、いずれに関心があるにしても、博士課程学生の研究、論文、そして口頭審査の内容を見ながら、特定のトピックにとどまらない、専門領域（またはコンテクスト）における研究の運用能力を審査する。英国の博士号は既存の知識に対するオリジナルな貢献をもって評価する。第5章で詳しく述べるが、博士号のオリジナリティについては、まだ適当な定義がなく、複雑なものではある。しかし、ともかく審査委員は、対象の論文が候補者本人の貢献による一定のオリジナリティを有していることを確認しなければならない。

論文審査委員は論文審査をすることで評価を受ける。ある者は気難しいとみなされ、またある者は指導教員の講評をほとんど丸ごと受け入れてくれる。ある者は口頭審査をプロとしての知識と説明力があるかどうか真剣に見極める場と捉え、またある者はそれをリラックスした友人同士の会話のようにこなす。

誰が論文審査委員になるかは、特に指導教員が委員を選ぶ場合、委員のもつ名声に左右されることがある。論文審査委員の選定は、指導教員が学生の研究をどれくらい高く評価しているか学生に対して示す面がある。たとえば、指導教員が「この学生は博士号取得の要件だけを満たせばよい」と考えたなら、あまり厳しくない委員を指名するにすぎない。しかし、もし学生の研究が大きな価値を秘めていると指導教員が感じるならば、「タフな」委員を学生にあてがい、結果として学生は博士号の取得に加え、いっそうの栄誉をも得るかもしれない。しかし、こうしたやり方はまったく普遍的ではなく、きわめて不人気なこともある。研究科の学生に特別な責任をもつジョージ博士は言う。「私はできの悪い学生に対し、あまり有能でない研究者、あるいは友人をあてがう最近の風潮には反対だ。しかし、それはこれまでも実際に起きている」。

大学と研究資金提供者のねらい

政府による学生への資金提供は主にＵＫＲＩから大学への補助金の形で行われ、大学が学生に分配する。一部の地域では、研究慈善団体からも多額の資金が提供される。以前は、入学後の評価は指導教員の学問的裁量であると考えられ、かなり緩い見解がとられたが、現在はそうではない。現在、大学にとって博士号取得者を輩出することは大学の継続的な資金獲得にとって非常に重要になっている。博士学位取得者の数が大学の資金獲得に影響するのだ。学位取得の失敗で最も一般的なのは中退だ――実際に中退する人は少ないが。学生の中退率が常に高い場合、かつての研究資金提供者は大学に対し、実効的な学生支援システムを備えている旨証明するよう求めてきた。また、資金提供者たちは、新入生のオリエンテーション、研究環境、研究指導上の取り決め、異議申し立てや苦情手続きなどのベストプラクティスに関するガイドラインを発行している。資金提供者たちは博士課程修了率の順位表も発行しており、満足のいく成績を収めていない大学は研究生の助成金を受け取れないリスクにさらされる。もちろん、支援体制が改善されたことを証明できれば、復帰を申請できる。

こうした政策の影響で、学術機関は博士号取得期間中に行われる教育を管理し、質の高い教育を確保することにいっそうの関心を持つようになった。各機関は、指導業務の点検、博士課程の拡充、研究学生の進捗監視手順の強化などを行ってきた。また、博士課程学生の部局全体を統括する教員も設置されている。そのなかで本書もまた、博士課程の教育プロセスをより効果的にするための方法を示している。

資金提供者が博士課程学生により充実した支援と注意を払うべく採用してきたもう一つのアプローチは、博士課程教育センターへの資金提供である。第2章で説明したが、博士課程教育センターは、単一の大学または小規模コンソーシアムにおいて、一つの研究分野のなかに多数の学生を受け入れる。資金の提供動機は、学生が相互に交流し、コースや研究セミナーから学ぶ機会を増やすことで教育の質を向上させ、さらにはサポートの充実によって中退のリスクを減らすことにある。

資金提供者のねらいは、四年以内に博士号を取得するフルタイムの学生の割合を高めることであり、大学はそのために努力している。大切なのは、「フルタイムの学生が入学して四年後に、最初の審査を受ける論文を提出する」ことである。審査の結果がどうなるかは、この場合は考慮されない。

学生の視点からは、博士課程を効率的に進めるために、より多くの関心と配慮が払われていることがプラスに働くのであり、学生は大学のこうした取り組みから得られるものを必ず活用すべきである。反対に、好ましくない副作用は、所定の期間内に論文を終わらせるべく、研究を見る視野が本来よりも狭められかねない点である。博士号を取得した後も研究内容を深め、掘り下げていけることは、常に心に留めておこう。

ミスマッチとトラブル

博士号取得に関わるさまざまな立場の人が異なる目的をもっていれば、それらの目的は自然と対立する。たとえば、学生が研究分野にじっくり腰を据えて重要な貢献をしたければ、問題を素早く処理してほしい指導教員の希望と対立し、両者に不満を生じさせる。生物化学専攻のダイアナは「真実」を追い求め、論文に直接関係ないことも多くの時間を割いて追究していた。一方、「結果」重視のドレイク教授は彼女の姿勢に感心せず、彼女を長い間放置しがちで、ダイアナが出す「結論」にのみ関心を示した。一度食い違いが起きると修復には時間がかかる。「私は研究姿勢を変え、現在は『答え』を見つけるためではなく、『出版できるもの』を得るために実験しています」とダイアナは言う。この変化はドレイク教授にとっては好ましいが、ダイアナにとっては厳しい選択だった。逆に、学生が目に見える答えを得ようとしているのに対し、指導教員は研究領域をさらに掘り下げてほしいと感じていることもある。この状況もまた両者にいらだちが生じるのに時間はかからない。フレディとフォースダイク教授のケースがそれだ。

僕は先生に三月三一日以降に論文の添削をしてほしいと思っていたんです。でも、先生が課す実験は、もともとの研究計画に入っていないもので、ほとんどが自分の論文と関係がないんです。

フォースダイク教授はフレディに、研究課題をこえて、オリジナルの実験から得られた手がかりをさらに追究してほしいと感じていた。しかし、フレディは計画通りに実験をこなし、論文を書いて博士号を取得する以上のことをしたくはなかった。

新しいアイデアについて議論し、新たな領域を探究したいという思いを抱きながら、学生が限られた時間内で必要な水準の博士論文を提出することに責任をもとうとすれば、指導教員という役割は不完全燃焼に終わる。人文科学研究科の指導教員であるブリッグスは、博士号取得への「ノルマ」のせいで、リラックスして長期的視野で指導することができない現状を残念に思いながらも、学生の指導を楽しんでいる。彼女は学生について次のように言う。

彼はいつも私の知らないことを話してくれるので、とても刺激的です。もちろん、彼の言っていることが正確かどうかは私にはわかりません。私は彼にとって理想的な指導教員ではないですが、熱意を与えることで埋め合わせようとしています。彼は、私が彼を面白いと思っていることを知っています。彼はとても優秀な研究学生で、彼を失望させたくはありません。私は彼にその分野の専門家を紹介し、より専門的な知識が必要なときにはいつでも彼らにアプローチできます。彼は三年で博士号を取得する必要があります。彼はそれがライフワークだと言っており、私も自然とそうなるだろうと思いますが、博士号はライフワークではないのだから、手早く終わらせなければなりません。

この指導教員は、「指導は自身のためにもなる」と考えていて、これは正しい。指導教員は学生が専攻分野で自分の知らない情報を与えてくれるようになるのを十分期待してよいし、また自分だけが学生の知識面や技術面の指導のすべてを担うわけではないことを理解しなければならない。現代において指導教員として働くもう一つのメリットは、これまで何人の学生を博士号取得まで指導したか、履歴書に書き込めることだ。

これらのケースは、カバーする研究範囲の線引きと論文を書く時間的制約の管理との両立の必要性を示している。学生と指導教員、どちらがこのことについて大きな責任を負うかにかかわらず、博士課程において何が適切で、何が必要かについて、決断が必要であるということに変わりはない。

第4章

博士号を取得しない方法

本章のポイント

1. 博士号を取得しない「九つの方法」
 ・博士号を欲しがらない。
 ・求められていることを過大評価する。
 ・求められていることを過小評価する。
 ・求められていることを把握していない指導教員をもつ。
 ・指導教員との連絡をとらない。
 ・研究環境にいない。
 ・ポジションやアーギュメントについて、持論をもたない。
 ・他人の業績の盗用・剽窃、または結果の捏造。
 ・論文提出前にまったく違う職に就く。
2. 自分の置かれている状況下においてこれらの落とし穴がどんな結果を招くかをよく理解し、それにはまらないように注意しよう。
3. やるべき仕事から逸脱する誘惑を避けよう。

逆説的だが、「博士号をとらない方法」というのは確立されている。本章ではそれを見ていこう。ここで紹介する方法は十分にテスト済みのもので、どの分野にでも当てはまり、研究学生たちは常にこれらを念頭に置いておく必要がある。紹介する九つの失敗パターンの落とし穴にはまらないよう、自分がどの位置にいるか考えてみよう。本文でも触れるが、ここで落とし穴を指摘したところで、簡単に避けられるものでもない。それぞれの落とし穴から来る甘い誘惑の声に耳を傾けぬよう、意を決して抵抗しなければならない。

博士号を欲しがらない

博士号をとらない最初の方法は、博士号を欲しがらないことである！　雀の涙ほどの奨学金や学生ローン、あるいは家族を頼りに耐えしのび、研究のために仕事も辞めてまで博士号を欲している読者たちには、「何を言っているんだ」と思われるかもしれない。そこまでいかなくとも、あなたは多くの時間、労力、エネルギーを研究のために費やすことになる。きっと、「これだけ多くのものを犠牲にしているのだから、博士号を欲しくないなんてありえない！」と言うだろう。

不思議なことに、それはありうる。ここではたとえ話で説明してみよう。私たちの信じるところでは、博士号取得を目指しているあなたも、そして指導教員も含め、われわれの中に「億万長者」になろうとする者はいない。もし誰かが百万ポンドをくれて、もう何も、宝くじを買いに行くことさえ、しなくてよいということになったら、素晴らしいと皆思うはずだ。でも私たちは、億万長者になろうとしてはいない。それだったら、私たちは研究をしたり、博士号を取るために努力したりはせずに、より良い製品を作ったり、不動産市場向けの革新的なアプリを開発したり、ベストセラー小説を書くことに力を注ぐはずだ。億万長者になる方法は山ほどある。しかし、博士号取得を目指すなどということは、まずその方法の一つにはなりえない。

まったく同じ兆候が博士号にもある。「博士号をとるなんていいね」と思い、将来の目標と照らし合わせ、「やりたいことがあるので、博士号をくださいますか？」と言ったなら、答えはほとんどの場合「ノー」である。博士号は研究において一定の型と水準をもった者に与えられるものである（この点については第5章と第7章で詳しく述べる）。もしそうした研究をしたくないなら、それは実質的には博士号をとりたくないということだ。それはまさしく、億万長者になりたいと思うことと、億万長者になるために何かすることの違いと同じだ。

もちろん本書の目的は、あなたが博士号取得を目指す過程を手助けすることであり、あなたは無心に博士号を目指し、必要なことを積極的に見出し、それを実行する覚悟を決める必要がある。博士号をとるためには、博士号を「欲する」ことが重要であり、その欲求はあなたにとって非常に助けになる。自分のしていることがくだらなく、実りないものに思えたとき、「何でこんなことをしなければならないのか？」と自問するとき、そして「なぜこんなことのために家族に犠牲を強いているのだろう？」と考え込むときを乗り越えて研究を続けるのにも、この「欲する」ことが重要である。博士号取得に向けた勉強のような何よりも大変な営みは、好きな分野の研究や他の専門家との議論といった内的満足感だけで最後まで乗り切れるはずがない。外的満足感（具体的には、博士号取得に向けてやること全体に対するコミットメントや、あなたのキャリアを築く上での必要性など）にも絶えずしっかりと目を向けなければならない。どうしても博士号が欲しいという結論に達しなければならないのだ。

残念ながら、この意味で博士号を実は「とりたくない」と結論せざるをえない入学生は存在する。特にキャリア目標が明確でない者、博士号をキャリアチェンジの手段として用いようとする者に多い。

ジャスウィンダーは学部時代、専攻の生物化学を優秀な成績で卒業した。彼は多くの時間を学生組合での仕事に費やし、「緑の党」〔英国の政党〕にも深く関わっていた。にもかかわらず期末試験前の猛勉強の結果、「次席」で大学を卒業した。彼は有機残留物を減少させる薬学のテーマで研究科から提示された奨学金を受け、喜んで進学した。しかし、彼は、研究課題の「政治的側面」に関係があるとして、緑の党の活動をやめなかった。研究計画をまとめると、主任指導教員のジェイコブ博士はそれを気に入り、リサーチデザインを進めるようジャスウィンダーを促した。しかし、彼は実行可能な研究に腰を据えて取り組むよりは、アイデアを出していく方に興味があることに気づいたのである。いざ研究をしようとするたびに新しいアイデアや改善策を思いつく。一年目終了時までこのようなことが続いた。結局、ジェイコブ博士はジャスウィンダーに「研究以外の活動をやめ、研究に集中しない限り博士号は取得できない。これを聞き入れない限り二年目の奨学金申請をサポートしない」と、最後通告を出した。ジャスウィンダーは常に「課外活動」を学生生活の不可欠な部分と考えてきたので、この通告に狼狽した。このとき、彼は緑の党の政治活動にフルタイムで関わる機会があった。結局、彼は大学を去り、政治活動の道へと進んだ。

長年、教師として勤めていたイラーナはある特定の分野（多民族教育開発）への興味を募らせ、この分野で専門家になるべく研究をしたいと考えていた。しかし彼女は、研究に取り組み、疎ましい「科学的手法」によって子供たちを測るようなやり方は、教室の子供たちが抱えている実際の問題に取り組むことからますます遠ざかってしまっていると感じた。彼女は大学を去り、教師へと戻った。

求められる要件を過大評価することによる博士号への誤解

博士課程研究の結果を表す言葉「知へのオリジナルな貢献」は、壮大に響くかもしれない。しかし、学位とは、第3章で見たように、「研究トレーニング」のプロセスであり、「オリジナルな貢献」も必然的にきわめて狭く定義される。それは、研究課題に対する「革新的な進歩」に貢献するというわけではない。たとえ無意識であれ、あるいは何となくであれ、ここを難しく考えてしまうと、研究することがとても苦しく感じられるだろう。

もちろん、あなたに大きな貢献をするほどの余裕があるのなら、ぜひとも貢献するべきだ。エンジニアのなかには博士号をもたずに〔英国〕王立協会フェローになる者もいるが、これは博士号というよりはむしろ「名誉学位」を得るための戦略である。そのような立場にない者——つまり私たちのほとんど——は、博士号を目指すなら、オリジナルな貢献は「狭く」定義してよいし、そうすべきである。たとえば、ある理論を違う環境で試してみる、気温上昇の影響を評価する、不可解な謎を解く、あるいは、ほとんど知られていない歴史的事象を振り返ったりするなどである。第5章で博士号のオリジナリティについては詳しく述べる。

オリジナリティを狭く定義することについて私たちが説明すると、自然科学史の「パラダイムシフト」に関するクーンの著作（Kuhn 1970）を読んだ社会科学の学生（自然科学専攻の学生でクーンを知るものは少ない）は、「何だ、博士号をとるというのは、普通に科学の研究をするだけってことなんですか？」とやや憤りながら言うことがある。事実、そうなのだ。パラダイムシフトは、既存のフレームワークが不十分で、妥当性がますます限定的になるときのみごくまれに起こる、科学体系の大きな変化である。一般的な科学とは、理論が大きく変わる合間に行われる通常の研究のことである。それは、理論の説得力向上に貢献したり、まだ十分に明らかにされていない問題や謎を明らかにする役割を果たす。それが科学者や学者の有用な基本的活動なのであり、博士課程の学生はそれに貢献することに喜びを見出すべきである。

パラダイムシフトへの挑戦は、博士課程が終わってからでもよい。実際、多くの博士課程の学生がそうしている。相対性理論（ポスト・ニュートン物理学をめぐるパラダイムシフトの古典的事例）は、アインシュタインの博士論文ではない（彼の博士論文はブラウン運動の理論への貢献に関するものであった）。『資本論』もマルクスの博士論文ではない（彼の博士論文は無名のギリシャ人哲学者二人の理論）。もちろん、博士論文を準備している間も後の大きな発見につながる問いを抱えていたに違いないが、彼らもまずは、既存の理論をマスターすることを優先したのである。第3章で見たように、博士課程とはプロフェッショナリズムの育成である。それ以上だと考えると疲弊してしまう。新たなパラダイムを打ちたてるときを、ゆっくりと待つこともできるはずだ。「過大評価」は博士号を取得しない強力な方法である。二つの典型的なケースを紹介する。

ボブは、書籍や学術誌を読むことは他人の業績を追うだけで、自分が課題に対して真剣に取り組んでいる気がせず、本当の研究とはいえないと考えていた。彼は、「研究」とはしょせん、「他人の業績によって完全に形作られているものに『些細な』付け足しをする程度のこと」と感じていた。本当に革新的な研究をなしとげるために必要なのは、その分野について文献を深く読むことではなく（彼はすでに研究分野の学士号、そして関連する分野の修士号を取得していた）、腰を据え、研究対象の観察計画を作ることだと考えていた。彼の研究テーマは成人学習のスキルであり、彼は企業のトレーナーとしてこの分野の実践的な見地から深い知識をもっていた。しかし、彼のやり方はきわめて長い時間がかかった。彼は研究手法についての知識が乏しかったのである。

彼は研究計画を彼の二人目の指導教員のビショップ博士に見せたが、博士は感心しなかった。彼女はその方法論に関する専門知識ゆえに指導教員チームの一員になったが、ボブのテーマはビショップ博士の専門ではなかったため、博士は関連する学術雑誌の今年度の号をすべて調べた。彼女はボブと同じテーマで、しかも（完成・刊行されているのだから当然だが）彼の試みよりも優れた研究を見つけた。ビショップ博士はその論文をボブに見せ、もし彼が、〔学術的〕貢献をふくむ適切な研究を計画するチャンスがあるとすれば、そのために関連の出版物を包括的に読み込まなければならないと伝えた。しかし、ボブはこれを自身の研究に対する大いなる否定と受け取り、大学を去ってしまったのである。

パヴェルは経営者のモチベーションに関するフィールドワークにのめり込んでいった。彼は、誰にも読まれない退屈な本に研究成果を載せたせいで、経営者たちに何のお返しもできなかったら、それは彼らに対する裏切りなのではないかと感じた。パヴェルが言うには、ほとんどの研究とはそんなものだ。だから研究者以外、誰も研究書なんて読まない。必要なのは、本当にコミュニケートできる研究報告だった。なぜ博士論文は小説のように読みやすく書かれないのだろう？　そうすればより多くの人が読むのに。

パヴェルはこれについて真剣に考えた。彼は好きな小説家に手紙を書き、どのように論文を書いたら「読まれる」かと、教えを請うた。彼は修了を一年延ばして材料を集め、論文も書いた。「小説」は書き終わるまで人に見せるものではないとの理由で、書く過程では誰にも何も見せなかった。論文を発表したとき、指導教員たちはそれを不十分で厳密さを欠き、とても主観的であるとした。指導教員たちはパヴェルに書き直しを命じたが彼はそれを断り、博士号がとれなかった。

ここで急いで断りを入れておくが、後者の例は、研究成果を一般の人向けに書くことを見下す意図のものではない。むしろそれはすべての研究者が真剣に取り組むべき活動である。ここで言いたいのは、論文を書く際に、できることを過大評価するのは大きな落とし穴になるということである。また、論文の書き方については、学者向けだからといって、はっきりした表現や興味をそそるような書き方をすべきでないとは、必ずしも言えない。これについては第7章で述べる。

求められる要件を過小評価することによる博士号への誤解

過小評価は常に大きな問題だが、特に二つの状況下で深刻となる。

一つ目は、仕事を続けるパートタイムの学生や、彼らが言うところの「世間」で長い間過ごしてからアカデミックな世界に戻ってきた人に起きる問題である。アカデミックな世界では、それ以外の世界と比べて「研究」という言葉をきわめて限定的な意味で使うため、この意味を理解する難しさが今回の問題の要点をなす。研究活動の本質については第5章で述べるが、ここではいくつかの例を用いて、一般に使われる「研究は未知の何かを発見する」という定義や、「マーケットリサーチ」といわれるような活動、あるいはテレビ番組のための調査などが、博士号をとるために必要な「研究」としてはふさわしくないことを説明する。

博士課程の研究には、単なる叙述ではなく、研究テーマの分析や解説へのコントリビューションが必要である。適切な研究課題の設定は、興味深い答えを引き出すのと同じくらい重要である。いかにそれがもっともらしく見えたとしても、一般的な問いや答えの定義を受け入れてしまうことは、〔博士課程で〕求められていることを過小評価することである。それでは博士号取得はおぼつかない。以下に例をあげる。

ファイナンシャルマネージャーのクリスは、マネジメント講師へのキャリアアップにとって博士号はよい「担保」になるはずだと考えて、パートタイムとして博士課程に入学した。クリスは熟知している自分の会社の財務管理システムについて研究したいと考えた。研究が楽にできると思えたからである。しかし、クリスはよい研究課題を見つけることは、よい答えを見つけるのと同じくらい大事だということを認識していなかった。

クリスは研究課題をうまく設定できないでいた。指導教員のクラップ博士がいくつかの可能な研究課題を提案すると、クリスは「待ってました」とばかりに知識を総動員してその場で博士の提案する課題に「答え」を出してみせた。こうしたやり方で、考えうる一連の研究課題を議論した後、彼はそれらすべての答えは——少なくとも自身で納得できる程度に——既知であり、研究などする必要がないと気づいた。クラップ博士はクリスに「研究とは既知の理解に挑戦し、必要なら新しいものを生み出す、とても積極的な姿勢が必要とされ、そのためには課題への情熱が不可欠」と説いた。クリスは納得した。彼に研究課題への情熱はなかった。こうしてクリスは、大学を去った。

二つ目の過小評価の形態は、特に研究室において、より大きなプロジェクトの一部として研究を進める理系の学生に多く見られる。このような状況では、たいていの場合は主任指導教員が研究を推し進めるにあたって学生に成果を求めてくる。学生としても研究に貢献できることで満足を感じる。しかしここでの危険は、そのような状況において学生が、博士号を取得するにあたって必要なプロとしての技能を完全には発揮していないということである。詳しくは第7章の博士論文の形式と内容で述べるが、そのプロとしての技能には、実際に実験を行う以外に、調査方法の設計、結果の解析、そして結果を論文にまとめ上げることが含まれる。博士号を取得するには、これらすべてができることを証明しなければならない。たとえその一部分でも怠るのは、博士号を取得するにあたって求められているものを過小評価しているということである。

ゲーリーの研究は、プラズマ生物学の研究プログラムの一環だった。彼は博士号をとるため、指導教員の賛同を得て、懸命にデータを集めた。彼の指導教員であるガネッシュ教授はゲーリーの実験結果に興味をもち、それをネタに学会発表をした。ゲーリーはデータを集めることで指導教員に貢献できたと喜んだが、それは研究室のレポート以外に彼が研究成果を発表する機会がないことを意味した。博士課程の最終年度、ゲーリーは山のように集めた資料をもとに自分の研究をまとめなければならなくなったが、そのときになって初めて真剣に真っ白な紙と向き合い、結局何も書くことができなかった。三〇分後、ゲーリーは再びデータの収集作業に戻った。その方が楽だったからである。彼はその後、何度も書くことに挑戦したが、数ページを埋めるのがやっとだった。彼は、ガネッシュ教授から新たな実験を依頼されるとそれに没頭した。

「書く」ことはやはり、しなければならないことである。しかし、博士課程の時間には限りがある。ガネッシュ教授はゲーリーの窮地に同情し、ゲーリーの未完成の草稿を読み、そのままでも彼の博士論文にできるような一節を書いて、見本を見せてやった。教授は言った。「博士論文を君のために書いてあげるわけにはいかない。自分の力でやらなければならないんだ」。

博士号の要件を理解する指導教員をもたない

学生にとって、博士号を過大・過小評価しないことが大事なら、博士号を過大・過小評価しない指導教員をもつことも、それと同じくらい大事である。本章以外にも第6章と第11章で指導教員について詳しく述べるが、ここではまず、不適切な指導教員をもつことが博士号取得の失敗への最短ルートの一つであることについて述べる。そして、博士号を取得できるかどうかは指導教員よりも学生自身にとってより重大な問題なのだから、必要かつ受ける権利のある指導が得られるどうかは、覚悟を決めた学生自身にかかっている。

指導教員は博士号の要件を、過大あるいは過小評価するかもしれない。過小評価をする原因は、指導教員としての経験不足である。私たちの見解では、指導教員として最も重要なのは、自分自身がしっかり研究して業績を増やすことである。それによって、指導教員は専攻分野の知識からアドバイスができるし、自分の研究する姿を見せて「ロールモデル」の役割を果たすことができるのである。逆に、そうでなければ問題が生じるだろう。

ソフィアは、彼女の専攻分野では実証研究の伝統が乏しい国から、自国政府の奨学金を得て英国へやってきた。しかし、彼女の指導教員は豊富な実務経験をもつ一方で、研究の実績がほとんどない教員であった。ソフィアは指導教員が面白いと思う箇所にはコメントをもらったが、それ以外は指導教員と離れて一人で研究をしていた。指導教員は博士号をかなり過小評価していた。ソフィアが博士論文を外部の審査委員に提出すると、「とてもひどい。口頭審査をするまでもなく、書き直しを命じるまでのレベルにも達していない」と酷評を受けた。ソフィアは借金を抱え、つらい経験から学びを得て母国へと帰った。

ソフィアのケースは指導が不十分であっただけではなく、本人が力不足に気づかなかったことも問題の原因となった。第9章でさらに述べるが、留学生にとってこれらの問題は、より深刻かもしれない。しかし、すべての学生は何人もの学者と議論を交わし、他人の「完成した」博士論文を読み、博士号に必要とされる水準の理解に努めなければならない。

指導教員が学生を過大評価することは、しばしば善意にもとづくものとはいえ、同時に問題も秘めている。

シェパード教授が受け持つ学生のほとんどは博士号をとれない。彼が著名な学者であり、学生を惹きつける知的で社交的な性格の持ち主であることを考えれば、これは驚くべきことであった。しかし、シェパード教授は学生を大人扱いすることが大事であると信じるあまり、彼らが「研究」においては赤ん坊にすぎないという点を見落としていた。彼は、指導教員の仕事は学生に反論し、喝を入れ、新しいアイデアで叩きのめすことであると信じていた。彼は指導の期間中、学位取得のために狭く集中した課題に取り組む必要があるときでも、この姿勢を貫き通した。この「過大評価」により、焦点の絞りようがない大きすぎるテーマを多くの学生が抱えることとなった。彼らは心身をすり減らし大学を去っていった。

指導教員との連絡をとらない

これまで見てきたように、〔関係構築に〕失敗したときのダメージは指導教員よりも学生にとって深刻である。両者の間の関係は対等ではない。だから、学生は指導教員との連絡を絶やさぬよう、指導教員が学生と連絡を絶やさぬようにする以上に、努力しなければならない。第8章で述べるように、研究を設計し、特定の分野に応用していく過程で、学生には指導教員からの継続的なアドバイスが必要となる。両者の関係を相互に実りあるものにするための詳細は、第6章と第11章で述べる。ここでは両者のコンタクトが途絶えたとき、どのような悲劇が起こるのか見ていこう。

トニーは一八カ月も研究に行き詰まっていた。指導教員との長い打ち合わせの後、トニーは研究の方向性を変えたいと思った。彼は研究計画の大幅な修正を認めてもらいたいと指導教員に話したが、指導教員はこの時期に方向性を変えては期限内に研究を終えるのが難しいと考え、当初の見込みよりも明らかに作業量が増えており、いずれにせよ大した成果は得られないだろうが、このまま続けるよう求めた。トニーは納得せず、大幅な変更を認めるよう説得を試みた。指導教員は、手持ちの時間でそのようなことは不合理であって、元の計画のまま進むよう迫った。それ以来、彼らは会う機会が減っていった。トニーは、二人の議論は平行線をたどっていると感じたのである。四カ月後、両者はいかなる打ち合わせも持たなくなった。六カ月後、トニーは廊下を自分のほうに向かって歩いてくる指導教員を見ると、彼から逃げるように講義室へと入っていった。トニーは結局、論文を提出することはなかった。

ドロンの指導教員であるディクソン教授は、その分野における英国の学者でトップの一人だったが、ドロンが二年目を終えるとき、残念ながら亡くなった。ドロンの指導は、やや異なる分野で、彼の研究にさほど関心を示していなかったベテランの学者に引き継がれた。ドロンは、すでにディクソン教授から研究計画の遂行を許可されていたので、いまさら新しい指導教員に自分の研究について事細かに伝える必要はないと感じていた。だからドロンは一八カ月もの間、新しい指導教員に指導を仰がず、一人で研究を進めた。いざ論文を提出した際、審査委員はドロンが指導の欠如に苦しんださまと見てとった。これには情状酌量の余地があったが、結果としてドロンに博士号ではなく修士号を与えることとした。ドロンは博士号取得の正当性を主張したが、その決定は覆らなかった。

ドロンは悲劇により指導教員の変更を余儀なくされたが、指導教員というものは幸福な理由〔他大学からの引き抜きや栄転〕によっても変更を余儀なくされることがある。そうした場合、研究指導は他の指導教員ないし再構成された指導教員チームに引き継がれる。このような状況では、新しい指導教員ないしチームとうまくコンタクトをとることが、学生にとって重要である。新しい指導教員のもつ知識や技術も、そのうち必ず博士号取得へと進む上で力になる。

指導教員が転職して大学を辞めたり、国外に出たり、残念ながら死亡する可能性はある。こうした場合、新たに学生に適切な指導教員を割り当てる責任は大学にある。一方、指導教員が単に他大学に異動しただけの場合は、その教員が引き続き学生に責任を負い、頻度は多くなくとも指導を継続することもあるが、これは義務ではない。

研究環境にいない

研究環境では知的探究が非常に重んじられる。そのような環境にあってメンバーは研究を遂行し、休憩室などの井戸端会議でも昨晩観たテレビ番組の話に限らず、学生たちがネットで見つけた興味深い学術論文などについても普通に話が飛び交う。

研究に携わる学生はこのような環境に身を置くことによって、異なる二つの、しかし同じように重要な利益を得る。一つ目はやる気に関することだ。研究が日々の重要な部分を占めている先輩や後輩などの研究学生に囲まれることは、学界の価値観を内面化する上での理想的な環境であり、努力を続け、作業を完成させ、博士号を得、そして論文を発表し、その分野に貢献する必要性を学ぶ。

二つ目の利益はその環境から身につく暗黙知である。経験のある研究者が「実現可能な」実証的研究の設計に頭を悩ませ、信頼性の高い有効なデータを得、結果を解釈し、論文の草稿を書く姿などを目の当たりにすることは、重要な洞察を初学者に与え、いかなる本からも学べない学問の奥義を垣間見ることができる。

残念なことではあるが、すべての博士課程学生がこのような環境において研究・勉学するわけではなく、それは学生の進歩の妨げとなりうる。

ケビンは、以前は高等専門学校だった大学から大学院助成金を受け取った。その助成金は、新入生の適応プロセスについての研究を望んでいた、教育学部の副学部長であるケンプ氏が獲得したものだった。大学での研究経験の浅さから、ケンプ氏は二五マイル離れた街の大学に属する外部学生としてケビンが登録することに同意し、自身はケビンの外部指導教員となることにした。しかし、ケビンは研究計画にあたり、方法論についてよい案を得られなかった。ケンプ氏は彼が関心をもって学んだプロセスについては多くの見識をもちあわせていたものの、博士課程をまっとうするための学術研究の設計要件についての知識はほとんどもっていなかったのだ。ケビンは内部指導教員と研究プロジェクトを打ち立てるため、二度ほど登録している大学に足を運んだ。ケンプ氏と話をしたところ、ケンプ氏は自分以外の人が研究計画に関与したことに腹を立て、ケビンのやる気はそがれてしまった。

またあるとき、ケビンは研究学会に参加し、そこで聞いたいくつかの発表に大変興味をもった。しかし、戻ってきた後ケンプ氏に会おうとしても、ケンプ氏は管理業務と教務に忙しく、アポがとれるまで二週間もかかってしまった。やっと会えたところで、ケビンの興味はすでに冷めてしまっていた。

ケビンは助成金機関に対し、報告書の草案を作成したが、それをケンプ氏が修正し、拡張した上で提出した。こういった書類によくあるように、それはそのままどこかへしまわれた。ケビンは博士課程にふさわしいものとして承認されるような研究設計をついになしとげることはなかった。

この例は研究を促すような環境の欠如を表した極端な例であり、実際はほとんどの大学で博士課程にいる学生のサポートについて努力をしている。しかし、伝統的な〔一般の〕大学であっても、研究環境の豊かさにはかなりの格差がある。すべての博士課程学生は自分の置かれている現状をよく見つめ、やる気のある経験豊富な研究者たちと交流し、環境をうまく活用できているか自問する必要がある。必要とあらば、セミナーや学会などに参加し、同じ分野にいる研究者と会う機会を増やす必要がある。そこから得られる利益は大きい。孤独な研究者にとって、博士号取得までの道のりはよりいっそう険しく、無事に目的地にたどりつく可能性は低くなってしまうものである。

持論をもたない

言葉は変化する。今日、“Thesis”という言葉は一般に、博士号に向けた研究成果を指すために使われる。したがって、大学では“Thesis”は「〇字以内」、「黒（あるいは青や赤）のバインダーで閉じて提出のこと」などといったルールが存在する（ちなみにそうしたルールは大学によって、また時代によって変化するので、必ず確認しなければならない。詳細は第10章を参照のこと）。

しかし、以前は“Thesis”とは、別の意味で博士号取得のために重要なものであった。“Thesis”は議論したい事柄を示すもの、ある事柄に対する自分のポジションを示す言葉だったのである（ちなみに、この語はギリシャ語で「場所（place）」という意味の語に由来している）。たとえば、一五一七年のプロテスタントによるキリスト教改革運動の始まりでは、マルティン・ルターが当時のローマ教会に反して維持したいと考えた自分の信条を「九五カ条の論題（a list of 95 theses）」として書き表し、ヴィッテンベルク教会のドアに打ち付けた。C・P・スノー（Snow 1959）は、英国の知識人は二つの相容れない文化——文学と科学——をもっているという「テーゼ（thesis）」を唱えた。博士号の取得を希望する学生ならば、本書で私たちが伝えようとしている内容を深く理解し、博士号取得までにかかるプロセスの実態の完全な把握が必要不可欠である——というのが、この本の著者である私たちのテーゼであり、そのためにこの本を書くに至っているのである。

博士号取得のためには、この意味での“thesis”〔自分の主張、持論〕をもたなくてはならない。もちろんそれは研究の「ポジション」〔立場、立ち位置、観点など〕としての意味をも含む。少なくともそのためには、議論、説明、新しいデータまたは既存のデータの新しい見方から導き出される体系的な推論を推し進める、首尾一貫した研究の「ストーリーライン」がなければならない。論文に関連する材料を絞り込む作業に移るとき、大事なデータや論点を失いつつあるのではないかと不安に駆られるかもしれないが、持論との関連性は、この絞り込みにとってきわめて厳格な基準である。論文はデータをうまく使い、説得力を増すために必要な論点に集中しなければならない。博士論文は「教養ある心で小走り」(Campbell 1950) するだけでは十分ではない。

あなたが主張したい内容は、個別に正しさを検証すべきいくつかの「仮説 (hypo-theses)」に分解することができるかもしれない。その場合、個々の仮説を互いに関連づけ、議論全体に一貫性をもたせなくてはならない。仮に、あなたの論文が仮説検証型でないにしても、議論の一貫性はもちろん重要だ。これが、学問に対する論文の「貢献」が測られる点なのだ。その他の「博士号をとらない方法」と同様に、このことは「言うは易く行うは難し」である。研究初期の段階で適切な指導が与えられない限り、自説を広く薄く広げすぎる誘惑に駆られるかもしれない。

ハリーはマーケティング戦略に影響を与える要因についての研究を始めた。非常に大きな分野であり、彼はこの課題に「浅く広く」取り組まざるをえなかった。彼の論文のいくつかの章はよいポイントを突いていたが、他はどちらかというと貧弱だった。どの側面も互いに関連しており、まったく無関係というわけではなかったが、論文審査委員は彼の論文を「何も新たな積み上げ(貢献)がない」と言って否定した。

グレアムはボランティア団体を運営していた。彼は自らの知識が十分でなく、よい運営者になるにはさらに勉強しなくてはならないと感じ、博士課程へ入学した。一年目、彼は運営管理についての書物を読み漁り、ボランティア団体にどう適用できるかについて考えた。彼は、研究がどう団体の助けになるのか尋ねられると、運営者のためのよい実践例を集めた教科書を書きたいと返事をした。その後、その試み自体は悪くなかったとしても、主張がなければ博士号はとれないと、彼に伝える長い日々が続いた。最終的に、彼はしぶしぶそれを受け入れた。

ここで強調しておくが、教科書を書くという考えが博士号にとって不適切だというわけではない。ただ、博士論文を書くには、持論を持たなくてはならないのだ。たとえば、一般に受け入れられている知見はデータを根本から見直した場合不十分である、あるいは新たな理論を導入すれば分野に有益な新解釈がもたらされる、といった、十分に検討され正当化されたテーゼが含まれていれば、教科書でも十分な研究成果として認められることになる。

他人の業績の盗用・剽窃、または結果の捏造

毎年、多数の学生が博士論文を提出するにあたって重大な学術的不正行為を犯してしまっている。学位論文を書くにあたり、出版されている文章や完成済みの他人の博士論文から一部を書き写す人もいれば、実験結果を捏造したり、でっちあげたコメントを実験参加者からのコメントだと主張する人もいる。これらの行為が全く受け入れられない行為であることはいうまでもない。私たちが受けている印象にもとづけば、たいていの場合これらの行為は計画的な詐欺行為ではなく、むしろ焦りから来るものである。実験がどうしてもうまくいかなくなったり、提出までの時間が迫っていたりとの理由から、不正行為を犯す以外に選択肢がないという結論に達してしまうようである。もしあなたがそのような切羽詰まった状況にいると感じたら、この先どう進めていくべきか指導教員に相談することが必須である。

たとえば、詳しく検証された否定的な結果は肯定的な結果と同様に正当な研究成果であるが、その提示の仕方について教員に手助けを求めることもできるかもしれない。また大学にしても、他人の業績を剽窃するよりも、さらに数カ月かけて博士号を取得してもらった方が断然好ましいだろう。

またその他の不正行為には、それほど目立たなくとも同様に容認できないものもある。多くの学生は自分の考えていることがうまく表現できないと感じ、他者の文章を、出典を明示しないまま数行ほど「借用」してしまう。すると、いつのまにか論文が他人の着想の貼り合わせになってしまうのだ。忘れてはならないのは、博士号とは、自分が選んだトピックをよく理解し、それに対して独自の貢献をした証拠書類であるということだ。他人の書いた文章を貼り合わせるという近道を選ぶと、あなたが本当に内容を理解しているのか審査委員が確認する証拠書類として不十分なものとなってしまうのである。

あなたは、高額な料金と引き換えに博士課程の研究を手伝うと申し出る企業から連絡を受けることもあるかもしれない。最も極端なケースは論文代筆という詐欺行為である。このようなサービスの利用が容認できないのは明らかであり、もしそのようなサービスの利用が明らかになった場合（たとえ隠そうとしても、口頭審査はごまかせない）、博士課程を超えて及ぶマイナスの結果に苦しむことになる。微妙なのは、「英文校正（proofreading）」サービスである。これも誰かに論文を「書き直させる」段階にまで及べば容認できない。あなたは研究能力だけでなく、質の高いアカデミックな英語で成果を発表できる能力についても評価されることを忘れてはならない。

他にも目立ちにくいかたちの不正として、結果が肯定的なものであったかのように見せるために特定の結果を切り抜いて提示する行為がある。もちろん博士号は日誌ではなく、どのような情報が最終論文に盛り込まれるかを選定する必要がある。だとしても、たとえばある作業に対して新たな統計学的手法を開発し、当該分野に対する独自の貢献を主張するために、二〇あるデータセットを試し、現行の手法よりも良い結果が出た一〇のデータセットのみを提示した場合、自分の成果を歪めて見せていることになる。このようなやり方は絶対に避け、論文に盛り込むべき内容について指導教員と相談するべきである。

論文提出前にまったく違う職に就く

博士課程で学ぶことは知性の重労働である。これは特に、論文を書き上げる最終段階に当てはまる。多くの学生は、その段階がどれだけエネルギーを要するか、全く分かっていない。彼らは調査をし、研究計画を立て、データを集めて分析すれば、あとは直滑降で論文発表までたどりつくと考えているようだ。それは間違いである。書き上げる段階は全過程のなかで最も集中的な努力を要する。

これには多くの理由がある。第一の理由は、感情面に関わる。書くことは、〔特にデータ集めや分析など〕「本当の」仕事をなしとげた後は、まず間違いなくおっくうに感じる作業である。書く材料がそろっていても、常に逃げ出したくなる気持ちを抱えながら葛藤する。二番目の理由は知的なものである。よほどの幸運に恵まれて、すべてのことが計画通りにいかない限りは、ライティングの段階は論拠や解釈、報告すべき結果の表現方法に多くの調整が必要になる。ここはプロの研究者としての力量が最も試される部分であり、言い換えれば、あなたが博士号に値する力があることを証明する見せ場である。

三番目の理由はライティングの技術と経験の不足である。博士論文を書く以前に、これほどの長さの文章を書いたことがある学生はほとんどいない。博士論文を完成させるには、第7章で説明するように、かなりの努力、技術、組織力を要する。

これらの理由から、論文提出までに個人的な状況や他の仕事を安定させておくことが重要だ。特に、〔国内の〕

他地域またはまったくの他国で、新しいフルタイムの仕事に就くことは、博士課程をやりとげる上での障壁となる可能性が高い。物理的な制約により知的作業に支障が生じたり後回しになること以外にも、新しい仕事では、たとえそれがアカデミックなものであっても、これまでと異なる問題に注意を集中することが求められる可能性が高く、知的に疲労すれば必然的にライティングに悪影響がでる。

三〇代後半のマーティンは仕事に行き詰まり、新しいキャリアへとつながる道を模索していた。彼はフルタイムの研究学生として大学院に入り、奨学金と妻の稼ぎで生活をやりくりすることにした。しかし、二年目の終わりには経済的な厳しさに耐えることができず、指導教員の制止を振り切って遠く離れた土地に仕事を得て、パートタイムの学生となった。彼は論文を書き上げるべくやる気をみなぎらせていたが、論文執筆や指導教員に会う時間を捻出するのが次第に難しくなっていった。彼の在籍年度はやがて制限を超え、結局彼は論文を提出することができなかった。

博士課程の最終段階では、生活のために働く必要が生じる可能性が非常に高くなる。仕事を選べるなら、慣れ親しんだ、すでに経験がある仕事をすることを勧める。これは、演習での指導や研究室での実験助手など、大学での仕事であるとよい。あるいは、博士課程の仕事の知的な厳しさとは対照的なパートタイムの仕事もよいかもしれない。知的準備コストがあまり必要なく、経験がものをいう仕事がよいだろう。知的要求の高い仕事は、たとえパートタイムでも、研究の思考時間に影響し、〔表面的な〕労働時間以上の知的努力を費やすことになってしまう。

博士課程最後の集中的な執筆段階と家庭を両立することは、もう一つの課題となる可能性がある。これは特に在宅で研究する場合に当てはまる。子供、パートナー、または両親に邪魔されずに執筆する時間が必要なことを説明する必要があるかもしれない。また、大学は現在、産休・育休の重要性を認識し、この最終段階にキャリア支援を利用できるようにしているので、必要なら調べてみよう。

多くの人が、強い決意と有利な環境をあわせて利用することで、新たな職に就きながらもなんとか学位を取得している。

マドレーヌは研究学生として通常の三年ではなく、二年しかなかった。それは彼女が別のプロジェクトについて研究委員会から助成金をもらっていたものの、その資金が尽きるため、近くの大学の講師に応募し、採用されたからである。彼女が属していた学科の学科長は、学科の資金を使って六カ月分の助成を彼女に提供する、と申し出てくれたのだが、彼女にしてみれば講師の座に就く機会など拒むことはできないと感じていたのである。彼女は新たな講座の準備のかたわら、パートタイムで博士号の取得に精一杯の努力をした。

彼女はマーティンと比べ三つのアドバンテージをもっていた。①講師の座に就けた大学がもともと通っていた大学に近く、指導教員と継続的に連絡をとり続けることができた。②彼女は毎週一回、講義のない金曜日に元の大学に戻ることができ、データの解析を〔雇われた大学の〕教育義務に煩わされない研究環境の中で続けられた。③彼女の講義を立ち上げるにあたり、自分の研究分野に関連したコースを提供することで知的疲労を最小限に抑えた。これらをなしとげるのにはかなりの労力がかかったものの、博士号の取得という目標を達成するだけでなく、講師としての立場を確立することもできたのである。

最後に、やや紛らわしいが、「論文（thesis）」と「学位論文（dissertation）」という用語が、地域ごとに異なる意味で使われていることに留意してほしい。米国では修士課程の学生は「論文（thesis）」を書くが、オーストラリアと英国では「学位論文（dissertation）」を書く。しかし、博士課程では、その用法は逆である。そこで米国では、論文だけが終わらない学生は「ABDs（All-but-dissertation）」として区別される。元学生たちは履歴書（または職務経歴書）

にこのことを誇らしげに書き、採用者はこれを有益なことだと考えている。しかし、それはその人が目標を達成できなかったという事実を示している。ここ英国では、それを「失敗」と呼ぶのだ！

第**5**章

博士課程の学習方法

本章のポイント

1. 論文を書く際は、目下の作業に取り組むだけでなく、あなたが答えを見つけたい問いについて考えよう。研究の重要な部分は、よい問いから生み出される。
2. 〔研究上の〕貢献とみなされるためには、自分の作品のオリジナルな部分において〔人類の叡智を〕ほんの一歩前に進めるだけでよい、ということを覚えておこう。
3. 論文が「オリジナル」であるに足る要件について指導教員と議論し、それをどのように満たすか、お互いに納得するまで話しあおう。
4. 「検証型」の論文を書く場合のメリットである貢献のしやすさについて真剣に考えよう。
5. 博士のための研究に用いる前に、手順、スキル、テクニックについて必ずリハーサルを行っておこう。
6. 研究の限界を、バランスのとれた検証の成否の記述とともに説明しよう。

第1章で述べたように、本書は、研究の分野やテーマによって異なる「研究デザイン」や「研究手法」については述べない。これらについては当該分野のテキストやハンドブックを参照すればよいし、学術誌の最新号が、あなたの専門分野の最先端の方法論的実践を示してくれるだろう。

本章では、すべての分野の研究実践にかかわる、一般的な背景となる「哲学的課題」について議論する。『研究』とは何だろう？」という基本的な問いからはじめよう。一見単純だが、難しい問いである。この問いに対するいくつかの回答を探索し、博士号の本質との関わりについて検討したうえで、それが博士論文の形式において、どのように提示されるか見てみよう。

研究の特徴

「研究とは、未知のことを調べること」という一般的な見解をまず取り上げる。この定義は広すぎると同時に狭すぎる。まず、次のロンドン行きの電車の時間やプールの水温測定など、調査とは言えないものも含まれるため、範囲が広すぎる。なぜそれらを研究と呼ばないのか少し考えてみよう。そして、もしそれが温度の代わりに水のpH値、つまり酸性かアルカリ性かを測定するとしたら、それは研究になるだろうか?

この定義は狭すぎでもある。多くの研究は分からないことを調べるのではなく、分からないということを「発見」するものだ。既存の考えを改めさせ、既存の知識に疑問を抱かせ、複雑な現実の新たな側面に光を当てることを目的としている。

研究の本質に関する議論のためには、まず「研究」と「情報収集」を区別する必要がある。

▼情報収集——「何?」の問い

発見可能な未知の事柄は多々ある。「英国の博士課程学生の年齢、性別、研究テーマの分布は?」「英国のさまざまな地域の放射線レベルは?」「英国のGNPの何パーセントが科学研究に費やされている?」これらの「何?」という問いは非常に重要である。会計専門家の言葉を借りれば、「真実かつ公正な姿」を示すバランスのとれた状況説明を得るためには、慎重な用語の定義や偏りのない情報収集、周到な統計的操作、丁寧な要約に注意を払う必要がある。任意の「尺度」がどうしても必要になることもある。温度の測定、マネーサプライの定義、性別を分ける遺伝子的分類などに見られるように、〔研究の積み重ねによって〕比較可能性の向上に資する慣用的な尺度がつくられてきた。しかし、何をもって公平とするかは、プロの間でも異なることがあり、十分な情報にもとづいた判断が求められる。たとえば、政府で働く官僚の人数、地球温暖化による気候への影響などを定義し、計算し、分類するために、何が真実で公正な方法かについては、かなりの論争がある。

こうした「何？」への回答は記述的なので、軍事用語でいう「情報収集（intelligence-gathering）」と捉えることができる。情報収集は重要な活動であり、情報は貴重な商品だ。損益計算書、地域ごとの放射線濃度、博士課程学生の指導教員評価などは非常に有用な情報だ。

損益計算書は財政管理システムの一部として、地域ごとの放射線濃度は核関連施設の政策のために、博士課程学生の指導教員評価は指導教員の選抜と指導力強化に使える。仕組みのコントロールや政策形成、意思決定は情報活用の典型である。しかし、それらは重要なことではあるが「研究」ではないのだ。

▼研究――「なぜ？」「どのように？」の問い

研究では、物ごとを単に叙述するだけではなく、分析することが求められる。それは、説明、関連、比較、予測、一般化、理論を探究するものだ。これらこそが「なぜ？」「どのように？」という問いである。「なぜ物理学の博士課程の女性は生物学に比べてこれほど少ないのか？」「放射線レベルは地域によってなぜ異なるのか？」「なぜ英国製造業の労働時間あたりの生産性は仏独よりも低いのか？」「特定の理論家のアイデアをどのようにポストコロニアル文学に適用できるのか？」「特定のアルゴリズムをどのように国勢調査のデータ分析に適用できるのか？」

これらの問いの回答には、意思決定や政策形成がそうであるように、適切な情報収集が必要だ。しかし、集めた情報は〔そのまま出すのではなく〕比較、他の要素との関連づけ、そして理論化とその後の検証を通じて、理解を深めるために使われる。

多くの問いには比較の視座がある。つまり、複数の状況を取り上げ、違いがある理由を調べることだ。たとえば、上記の質問の一部には、「少ない」「異なる」「低い」などの比較語があり、研究はこれらの相違の背後にある理由を解明する。リサーチクエスチョンの他の例として、たとえば「ある特性を持つ数学的構造は存在するか？」のような、存在に関する問いがある。他にも、「この理論は対象の新たな側面を照らし出すことができるか？」のような、特定のアプローチの有効性を考察する問いもある。理論が有用であるためには、説明はすべての適切な状況において適用できなければならない。これらは博士課程の研究の核心だ。

ブルームら（Bloom and colleagues 1956）による「六つの教育目標――（事実にもとづく）知識、理解、応用、分析、総合、評価――の分類法」がここで役立つ。通常、教育はこのヒエラルキーのなかでより高いレベルにあなたを導く。博士レベルで重要なのは、取得した知識を批評し、研究のアイデアをまとめることができることだ。基礎を積み上げれば高みに到達できる。フラーら（Fuller et al. 2007）は、エンジニアリングやコンピュータサイエンスなどの分野では、研究の目的は批評ではなく、複雑な問題解決に資する高度で批判的な思考の応用にあると指摘している。

▼研究はオープンな思考システムにもとづく

研究者は、原則として世界を思いのままにできる。何を考えてもいい。隠された思惑はなく、閉ざされたシステムでもない。米国的表現を使えば「好きなものを好きなだけ（everything is up for grabs）」である。研究者が互いに行う継続的な検証、レビュー、そして知的探究のための批判は、思考を発展させる上で重要である。積み重ねられた英知や通説も、「論拠不十分」となる可能性があり、この検証を免れえない。もちろん、もし「不十分」とならければ、検証に耐えたといえる。研究者以外の人々が、研究成果とは既存の知識に自明で些末な細部をわずかに積み上げてみせることにすぎないと考えてしまうのは、こうした理由がある。しかし、こうした検証は、まさに私たちが自明でないことを追求したり些末ではない細部を発見したりするためのものであり、継続的に行われなければならない。

このアプローチにおいて大事なのは、正しい答えを知っている者ではなく、正しい問いが何であるかを知るべく奮闘する者こそ、正統な研究者の姿であるということを、肝に銘じることである。〔推計・分析のような〕実践的作業のさなかには、よい「問い」を発展させることの重要性を忘れがちだ。セメスターの終わりなどに、これらを振り返るために定期的に指導教員と話しあう時間を設けるとよいだろう。

▼研究者はデータを批判的に考察する

批判的な考察は〔前項の〕オープンな思考システムがもつ特徴の一部である。両者を分けて述べるのは、これが実務家や一般の人々と研究者を分ける、おそらく最も重要な分岐点だからだ。研究者はデータと情報源を批判的に精査し、議論を呼びそうな説（たとえば、女性経営者は男性経営者よりも有能でない、ソフトドラッグはアルコール摂取よりも健康への害が少ない、新エネルギー源は予見可能な将来において需要をすべて満たすことができない、など）には、同意・不同意ではなく「証拠は？」と聞く。

研究者はいつも「その事実は証明された？」「もっといいデータはないの？」「この結果は異なる解釈ができる？」と問い続けなければならない。研究者以外の人にこうした問いを続ける時間はない。つまり、研究に対する忍耐がない。たとえば、政治家や経営者は、周囲からの圧力や時間的制約のもとで、決断を下すことがしばしば求められる。新型コロナウイルス感染症のパンデミックの際もそうで、対策の影響が完全に理解される前に予防策を講じる必要があった。政治家は理解よりも行動が重要だが、研究者の優先順位はもちろん異なる。研究者の目的は理解し解釈することなので、体系的で有効かつ信頼できるデータの入手のために、多大な労力を費やす必要があるのだ。

▼研究者は理論を構築し、その理論の限界を理解する

博士課程研究ならではの特徴の一つは、テーマに関する理論構築だ。博士課程では、いかに情報がうまく整理されていても、それを単に提示するだけでは不十分なのだ。

メダワー（Medawar 1963）は、科学的発見のプロセスを「無秩序に並んだ事実の中から、秩序ある一般的な記述が現れる」と述べた。コーエンとスチュワート（Cohen and Stewart 1994）はこれを「理論は事実を破壊する」と要約した。これは、研究の目的が、個々の膨大な事実を説明し、調査し、問い直すようなアイデアを発見・発明するものであることを意味する。たとえば、多数のインタビューを行い、コード化のプロセスを経ていくつかのテーマを導き出す、などである。研究対象を超える一般性を備えた洞察を提供することが、研究の目的になる場合もある。一部の歯科医に彼らの仕事についてインタビューし、それをすべての歯科医に一般化するようなもの、もしくは月の石のいくつかの特徴を測定し、月全体の組成について見解を述べるようなものだ。過去の一時期のある集団の日常生活の様子を知るために、歴史的な日記を何冊も読むこともあるかもしれない。

このプロセスは、博士課程の終わりになって、ほぼ何も発見できなかったかのような錯覚を引き起こす。何カ月もかけた実験、インタビュー、アーカイブ探索の後、得られた知見を一般的で理論的な少数のアイデアに集約することになる。これは博士号取得のための重要なステップだが、自分の貢献がとるに足らない小さなものだという錯覚、「インポスター現象」を感じることがあるかもしれない。理論を兼ね備えた洞察は非常に難しい課題であるこ

とを忘れないようにしよう。

重要な理論の一つは、多数の個別情報を一般化する理論だ。それは科学の場合、多くの実験結果を説明する数式を産み出すことかもしれない。社会科学では、何百人のアンケート結果を、いくつかの幅広いグループに仕分けすることかもしれない。人文科学では、多くの芸術作品を鑑賞し、画家の流派や芸術スタイルの変化など、より広いアイデアを用いてこれらを要約することもある。

一般化は重要だが、一般化の限界を説明することも重要だ。小説家のアレクサンドル・デュマ・フィス（息子デュマ）は、「あらゆる一般化は危険だ！――という一般化も危険だ！」と述べた。実際、研究を前進させる一般化は、示唆に富んでいると同時に危険なものでもあると言われる。ゆえに一般化がどこに適用され、どこに適用されないかという「一般化の限界」を常に検証する必要がある。優れた博士論文とは、理論適用の限界を明確にするものだ。過度に一般化するのではなく、研究の限界を自信をもって明確にする方がよい。限界の明示は弱みではなく強みである。すべての研究には適用可能な限界があり、その限界がどのようなものであるかの理解を提示することによって、あなたの研究はより完全なものになるだろう。

博士課程の研究では、先行研究による一般化の理論を調査して批判することもある。たとえば、先行研究で特定の文化または国で通用するとされた理論が、他の場所では通用しないことを示すこともある。

研究の限界を提示するもう一つの意義は、うまくいかなかった研究を報告し、その理由を分析することだ。もちろん、研究過程のすべての紆余曲折を論文に書く必要はないが、研究者は研究の主な所作について誠実に説明する必要があり、期待した結果が得られなかった場合もその結果を提示し、なぜそうなったかを分析する必要がある。これは、あなたの研究を発展させる今後の研究にとっても重要だ。これにより、一見有意義に見えるが実は非生産的なプロセスを省くことができる。たとえば新薬の治験では、薬が治療に効果的でないケースの理解が研究の重要な貢献となる可能性がある。

▼仮説演繹型研究法

理論の一般化のために仮説を形成し、その妥当性を検証するのは研究の常套手段である。「仮説」とは、メダワー（Medawar 1963）によれば「創造的でインスピレーションを与える性質」をもった「心の冒険」だ。メダワーは、カール・ポパーが著書『科学的発見の論理（*The Logic of Scientific Discovery*）』（一九七二年）で述べた科学的手法も、実は一般に信じられているように帰納法ではなく、仮説演繹型研究法なのだと主張している。

研究者を志す者は、研究プロセスにおけるこの二つ〔帰納法と仮説演繹型研究法〕の解釈の違いを理解し、「だまされた」「やり方が悪かった」と落胆したり、苦しんだりしないようにすることが重要である。

科学的研究手法についての一般的な誤解は、「科学的方法は帰納的である」というものである。科学的理論の構築は、五感で得られる基本的な生の証拠、つまり単純で、公平で、偏見のない観察から始まるという誤解だ。これらの感覚的データ（一般に「事実」と呼ばれる）から、一般化が形成される。無秩序に並べられた事実的情報から、整然とした関連性のある理論が何らかの形で浮かび上がってくる、という神話だ。しかし、こうした帰納法の出発点は不可能なものである。

実際には、先入観のない「観察」など存在しない。観察は常に過去に見たり経験したりしたことに立脚している。すべての科学的実験や探究は、結果に対する何らかの「期待」をもって始められる。この「期待」こそが「仮説」と呼ばれ、調査目的を先導し、調査方法にも影響を与える。この「期待」の光のもとで、関連性のある観察と無関係な観察が生じ、特定の方法論が選択される一方で他の方法論が破棄され、一部の実験が行われて他の実験は行われない。完全に素朴で純粋で客観的な研究者などどこにいるだろうか？

仮説は基本的に予測作業とインスピレーションから生まれるが、しっかりと定式化すれば、その妥当性は適切な演繹の方法論を用いて厳しく検証できるし、検証される必要がある。演繹的な議論において、出発点となる前提が正しければ、そこから導かれる結論も必ず正しい。逆に、前提から論理的に導き出された結論が正しくなければ、前提は棄却されなければならない。出発点となる仮説から演繹的に確実な結論を導き、それをもとに行った予測が誤っていた場合、仮説は棄却するか、修正しなければならない。一方、予測が正しければ仮説は支持されたことになり、その後の研究でそれが否定されるまで妥当性を保持することになる。想像力の産物である仮説に到達したら、演繹的議論にもとづき、完全に論理的で厳密なプロセスに進む。だから「仮説演繹型」なのだ。

したがって、データの収集前に、結果についてある程度の予測ができても、心配する必要はない。目の前にすべての証拠が揃うまで待って、その意味の解釈を考える科学者はいない。もちろん、何かが偶然に起こったときはその限りではないが、その場合でも、たとえばカビが細菌感染症の解毒剤として作用するのを確信する前に、仮説を立て検証する必要がある。

科学的方法についてのもう一つの誤った考え方は、科学的方法は帰納的であるというだけでなく（これは誤りであることをみた）、仮説演繹法の一つひとつのステップは、順番通りでなければならないというものである。仮説演繹法は多くの研究に用いられる論理的なアプローチだが、検証する際の研究者の心理的プロセスではない。これは完成した論文や刊行されたペーパーからすぐに見てとれるものに比べて、圧倒的に包括的なもの――つまり、推測したり、手直ししたり、それを改訂したり、袋小路に迷い込んだり、そして何よりもひらめき（仮説的な部分と同様に演繹的な部分でも重要である）があったり――なのである。完成した論文などは、実際の研究プロセスよりも順序だった論理的なオーダーのもとに、きわめて丁寧な仕方で整理されたものであって、アウトプットの価値はそのおかげで、それが得られるまでのプロセスとは独立して評価されることになる。たとえば、クリックとワトソンが一九五三年にＤＮＡ分子の構造を実証した学術論文群（たとえば Watson and Crick 1953）と、ワトソンがその研究をどのように行ったかを描いた著書『二重らせん（*The Double Helix*）』（Watson 1968）の間には大きな違いがある。この観点からすると、「科学的方法」とは、研究を実施する方法というよりも、研究を書き上げる方法として考えた方が有益かもしれない。

▼批判的思考と分析的であること

研究にとって重要なのは、先行研究や一次資料に対して批判的なアプローチをとり、エビデンスとともに文章でそれを表現することだ。日常生活で「批判的であること」は、否定的な側面の指摘を意味するが、研究においてはそうではない。研究における批判的な態度とは、疑問を持ち、分析的なアプローチをとることである。

書籍、論文、データセット、アーカイブ文書、博物館のコレクションなど、研究対象となるさまざまな資料をありのまま受け入れるだけでなく、さまざまな問いのレンズを通して見ることが重要だ。先行研究のどこが良かった、あるいは悪かったのか？　どのような隠れた前提があるのか？　なぜ特定の文書コレクションがまとめられたのか、何がオミットされたのか？　データの収集方法にはどのような偏りがあったのか？　どのような代替方法があったのか？　どのような視点が見落とされているだろうか？　結論は提示された証拠から導き出されるか？　このような問いを発することで、自身の博士論文でこうした要素についてディフェンスしなければならないとき、真の理解の深さを示すことができるだろう。

さらに、こうした問いかけの姿勢から、独自の研究課題を生み出すこともできる。たとえば、データセットや博物館のコレクションがどのように収集されたのか、基礎的な前提を調べることができる。あるいはサンプルの偏りが少ない、より幅広い母集団を対象として研究をやり直すこともある。先行研究の手法の欠点を補う解決法が生まれるかもしれない。単なる記述的アプローチだけでなく、批判的、分析的、あるいは問いかけに満ちたアプローチをとることが、よい研究者になる秘訣だ。

基本的な研究の種類

昔から、研究には「基礎研究」と「応用研究」の二つのタイプがあると言われてきた。基礎研究は理論を生み出し、応用研究はそれらを実際に利用または検証するものだが、この定義は厳格すぎて、多くの研究分野で実際に行われていることを説明しきれない。たとえば「現実世界」を対象とする研究が、単に「純粋な」理論を適用するだけでなく、新たに独自の理論を生み出すこともある。ここでは研究の分類を三つに改める。すなわち「探究型」、「検証型」、そして「問題解決型」であり、これらは質的・量的研究どちらにも当てはまる。

▼探究型研究

この研究は、あまり知られていない新しい問題、課題、テーマなどに取り組むので、研究のアイデアは初めから明確ではない。問題は研究分野のさまざまなところに隠れている。それは理論上の矛盾かもしれないし、実証にもとづいたものかもしれない。研究を進める際は、研究でテストする理論やコンセプト、そして手法を精査しながらも、必要に応じて新たな手法を編み出す必要があるかもしれない。もちろんこの研究は、そこから何か有用なものが発見されることを望みつつ、知識の未開拓地を切り拓くことになる。

▼**検証型研究**

この研究は、先行する理論の一般化の限界を見定める。この理論は往々にして「帰無仮説」と呼ばれ、私たちはその理論を「棄却」する（つまり、その不十分さを示す）ためのエビデンスを提示することになる。〔すでに述べたように〕これは研究の基本的活動である。「その理論は気温が高い状態では当てはまるだろうか？」「新しい技術をもつ産業ではどうだろうか？」「労働者階級の両親では？」「世界展開する前は？」このように検証可能な疑問は無限に続く。そうすることで独創的な貢献ができ、私たちの学問分野が発展する上で重要な――しかし危険でもある――一般化を（特定、修正、明確化することで）改善できるのだ。

▼**問題解決型研究**

この研究は、実世界の特定の課題について知的資源を集めて解決策を講じる。課題を定義し、解決方法を見出さなければならない。このタイプの研究をする人は、一つひとつの段階でオリジナルな解決法を編み出したり、見つけたりする必要があるかもしれない。実世界の問題は煩雑であり、必ずしも一つの研究分野で解決できるものではないため、分野横断的な理論と方法論の勘案が求められる。

博士号のための研究はどの種類がよいか

第4章では博士号を取得しない方法について詳しく述べたので、ここではよりポジティブな側面に目を向け、「取得する」方法について考えよう。まず、既出の三つのタイプのうち、どれが博士号取得のための研究に適しているだろうか？　私たちがすでに記したように、博士課程とは本質的には研究の初心者がプロになるためのトレーニングであることを思い出そう。すべての研究には個別の制約があるが、博士号取得のための制約はとても厳しい。経済的、物質的、また事務的サポートといった制約があり、何より時間が限られている。そうなると、あなたのキャリアのこの段階で、三つの研究タイプのうちどれがベストか？　多少なりとも時間をとって、あなたの決断とその理由について考えてほしい。

この状況下で最適なのは「検証型研究」である。これは著者たちの目から見て非常に明白であり、あなたもきっと分かってくれるだろう。このアプローチでは、確立された枠組みに沿って研究を進めることになる。なので、考え方や議論、測定手段などの多くが確立されたものとしての性質を持っており、ゆえにある程度安全な環境で研究スキルを習得できる。効率的に学習するには、環境の安全性が最重要のコンテクストをなす。深い海へと身を投げるのはカッコよくはあっても、沈んでしまうこともあるのだ！

もちろん、独自の貢献は必要だ。他人の模倣は十分ではない。オリジナリティを出す方法はたくさんあり、本章の最後で説明する。

もしくは、競合する二つの理論を新たな環境で試し、どちらの理論がより強く作用するかを見る、あるいは決定的な実験を計画して、そのどちらかが良いか選択するための証拠を見出すというのもありだ。それらの結果として、新たな方法論や理論の革新的な形態を発見することもあるだろう。そこには常にしかるべき探索的作業の要素があり、その過程で、有益な専門的問題を解決することもあるだろう。検証することは、学術研究の基本的かつ継続的な専門的作業であり、この枠組みでうまく行われた博士研究は、有用である可能性がはるかに高く、したがって出版の価値があり引用も可能である。

一方、概念上のフレームワークをもちにくい探索的なテーマや実世界の問題解決に取り組むことも魅力的ではある。このことは、本章末のオリジナリティについてのセクションで、より詳細に論じる。実際に雇用者も、実世界の問題に対し博士号保持者の研究がどのくらい応用できるかに、評価の大きな重点を置く。これは現在、英国政府も推奨しているアプローチである。しかし、こうしたタイプの研究の魅力は否定できないものの、うまくいかない可能性の方が大きいことは心得ておくべきである。たとえば、多くの実務経験があり指導教員の強力なサポート（指導教員のインプットは必然的により大きくならざるをえない）が得られる自信がある場合は、「探究型」や「問題解決型」の研究を検討することもできるが、これらは間違いなく構造化されておらず、したがって専門的にはより高度な活動である。学生の多くは、歩けるようになる前から「走れるかどうか」を考えがちである。実世界の問題に取り組むのであれば、より構造的で限定的な専門職博士号のプロジェクトの方が適しているかもしれない。このアプローチについて、より詳しくは、Fulton et al.（2013）や後述の専門職博士号の節を参照してほしい。

また、次のような指摘もしておくのがフェアだろう。すなわち、純粋に探究型や問題解決型の研究で博士号を得られた場合は――あまりないことだが――、「勇気ある挑戦」に対する称号としての側面がかなりあると言ってほぼ間違いないだろう（審査委員も優しい人間であるため、何とか論文を合格させてあげたいと思うのだ）。しかし、このような状況下で得た成果は検証型研究と比べ十分な貢献にもならず、出版や引用に値するほどのモノにはならないであろう。それでは、研究者としてのキャリアを築くベースとして、あまり役に立たない。博士号の取得にはオリジナルな貢献が必須ではあるものの（本章末でより詳しく議論する）、賢明な学生なら、完全にオリジナルな研究や貢献を試みる楽しみは博士号を得た後にとっておく、ということを心に留めておくとよい。

研究する技法

研究者としての成長には、その分野のスキルと知識の習得（acquiring）が必要だが、研究スキルを学ぶこと（learning）も重要だ。他のスキルと同様に、実践を通じて研究技法も向上し、指導教員などからのフィードバックに加え、自分で実践を振り返ることで改善される。研究のアプローチと研究分野を決めたら、必要とされるスキルをどのように習得するか、体系的に考えなければならない。

スキルの習得法は多岐にわたり、研究分野によっても異なる。必要なスキルを得るために講義を履修する（あるいは、履修しなければならない）場合もあるが、最初の段階で重要なのは、あなたの研究分野において定評のある研究者を観察し、その話を聞いて、いかなるスキルやテクニックを用いているか、できるだけ体系的にまとめることだ。この方法は、見習いや産業心理学者の間では「ネリーのそばに座る（Sitting by Nelly）」として知られている。可能なら指導教員がお手本役になってくれるとよいが、指導教員以外の他の人からも学びとろうとする姿勢は重要である。

次はそれらのスキルを、どれだけうまくできているかフィードバックをもらいながら、できるだけ使ってみることだ。成人の学習は、自由に練習しフィードバックを得られる、制御された脅威のない環境下で行うのが最も効果的である。研究テーマに必要なスキルもそういった環境でまず試してみることが大切だ。練習は、少ないプレッシャーのなかで効果を上げるために、論文そのものに取り組む前に行うとよい。また、フィードバックは指導教員だけでなく、他の分野の専門家（コンピュータ技術者、検査技師、公文書係、図書館員、統計学者）などのプロフェッショナルや、自己評価からも得るようにするとよい。

こうしたやり方は大いに理にかなっているが、私たち著者がなぜこのことをこれほど強調しているのか、不思議に思う読者もいるかもしれない。しかし、結局のところ、うまくスキルを実践するには、練習するしかないのだ。画学生は初めて描く油絵が王立アカデミーに展示されるなどとは思わないし、詩人は初めて書いた詩が出版されるなど考えない。それらは習作にすぎない。つまり学習経験なのだ。

実際、博士号取得のスキルに関して、この問題は特によく考えられていないことが多い。博士論文（長さは六万から八万語になる可能性がある）が、学生にとってそれまでに書いたことがあるもの、たとえば試験の回答、小論文やレポートよりも長い文章を書く初めての試みなら、それはきっと手ごわいタスクになるだろう――必要なスキルを育ててこなかったのだから。また、調査や実験で得たデータを分析するのは、データをコンピュータに入れて出力する、初めてのドキドキ感を味わう場ではないのだ。繰り返すが、研究のスキルは実際の研究を始める前に向上させておかなければならない。練習なしでいきなり調査票を作成し、データ収集の作業が進んでから作成した調査票の作りの甘さに気づくようでは、学位取得はおぼつかない。

博士号取得を目指す学生が習得すべきスキルはまだまだたくさんある。一見平凡ながら実際は必要不可欠な、実験器具のメンテナンス・管理やコンピュータでの文献検索から、出版された資料や論文などの重要性をいち早く見極めるような、より概念的なものまで幅は広い。また自分の研究において必要な技能や技法が何なのかを見出し、論文に向けたプロジェクトにおいて自信をもってそれらを使いこなせるよう練習する必要もある。これらの多くのスキルは学術界以外の場、たとえば後に選ぶかもしれないキャリアなどにおいても応用できる。プロとして武器になる技能を身につけるためのコースがほとんどの大学で提供されていることには、第3章で触れた。

研究スキルの涵養

すべての研究者は、テーマ固有のスキルを涵養する必要がある。研究の拠点が研究室にある場合は、自分の分野の実験に適した技術や手法を習得する必要がある。社会科学分野では、たとえば、質問票の作成、インタビューの実施、フォーカスグループの運営などのスキルが必要かもしれない。

こうした分野固有のスキル以外にも、すべての研究者が習得すべき一般的なスキルもある。以前は、これらを博士課程の新入学生の必修基礎コースに位置づけることがよくあったが、最近は、こうした一般的なスキルは入学前に身につけ、特定分野の要件に合わせてスキルを伸ばしていく形態が一般的となった。

学生自身がすでに持つスキルと今後伸ばすべきスキルを理解するために、多くの大学は一般的なコースではなく、自分の現在の力を評価し、改善すべき点を特定するためのスキル演習を始めている。演習は質問形式で進めることもできるが、経験豊富な研究者や他の博士課程学生とのグループディスカッションを通じて行う方が効果的だ。

このための一般的なアプローチは、Vitae Consulting が開発した Researcher Development Framework（RDF）である。このアプローチではあなたに必要となる可能性のあるスキルを、「研究のガバナンスと組織（Research Governance and Organization）」、「個人的有効性（Personal Effectiveness）」など、多数の幅広いカテゴリーに分類し、さらに各カテゴリーを細分化する。たとえば、「個人的有効性」には、タイムマネジメント、振り返り、ネットワーキング、キャリアプランニングを含む。各カテゴリーを順番に見ていけば、現在の能力と博士課程研究のために獲得すべき能力の優先順位がわかる。その後、自習や振り返り、自分のペースで進められるオンラインコース、さらには大学のワークショップを通じて、スキル習得に取り組むことになる。

スキル習得と、博士号取得に向けた研究および執筆のバランスをとることが重要だ。受講それ自体を目的化するのではなく、どの能力不足を改善したいのか定めてから受講する必要がある。指導教員の中には、一般的な研究スキル習得を「研究の気晴らし」とみなす冷笑的な人もいるが、私たち著者はこうしたスキルの涵養が、より有能な研究者へと成長し、質の高いしっかりした研究を遂行するのに役立つと考えているため、そうした見解には賛同できない。とはいえ、博士号取得のための困難な作業を避ける方法として、際限なくワークショップやコースに参加する学生がいることも事実だ。これはやはり避けなくてはならない。

研究ツール

特定のツールを使いこなすことは、博士課程研究の上で重要だ。博士課程のそれぞれの段階ごとにそれに応じたツールが必要とされる。どの分野の研究であれ、研究初期の段階でのオンライン文献検索は重要である。Google Scholarなどは文献やレファレンスなどをインデックス化しているため、欠かせないツールとなる。自分の分野に特化した同様のサービスもあるかもしれない（たとえばphilpapers.orgは哲学を専門に扱う権威のある文献目録サイトである）。これらのサイトでの検索方法として、調べたいトピックのキーワードを検索ボックスに入れて検索する方法と、一つの文献に含まれているレファレンス（参考文献）をたどっていく方法がある。論文だけを読むのと比べ、これらのサイトが提供する価値の一つは、ある論文をどの文献が引用しているか前もって調べられることである。そのおかげで、興味のある論文をもとに、分野のフロンティアが今どこにあるかを把握できる。

常に自分の分野における最新情報を把握しておく方法として、適切なソーシャルメディアをフォローすることが挙げられる。研究者によってはツイッターを使って自分の最新の研究状況や情報を発信する者もいる。たとえば、興味深いと感じた論文のリンク、研究課題のアイデア、そして発表されたばかりの論文へのリンクなどの情報が得られる。同様に多くの場合、研究課題に関するメーリングリストやオンラインフォーラムなどでさまざまなディスカッションが行われたり、学会や編著などへの貢献を求めたり、研究資金に関する情報などがシェアされたりする。受け身になって読むだけでなく、自分から率先して情報を発信するのもよいだろう。たとえば自分のツイッターアカウントを立ち上げ、毎週自分の分野についての論文の短いサマリーやリンクを発信してみることも考えられる。このような活動をする場合は、個人のアカウントとは別に立ち上げることを勧める。適切な頻度でアップデートされ、役に立つと感じられるソーシャルメディアのアカウントを運営することは、その分野におけるコミュニティ内で知名度を高める方法としては有効だろう。

博士課程の中盤で使うツールは、より自分の分野や作業に特化したツールとなるだろう。実験科学の分野の場合は、複雑な装置の使い方やマニュアルに書かれていないノウハウについて知るために、自分の携わるラボの先輩研究者（ポスドクや経験を積んだ他の博士学生）との連携も必要となる。アーカイブ調査をベースとする分野においては、情報を探す独特の方法に習熟する必要が出てくる。そうした情報の大半は、あまりシステマティックに整理されていないことも多い。社会科学の分野においては質問用紙の作り方、インタビューする際のさまざまな手法、そして参与観察をする際の機微に詳しくなる必要があるだろう。これらの技法を身につけるには、大学あるいは他の専門家の協会や学会などが提供する講義を受ける必要があるかもしれない。

また、情報・デジタル技術の発展が自分の分野にどのように影響するかを把握しておく必要がある。たとえば、アンケート調査などは、www.surveymonkey などのサイトの出現により大きく変わった。特に、オンライン調査とともに、メーリングリストや特定の分野に特化したフォーラムでの参加の呼びかけなどを組み合わせることにより、世界のあらゆるところから大勢の参加者を素早く集められるようになった。また Amazon Mechanical Turk（www.mturk.com）などのサイトでは、ユーザーがわずかな額と引き換えに特定の作業をこなすことができ、たとえば心理学の研究において多様な研究対象者を集めることに使われている。これらの手法に問題がないというわけではない。これらの手法ではこれまでのやり方と比べて参加者のコントロールが難しいことがある。同様に Zoom や Google Hangouts などのツールにより、遠距離の相手を面接調査することができるようになった一方、面と向かって話を聞くときの体験や、そこから得られる豊かな情報が失われる。これらのツールの使用に関してどう判断するかは容易ではない。指導教員とそれぞれの技法の是非を話し合うことを勧める。

あらゆる分野に必要不可欠なツールももちろんある。博士号取得に向けた日々の作業は書き留めておく必要がある。それがノートであれ、Word文書やインデックス・カード、より体系的なEvernote（www.evenoote.com）であれ、自分の好みにあわせて選べばよい。アクセスのしやすさ、後々の検索しやすさ、そして情報の整序のしやすさなどを考えながら、いろいろと試してみるとよい。

さまざまな目的からメモをとることも重要だ。論文の要約、先行研究の異なるアイデア間のつながりの可視化も有効だ。研究の方向性、仮説、博士論文の「問い」についてメモをとるのもよい。技術概要を短い「ハウツー」リストの形式で書き留めることもできる。学会発表や出版物の締切、または特定の作業を完了するための自主締切を設定することもできるだろう。重要なのはこれらがうまく組織化されていることだ。たとえば、ノートの異なるセクションやコンピュータ上の異なるフォルダをそれぞれ異なる用途に使いわけるのもよいだろう。なお、コンピュータや携帯電話上にメモを保存する利点は、特定の言葉やフレーズから直接検索できることだ。

参考文献の記録も必要だろう。BibTeX, Mendeley, RefWorksなどの文献管理システムの利用が推奨される。これらのシステムでは、参照したい論文のリストを作成し、それぞれ固有のラベルを付けられる。ラベルを論文に貼り付けると、管理システムが自動的に文献リストを作成する。これには主に二つの利点がある。まず、一貫して同じシステムを使えば、引用したすべての文献が参考文献リストに含まれる。次に、引用スタイルを簡単に変更できる。たとえばハーバードスタイルの博士論文の一部を、別のスタイルが求められる雑誌論文に転用する際、変換を自動で行うことができる。これについては博士論文の書き方を扱う第7章で詳しく述べる。

博士号取得のためのリーディング

博士課程の学生は、参考文献を読むことに多くの時間を費やす。読むべき関連資料の見つけ方については第3章で説明した。文献を読む理由にはさまざまなものがあり、またそうしたリーディングが博士号取得にどう関係するかも理解する必要がある。さらに、なぜ文献を参照・引用するのかにもさまざまな理由があり、それは文献を読む理由とも関係がある。

論文や書籍が果たす役割の一つは、論文において取り組む課題のセットアップや説明だ。直接的には、論文の結論部分はあなたが博士課程の研究で追究できるかもしれないアイデアの発展の方向性を示唆するので有用だ。直接的でなくとも、論文を読みながら、自身の研究課題に対する別のアプローチについて考えたり、研究のアイデアを生み出す他のつながりを作ったりするかもしれない。効果を上げるには、常に問いかけながら文献に接することが重要だ。なぜ彼らはこのようなことをしたのだろう？　彼らは代わりに何をすることができただろう？　この研究の次のステップは何だろう？　採用されたアプローチの背後にはどのような隠れた前提があるのだろう？　このような問いかけを念頭にリーディングに取り組むと、論文は成果の説明だけでなく、新しいアイデアの源となる。

また、先行研究はあなたの博士号取得に役立つ情報が満載だ。それらには再分析や他の情報との組み合わせに使えるデータセットが含まれていることもある。先行研究には特定研究の方法論または技術についても書かれているかもしれない。方法論それ自体が論文のテーマであることもあれば、論文が技術実践のお手本となる場合もあるだろう。さまざまな研究課題に用いられる技法については参考書を読むとよい。先行研究の特定の課題に新しい方法論が適用されている場合、自分の研究の設定に役立てよう。専攻によっては、文学の博士号における小説、歴史学の博士号におけるアーカイブ文書など、一次資料の読み込みに多くの時間を要するものもある。

その他、リーディングから得られるのは、自分の研究に必要な水準と比較への理解だ。既存の問題に新しい技術を適用する研究を行っていて、その技術がどれほど効果的であるか知りたいとする。そのためには、同じ課題に古い技術で取り組んでいる先行研究を探し、新しい技術の結果をそれらの先行研究と比較するのが一つの方法になる。

分野によっては、この比較が、自身の技術が他の技術と比較してどれだけ迅速で正確であるかを示す定量的な尺度となる場合がある。もちろん、必ずしも技術ランキングの作成を目的とせず、比較をもとにその違いについて推論的・定性的なアプローチで議論を展開することもできる。

最後に、見落とされがちなことだが、先行研究は、研究の提示の仕方の見本となる。構成や主張が明瞭な先行研究はあなたが書く論文やチャプターのお手本となることがある。論旨をどのように構成するかの例として、モデルペーパーを見ることができるし、その構成は自身の研究に援用することもできる。

実践にもとづく学問分野における博士号

分野における革新性が主に作品の制作を通じて表現される、芸術・建築・音楽・デザインなどの分野では、その要求に応えるために作品などを作り上げ、それを提出して博士号を得ることがある。したがって、芸術作品のポートフォリオや一般的な記譜法に則って記された楽譜などが提出される。作品はプロレベルでなくてはならず、公での展示や演奏を披露するに値する水準であると判断されなければならない。

先にも述べたように（八九ページを参照）、博士号というものは基本的に理論的な営みであるため、博士号候補者は作品とともに、その作品の作成にあたっての自身の方法論と審美的な意図を明らかにする解説をも提出しなければならない。他の分野と同様に、博士号の候補者はどのように自分がその分野における「知に貢献」し、その分野の未開拓地を切り拓いているのかを説明し、立証する必要がある。また、自分の作品がどの分野に属し、それがどのようなコンテクストで研究されているのかも理解し、伝える必要がある。これが、個人の芸術家が自分たち自身のために行う創作活動と、博士号取得のための実践としての創作活動（「実践を通した研究」とも呼ばれる）との違いである。

過去の作品の意味を問うたり、その重要性を明らかにしたりすることも重要な貢献である。他の博士号と同様、審査委員に対して候補者は、その研究にあたって何が必要とされるのか、知っていることを示さなければならない。これにはたとえば、研究に関して直面した困難と、それをどう乗り越えたのかに加えて、作品の創作にあたり今後どのような方向に向かおうとしているかなども書く必要があるだろう。

実践ベースの分野において博士号を取得するために何を提出すればよいかは、それぞれの大学が決めることである。たとえばノッティンガム大学において、音楽の分野において博士号取得に要求されるものは、演奏に六〇分かかる曲を作曲することと、その曲についての二万語の解説である。また別の例を挙げると、ロンドン芸術大学では候補者による作品の創作活動を追った保管用の記録（ビデオ・写真・デジタル媒体）などとともに、三万語以上の文書の提出が求められる。これまで同様、詳細はあなたの所属大学の規定を読むこと。

一連のプロジェクトとしての博士号

また、概念的に関連づけられたいくつもの小さなプロジェクトで構成される別の型の博士号も存在する。このフォーマットは、一つのプロジェクトだけでは示すことができない幅広いスキルと知識を披露できると同時に、過度に詳細な情報で引きのばされた一つの長大な研究よりも、その分野に対して強力な貢献ができる。このような形式を使って博士号をとれるか、またそれが一般的かどうかは、自分の携わる分野による。これについては大学の規定、指導教員との協議、そして自分の分野において認定に至った博士論文を読んで確認することを勧める。

この型の博士論文は普通、先行研究レビューとイントロダクションによって、各プロジェクトを結びつける根底のテーマと全体の概略を紹介する。その後、各章は他の章のプロジェクトと比較参照せずとも読める自立した形で書かれる。たとえば、各章はイントロダクション部分で紹介したテクニックを個別の事例（プロジェクト）に使用しているかもしれない。最後に、それぞれをまとめる章で各プロジェクトの比較検証などをする。

特定の研究分野に深入りするのを避けることを目的に、この連立型のフォーマットを使うのは避けるべきである。このように構成された博士論文であっても、研究課題に対する他の博士号と同様に深いエンゲージメントと、研究分野への独自かつ十分な貢献が必要とされる。修士号レベルのプロジェクトの積み重ねだけでは博士号として不十分である。ここをどう考えるか、参考として次をガイドラインにするとよい。つまり、各章では査読がともなう学術ジャーナルに掲載される論文と同じレベルで、各プロジェクトの解説をするべきである。これは、たとえばサウスウェールズ大学の「ポートフォリオ型博士号」に関する規定が一例となる。「ポートフォリオは最大三つのプロジェクトと関連づけられ、それと同時に批評的概要を提出する必要がある。プロジェクトは経験的または概念的な調査に関連するか、もしくはそこから導き出されたものである必要があり、概要にてその関係を明らかにすること。各プロジェクトと批評的概要を合わせたものは、その研究学位のレベルの要件を満たすことが要求される」。

刊行済みの研究をもとに博士号を取得する

一連のプロジェクトとしての博士号の派生として、既刊の文献による博士号がある。ここでは、学術雑誌や書籍などにすでに掲載されている一連の査読済み論文を、分野におけるそれぞれの論文の文脈を説明する概要文書とともに提出する。特に、概要文書では、複数著者による刊行済み論文に対するあなた個人の貢献を強調するとともに、すべてが体系的な理論的枠組みの内に収まることを示す必要がある。それができれば、従来の論文と同様に、審査が行われ、博士論文口頭審査の開催となる。

歴史的に、このルートは研究科の教員のためのものだった。たとえば、博士号を持たずに研究を続けている教員たちが、すでに出版した研究をまとめて提出していた。もう一つの例は研究助手であり、研究科のプロジェクトにおける貢献に対して博士号の授与を求めることがあった。

近年、多くの大学でこのルートが幅広い人材に向けて開かれている。通常、最初の申請段階で、刊行された著作物が要件を備えているか、一応の判断をし、その後は場合によって申請者は六〜一二カ月の間、パートタイム学生として登録し、論文概要文書の作成に関して指導教員からサポートを受ける。

このような要件は以下に抜粋するような大学規則に記載されている（ケント大学のもの）。

本学は、登録された候補者のうち、次の要件を満たした研究に対して学位を授与する。

・一貫した内容の業績を形成していること。
・学術的な評価に即して、その業績が最新かつ現在でも有効なこと。
・正しい研究方法が使用されていることが証明されていること。
・「学術研究プログラムの規定」において博士号の規準を満たしていること。

ここで最も重要なのは、提出するものが「一貫した内容の業績」であることである。候補者は一つの分野において博士課程学生がクリアすべきレベルの知識の深さを示さなければならない。

『インディペンデント』紙にこの道を選んだ学生の例が記載されている（Willis 2010）。リチャード・ウィリスは何年もの間、教育研究に進わってきたが、キャリアアップのためにも博士号が欲しいと考えた。彼はすでに「質の高い学術ジャーナル」に六つの論文を発表しており、本も二冊出版していたが、当初は困難に見舞われた。刊行した文献の内容に関して学識の浅い指導教員を任命され、博士号取得のための文献をまとめて教員に提出したが、返答が返ってくるまでに時間がかかっただけでなく、ようやく返答がきたかと思えば「不十分」と言われてしまった。しかし、別の大学において登録したところ、彼の申請に対して非常に良いサポートが得られた。

彼はその経験について、「査読済みの文献が不十分と言われて、返す言葉もなかった」と語っている。また、大学の規定や慣習は、この型の博士号に関してはあまり親切でないとも言っている。特に、「提出書類が単に申請書類とみなされるのか、あるいは詳細な報告書なのかすらはっきりしない」場合が多いのだという。別の記事（Willis and Cowton 2011）も、提出書類の長さには、大学によって二〇〇〇語から二万五〇〇〇語と、かなりの差があることを指摘している。

しかし、もしすでに研究に携わっているのなら、この道は十分に検討する価値があると思われる。査読済みで質の高い一貫した業績がある場合は、それが博士号取得への近道となるだろう。しかし、自分が選ぶ大学がこの型の博士号に関して十分にサポートできる体制をもっており、そのような業績を評価する過程に慣れていること、そして審査委員も業績の評価に慣れていることを前もって確認すべきだ。

専門職博士号

実践的な専門職分野で博士号に代わる概念が専門職博士号（*professional doctorate*）だ。学位は専門分野にちなんで命名されており、DBA（経営管理学）、DClinPsy（臨床心理学）、EdD（教育）、EngD（エンジニアリング）、DSW（ソーシャルワーク）などの称号がある。医療コンサルタントの博士号として確立しているMDは、このタイプの学位の初期の例だ。こうした学位の取得には業界で数年の実務経験が必要となる可能性が高い。

多くの学生は、専門的実務のかたわらパートタイムで学ぶ。また、これらの学位を担当する研究者は、同じ時期に研究をスタートする同期の仲間集団として、学生たちが専門的な知識や経験を共有し、互いの成長を助け合うことに力点をおく傾向がある。したがって、組織に必要な技能と時間管理スキルの習得のほかに、仕事を続けながらかなりの期間（通常は五年間）学ぶ決意が必要だ。

こうした学びの核心は、最新の研究や新しいアイデアを知ることで、自分の職務を批判的に検討し、改善することである。グレゴリー（Gregory 1997）の言葉を借りれば、博士号が「プロの学者」になるためのものならば、これらの学位は「学識のある専門家」になるためのものだ。

通常の博士課程とは対照的に、専門職博士課程は通常、コースワークから始まる。講義では職業に関連する知識とスキルだけでなく最新の研究情報が得られ、それらを自分の実践にどのように適用するかについて検討する。こうした講義は通常、大学院レベルの専門トピックと、研究プロジェクトにつながる先行研究レビューを組み合わせたものとなる。

評価はやはり研究論文を対象になされる。通常の博士論文よりも短いが、構造は同様だ。たとえば論文では、特に課題へのアプローチの説明および研究手法の明示のため、先行研究レビューが求められる。これには、証拠にもとづいて批判的な方法で精査された、コアとなる研究課題・仮説・問い、つまり「テーゼ」が含まれなくてはならない。こうした側面はすべて当該職業の文脈で考慮され、現場における自分自身の実践例、あるいはその実践が研究によりどのように知的に充実したか、また変容したかをもとに議論されなければならない。

専門職を続けながら学ぶことになるので、時間管理は特に重要だ。コースワークと研究プロジェクトを両立する必要もある。また、時間のかかる研究倫理審査を受ける必要が生じる場合もある。たとえば、年少者、動物、入院患者を対象とした研究の場合、複雑な研究倫理審査が必要となるケースは多い。あるいは、職場のデータを研究で使用する許可を得る必要がある場合もあるかもしれない。したがって、成功の鍵は時間管理だ。研究、仕事、社会的状況（家族など）のために時間を確保するルーティンを確立することが肝要だ。

本章の末尾で強調するように、博士課程研究の肝となるオリジナルな知的貢献にはさまざまなタイプがある。専門職博士の場合、このオリジナリティは自身のキャリアに応じて評価される。たとえば、あなたが論文で紹介する斬新なアイデアは、あなたの職業で働く人々にとって役立つか？　あなたの論文の知見は、専門的な実践の発展に役立つか？　あなたの研究は分野におけるさまざまな視点を新たな方法に集約しているか？　分野間の専門知識の移動があったか？　これらすべてがクリアできずとも、少なくともどれか一つのオリジナリティと、それが自分自身の職業実践、あるいは同じ職業に従事する他者の実践にとってどう役立つかを示す必要がある。

第4章では、博士号を取得しないさまざまな方法について述べた。同じ懸念は専門職博士号にも当てはまる。学位基準の過小評価はトラブルの原因だ。自問してみよう。修士号に必要なスキル以外に何を上積みしたか？　これまで調査されていなかった課題に関するデータを収集したか？　他の専門家にとって参考になる貢献を強調したか？　審査委員が求めるのは、このようなオリジナルの貢献だ。同様に、求められる水準の理解不足にもとづく過大な目標設定も問題となる。特に難しいのは、学術研究、専門分野への貢献、そして専門家としてのスキルアップのバランスをとることだ。これらすべてを論文で証明することは、刺激的ではあるが、容易ではない。

専門職博士課程の口頭審査は、研究内容について数時間にもわたるディスカッションが繰り広げられる点で、通常の博士課程のそれと似ている。ただし、専門職博士号の場合、審査委員は、学位プログラム開始前のコースワークがどのように研究に影響を与えたか、あなたの研究が当該領域の実践や専門職の進歩にどのような影響を与えるか、理解しようとする。

したがって、専門的側面と学術的側面の両方をカバーする必要がある。大変に思えるかもしれないが、結局これこそが「学識のある専門家」となる道なのである。重要なのは、うまくいった博士論文を読んで評価し、必要とされる水準の理解に努めることだ。

全体として、専門職博士課程は専門分野の能力開発のための貴重な機会であり、一部の職業では、研究を実践に活かせるだけでなく、キャリアアップにも重要な役割を果たす。専門職博士号への道は困難だが、「学識ある専門家」になる意義は間違いなく大きい。

オリジナリティという概念

このセクションの目的は、オリジナルな業績を生むのは難しいことではない、という考えに馴染んでもらうことである。読み進むにつれて、オリジナリティとして認められるものにはさまざまな定義があると気づき、自分でも論文審査委員を満足させられるようなオリジナリティを生み出せる、と思えるようになるだろう。

博士号は「知へのオリジナルな貢献」に対して与えられる。博士論文審査にはほとんどの大学でガイドラインがあり、そこには「他人の手を借りていない」、「重要な貢献」、そして「オリジナリティ」といった項目が並ぶ。しかし、フランシス（Francis 1976）は、オリジナルになるには複数のやり方があると述べている。

土木および機械工学の分野で研究を続ける水理学者のフランシス教授は、学生がオリジナリティを発揮するには八つの方法があると述べている。ここではそのなかから著者たちが同意する六つを見てみよう。

①主要な新情報を初めて文章化する。
②過去のオリジナルな研究の続き。
③指導教員がデザインしたオリジナルな研究の実施。

④既存の研究を核に提示するオリジナルな検証、技術、観察方法。
⑤所属大学の指示の下、他者が行った調査からオリジナルなアイデア、調査法、解釈を引き出すこと。
⑥他人のアイデアをオリジナルな方法で検証すること。

フランシス教授は、オリジナリティ概念がもつこうしたあいまいさに対する審査委員の解釈は、博士号を得られるかどうかの審査にとって重要な要素であると締め括っている。

ＥＭＰによるその後の研究で、学生、指導教員、そして論文審査委員へのインタビューから、博士論文のオリジナリティの定義がさらに九つ明らかになった。

⑦過去になされたことのない実証を行う。
⑧これまでなされたことのない〔理論などの〕統合を行う。
⑨新たな解釈で既知の材料を使う。
⑩海外でしかなされていなかったことを自国で行う。
⑪ある特定の技術を新しい分野で使う。
⑫新たな根拠で過去の研究を補足する。
⑬複数分野にまたがって、さまざまな調査方法を用いる。
⑭専攻分野の研究者がまだ研究をしていない事象を扱う。
⑮これまで試みられなかったやり方で新たな知識を追加する。

〔フランシス教授のものとあわせ、〕全部で一五のオリジナリティの定義が得られた。安心した読者も多いだろう。ただ一つのオリジナリティを目指すより、こうした一五の定義のいずれかに当てはめる方が格段に簡単である。

問題なのは、博士号がもつべきオリジナリティの要件について、学生と指導教員との間でほとんど話しあわれることがないことだ。学生と教員では、同じ用語を違った意味で使うことがよくあるが、研究に関しても、お互いの定義を共有せずに作業を進めがちである。学者にとってオリジナリティとは、分野やトピックに対して「全く新しい知見」を示すことではないので、それほど悩むところではないが、学生にとってはそれが一大事のように感じる。残念ながら多くの指導教員はこの点について学生に伝えない傾向がある。

学生の側から見れば、博士課程の学生のオリジナリティへの考え方は研究が進むにつれて変化する。最初は「心配だ。自分はそんなにクリエイティブなんだろうか」と言っているが、三年目くらいになると「オリジナリティとは日々の生活の、ちょっとの進歩くらいのものなんだ。これが分かるまで、自分の研究のオリジナリティが十分かどうか心配していたよ」と言うようになる。研究者としての階段を上がると、求められているのはほんのわずかな一歩なのだ、ということが分かるようになるが、そうした理解の深まりが指導教員のおかげであることはあまりないようだ。だが、オリジナリティのある博士論文が書けるかどうか、自分の能力に不安のある学生は、いったんその不安を克服すると逆の極端に振れて、博士号をとることはまったくもってクリエイティブなことではない、と思ってしまう傾向があり、これには気をつけるべきだ。もっとも、普通は、「オリジナリティが十分かどうかなんて、気にしすぎずともよい」と思えるようになる。

このセクションでは、オリジナリティに対するある程度の自信を手にする境地にいち早くたどり着けるよう読者を導いてきたつもりだ。しかし、ともかく博士号とは「知へのオリジナルな貢献」に与えられるものなので、それがとても重要な要素であることは忘れないでおきたい。

第6章

指導教員との付き合い方

本章のポイント

1. 指導教員との関係構築は、あなたの責任であると自覚しよう。これは自然のなりゆきに任せるには重要すぎる事柄だ。
2. 同じ責任レベルの指導教員を複数もつのではなく、第一の指導教員、第二の指導教員といった役割を明確化しよう。複数の指導教員にはメールや電話、面会などの手段で研究の進捗状況を絶えず報告しよう。そして学期に一度は全員でミーティングをしよう。
3. 指導教員の期待に応えよう。すべての期待に応えられないときはそれらを無視するのではなく、話しあいのテーマとして挙げよう。
4. あなたは継続的に指導教員を教育する必要がある。まず、あなたが専門とする研究テーマについて。次に、プロの研究者としての自立のためにどのような指導が最適かについて。
5. あなたと指導教員との間のコミュニケーションの壁を低くする方法を探ろう。研究の中身だけでなく、人間関係の樹立、締切の設定、あなたにとっての博士号取得の意義、指導の適切さについても何度か話しあおう。
6. 指導教員とのミーティングの際には論題を設定しよう。ミーティングを終えた際は、必ず合意の上で次のミーティングの日取りをメモしよう。ミーティングや締切には遅れないようにしよう。あなたが遅れれば指導教員も遅れるようになる。何について話しあったか、次のミーティングまでに何をする予定か、忘れずにメモすること。
7. 指導教員があなたの研究によいアドバイスができるよう協力しよう。要求されたことを自分が理解しているか確認するための質問を心がけよう。

8. 指導教員を替えたいと真剣に考えているなら、適切な第三者を仲介者として利用しよう。

9. 指導教員と不適切な個人的関係を築くことは避けよう。

10. 進捗に関する自己評価アンケートを活用しよう。付録1は問題を特定するのに役立つ。

本章は、博士課程において非常に重要な、学生と指導教員の関係をマネジメントするさまざまな方法について考察する。この関係はきわめて肝要であるため、学生はそれを偶然に任せてはいけない。指導教員との良好な関係は博士課程成功の鍵である。優れた指導教員は、博士課程のさまざまなステージで、アドバイザー、指導者、協力者、批判者、そして研究のアイデアや方向性を生み出す存在となる。ただし、指導教員は博士課程の「プロジェクト・マネージャー」ではない。それはあなた自身が担うべきだ。

博士課程の期間中は、うまくいく時といかない時があり、気持ちに浮き沈みがあるものだ。これは指導教員も同じだ。ただ、彼らは経験が豊富なので、博士課程プロジェクトが進むべき方向性に対してより鋭い感覚をもっている。良好な関係構築の上で重要なのは、指導教員をあなたの成功に関与させ、研究プロジェクトに彼らが自信を持ち続けられるようにすることだ。指導教員も不確実性や自信の欠如と無縁ではなく、関係がうまくいっているかどうか知りたいと考えている。並外れたサポートを提供する指導教員に対しては、多くの大学にその指導力を顕彰する制度がある。

学生と指導教員の立場は対等ではないが、この非対称的な関係であなたは完全に無力ではないことを知っておくべきだ。本章では、良好な関係構築のためにすべきことについて述べる。

指導チーム

英国の全大学に適用可能なものとして推奨されているガイドラインでは、研究学生には少なくとも二人、場合によっては三人の指導チームが必要であると記載されている。これにより、プロジェクトのさまざまな側面における専門知識の提供が可能となる。経験豊富な学者と経験の浅い学者がペアになることもある。これは、学生の進捗サポートと経験の浅い学者のキャリア開発支援の両方に役立つ。通常、一人の指導教員が主任教員となり、他の指導教員が必要に応じて追加のサポートを行う。また、パストラル・サポートを与えるために特別に任命される指導教員もいる。

▼指導チームの利点

指導教員チームは指導教員と学生の一対一の関係から生じる多くの問題を防ぐ、あるいは低減する目的で設けられている。指導チームという形式に多くの利点があるのは明らかである。

- **より幅広い学術的な専門知識をもった人からのサポートが得られる**：幅広い領域にわたる研究課題は、その課題がカバーするさまざま内容をよく理解している教員たちが周りにいる場合、受け入れられ、良いサポートを得られる可能性が高くなる。同様に、多様な方法論や技法を熟知した教職員にアクセスできれば、たとえばラボの器具の設定や統計的問題などについて援助を得られるといった利点もある。学際的な研究は明らかにチーム制が有益である。
- **多様な視点から研究プロジェクトを確認してもらえる**：研究の方向性や焦点に関する論点は、プロジェクトの開始時だけでなく、研究を進めていく途中でも指摘するべきだ。これらは最終的な成果にとって重要であり、それゆえに多様な視点をもった人との関わりは非常に生産的である。

・**主任教員の決定に影響を及ぼすことができる**：指導チームの場合、メインとなる指導教員を選ぶ際に多少の柔軟性が出てくる。もし指導チームのメンバーの一人との関係がうまく築けない状態であれば、他の指導教員に継続的に連絡をとり、もともとそう計画されていたか否かにかかわらず、実質的にその人を自分の主任教員とすることもできる。その場合、あまり助けにならず、協力的でなかった元の主任教員との連絡の頻度を徐々に減らしていくことになる。そのようにして新たな主任教員がまた新たな視点で自分の研究に目を向けてくれる。それと同時に自分自身も新鮮な目線でこれまでの作業や研究結果を見直すことができるようになるだろう。チーム制は、主任教員が大学を去る場合にも、いくらかの安定性をもたらす。

・**より幅広いプロフェッショナルのネットワークを構築できる**：複数の指導教員の指導を受けることは、必要に応じてより広い範囲の関連分野の専門家とつながる可能性が生じることでもある。チーム制は指導にあたる教職員にとっても価値がある。というのも、初めて指導教員となった教職員は、指導経験が豊富な同僚と働き、そこからより多くを学びうるからである。より広く言えば、指導チームを設けることで、さまざまな指導教員がアイデアを出しあい、互いの自信を高めることができる。

▼指導チームの限界（うまくいかないときはどう対処すべきか）

しかし、指導教員チームのシステムにも限界はあり、その限界が自分の身に降りかかってくる場合もある。はじめは複数の指導教員をもつのは良いことのように感じられる。何と言っても、一人でなく二人、ないし三人の指導教員があなたの研究に関わってくれるのだ。しかし、やはり検討すべき良し悪しがある。好ましくない点として以下が挙げられる。

・**一人の学生に対する二人の指導教員の過度な介入**：二人の指導教員を合わせて計三人で集まるミーティングは定期的に開くべきだが、頭痛の種にもなる。学生が指導教員たちの助言に押しつぶされてしまうのだ。パワフルな人間に周りを囲まれると、自分自身のアイデアや気持ちを表現しにくい。このような状況から身を守ることを考え、必要ならばできるだけ正直に三者会議での経験がどうだったかを指導教員と話しあい、この点において助けが必要であることを申し出るとよい。

・**責任の分散**：指導教員たちの間に明確な役割分担がなければ、自分以外の教員がリーダーとして指導により大きな責任をもつことを期待してしまう可能性がある。たとえ潜在的にそう思っているだけだとしても、両者が次第に責任を押し付けあう事態になりかねない。また、学生が教員同士の主導権争いに巻き込まれることもあるだろう。そうした問題を避けるために、早い段階で「誰が、何を、いつするのか」をはっきりさせなければならない。各指導教員の明確な役割分担と責任の所在を互いに確認することは重要なステップである。

・**矛盾するアドバイス**：複数の指導教員が一堂に会する機会は、それぞれの指導教員に個別に会う機会よりは当然少ない。また、会う前にそれぞれが意見交換する機会はないだろうから、各指導教員のアドバイスが異なり、時に矛盾しあう場合もある。それにどう反応すべきか。アドバイスの相違が大きくないときに見られる最も一般的な解決法は、異なるアドバイスを一度に受け入れるという行為である。しかしそうすると学生の仕事量は増え、その結果、論文の進度が遅くなる。これを避ける最もよい方法は、指導教員チームの全員がお互いのコミュニケーションを共有しあうよう努めることだ。電子メールを使用する場合、これは非常に簡単である。一人の教員が他の教員にコピーせずに連絡をしているときは、コピーされていなかった教員にそのメールを転送するとよい。無駄な確認作業を減らすことにつながる。

・**指導教員同士で争わせる**：この問題は指導教員の振る舞いだけでなく、学生の態度にも原因がある。フラストレーションが溜まったり、孤独に陥ったり、思い通りのことができていなかったりするとき、学生は複数の指導教員同士の争いをけしかけて、膨大な時間と精神力を浪費することがある。くれぐれも用心し、そのような行動は避けるべきだ。二人の指導教員と同程度の関わりをもつのではなく、最初の指導教員にリードをとってもらい、次の指導教員にはサポートを頼むといった役割分担をすることが大切だ。

・**学術的な全体像の把握の欠如**：指導教員チームの最大の弱点は、「誰か一人が研究の全体像を把握している」という状況が生じにくいことだ。誰が論文審査委員のような俯瞰的な視点から進捗状況を評価するのか？　学生が進捗状況を自己評価する必要性はこれにより大きく高まる。だからといって指導教員のうちの一人にそのような役を担ってもらえないというわけではない。指導教員の一人にその役割を担ってもらい、論文を包括的に見て評価してもらうよう依頼してみるべきだ。

・**チームとしての指導教員機能の欠如**：指導教員が学生の占有欲にかられ、他の指導教員との集団指導を嫌がる場合もある。彼らは第二の指導教員が指導に加わるというだけで権威を否定されたように感じてしまい、他の指導教員の参加を拒む。また、第二指導教員自身が全く貢献をせず、影の薄い存在となることで満足する者もいる。さらに、どの教員にも本気で取り組んでもらえないという状況に出くわすかもしれない。そのような状況に自分が置かれていると感じたら、研究のチューター役に相談してみるべきだ。

以上、指導教員チームの落とし穴のうち、いくつかを取り上げた。また、それを避けるためにどうすべきかのアドバイスもいくつか述べた。チームとしてどう機能するのかについては十分な配慮が必要である。また問題の兆候が見えたら、その時点ですぐに対策を講じよう。

これまで述べてきたような潜在的な困難はあるが、十分な配慮があれば実際には指導教員チームがうまくいく可能性は高い。成功の可能性をさらに高めるためにも、次のコミュニケーションの黄金法則を心に刻もう。

ルールⅠ：ミーティング　ほとんどの大学では、あなたと指導チームとの間の標準的な会議スケジュールが設定されている。そうでない場合は、早い段階で事前のミーティングを設け、プロジェクトをどのように進めるか、全員で話し合う必要がある。少なくとも一学期に一回、追加でミーティングを行おう（上記の注意事項を常に念頭におくこと）。

ルールⅡ：報告　すべての指導教員に何らかの役目があることを確認しよう。すべての指導教員があなたの進捗状況を把握できるように、定期的に研究報告を送ろう。ただし、その報告が単なる進捗状況を伝えるための情報なのか、あるいはコメントが必要とされているのかは明示しよう。もし指導教員ごとにあなたの研究や進捗状況に対する反応が違う場合は、各指導教員の認識の違いを理解するよう心がけよう。こうすることであなたは、指導教員たちの特別な知識やスキルに訴えて、良い指導を受けることができる。

最後に、たとえ複数の指導教員がいても、指導教員たち以外の学者に意見を求めてはならないということはない。誰にでも、必要なだけ助言や批評を求めればよい。指導教員たちは、あなたが研究の進捗状況を報告し続けている限り、そうした行動に苦言を呈することはないだろう。

指導教員が博士課程学生に期待すること

学生と指導教員との関係は、博士課程学生としての成功の鍵を握っている。すでに見たように、あなたはこの関係を良好に維持すべく、積極的に動かなくてはならない。これをうまくやりとげるには、指導教員があなたに何を期待しているか知らなければならない。そして、一度これに気づけば、あなたは指導教員との間のコミュニケーションを阻むバリアを解体し、互恵的な関係を維持できる。ＥＭＰは、以下に述べる一連の期待を、学問分野を問わず多くの指導教員が抱きがちであることを発見した。

もちろん、学生も指導教員に期待している。第11章には指導教員向けのアドバイスも記したので読むとよい。この章を読むと、彼らに合理的な範囲で何を期待すべきかがわかる。

▼指導教員は学生に自立してほしい

初期にはさほど直接的に口にしないが、指導教員は、博士号を取得する過程全体を通じて学生に自立してほしいと思っている。しかし、教員の指導に従う従順さも当然要求される。たとえば、推奨される研究手法、研究科や大学のポリシー、プレゼンテーションスタイル、専攻分野の倫理、その他、指導教員が大事だと考えることを率直に受け入れることは大切である。指導教員は、あなたの研究の進捗に対して強大な力をもっている。したがって、要求される従順さと自立性のバランスをとるのは簡単ではない。生徒に従順さを要求するタイプの学校教育や学部からそのまま院にやってくる学生が多いことを念頭におくと、問題はよりこじれる。この問題は、チャドウィック博士が理論天文学の新入研究学生について語った内容に端的に現れている。

> チャールズは「次にどうしたらよいでしょうか？」と過剰なほど頻繁に聞いてきた。私はむしろ学生に自分で考えてほしいと思う。彼は研究科に在籍する学生のなかで飛び切り優秀というわけではなかったが、研究の進捗具合はそこそこ満足のいくものだ。チャールズが飛び切り優秀でないのは、何でも私の言うことを聞き、自分で考えようとしないからだ。

ここでは、研究の骨子に関わるアドバイスを得たい学生に対し、指導教員はそうした本質的な課題について指図をしすぎると、学生を指導教員に依存させてしまうと考えている。このケースでは、チャールズは指導教員との関係に悩んで研究科のスタッフに相談した。彼は言う。「誰も自分を助けに入るか入らないか、指導をするかしないかなんて気にしてないよ。一人で頑張っても意味がない。重要なのはそばで見守っていてもらうことなんだ」。

チャールズは、彼の見解では、指導教員に細かく監督してもらっていない作業はする必要はないと強調した。彼は、指導教員が準備している以上の指示を求めていたし、自分自身の判断よりもチャドウィック博士の進捗評価をあてにしたいと思っていた。チャールズは突然新たな状況下で自立しなければならないという難しさについて、指導教員にもっと胸襟を開いて話すべきだった。もちろん、それは「言うは易し」なことだが。第一に、学生は課題を見極め、次に勇気をもってそれを話題に挙げなければならない（指導教員のところに本書を持参してこのページを開くことが助けになるかもしれない！）。もしチャールズがこのことを指導教員との間で話題にできていたら、学生側の不幸と指導教員側の失望は大幅に軽減されていただろう。

▼指導教員は学生に草稿ではなく原稿を書いてほしい

研究をまとめた達成感や安心感から、書いたものをすぐにでも指導教員に提出したい気持ちになるかもしれない――特に締切をいくらか過ぎてしまっていたときは！　しかし、十分に時間をかけてきちんとした形で提出するのは、マナーとして当然のことだ。第7章で説明するように、「執筆過程のサイクル」に従い、同期や指導教員などから交互にフィードバックを得るとよい。ただし、あなたの論文や学会用の原稿や学術誌向けの論文などを含めた草稿に関して、指導教員がコピーエディターの役割を果たしてくれると期待してはいけない。文章表現に自信がなければ、パソコンの校閲機能（英語ならスペルチェック機能など）を利用すること。指導教員に取り組んでもらいたいのは本文の内容に関することであり、文法などの機能的な面ではない。誤字脱字や文法的な問題があると気が散る。他の博士課程学生や友達、あるいは家族などから助けを得て、指導教員との貴重な時間を無駄にしないことである。

原稿に他者から助言やコメントをもらうのは、指導教員との話しあいに使う時間を有効活用するよい方法だ。他者の意見を聞くことはまた、あなた自身やあなたの研究、あなたの時間の使い方に関心をもってくれる人とのコンタクトを維持する上でも有効だ。研究生活において最も大きな不満の一つとなるのは、誰も自分のしている研究について理解せず、気にもとめてくれないという「思い込み」である。これは深い孤立感と、研究を継続する意義に対する疑心暗鬼を生む。こうした困難に対処し、研究に有益な助言を得るうえで、自分の研究について関心をもってくれる人とのコンタクトを絶やさないことが有効である。

そのような人とは、他の学者やお互いに助け合える研究学生仲間、あるいは人生において大切な人〔たとえば家族や友人など〕だろう。そのような人たちとコンタクトを絶やさないための最適な方法は、自分がしている研究について彼らに定期的に報告することだ。意外かもしれないが、草稿や原稿を彼らに見せて読んでもらい、コメントを求めることは、人間関係が退屈になったり、研究が関係を支配してしまったりすることを防ぐことになる。研究内容を話すことには二つの利点がある。一つは研究テーマについて相手に知ってもらえば、その後は別の話ができること。もう一つは、博士号を目指す人にとって自分の意見が有益であると分かると、「協力してあげたい」という気持ちが起きることである。しかし、これは、あなたが指導教員や目上の人だけでなく、それ以外の他人から「批判」を受けることでもある。そうしたフィードバックは建設的であることが望ましく、あなたもそのなかから自分の研究に適しているものを選択できるとよい。アイデアを再考したり、段落構成を作りなおしたり、視野が狭くなりがちな草稿段階では不明瞭だった部分を改めて磨きなおしたりする良いきっかけとなる。

▼指導教員は学生と定期的に会いたい

定期的なミーティングとは、毎日、週ごと、月ごと、学期ごと、半年ごと、と幅がある。頻繁に会えば指導教員との関係はくだけたものになり、議論もしやすくなる。しかし、フォーマルな指導の機会というのはお互いに事前準備が必要であり、頻繁には開催しにくい。標準的なミーティングの頻度は、個人によっても専門によっても大きく異なるが、指導教員は通常、学生に四週間から六週間に一度くらいのペースで会うことを想定している。指導教員と学生の関係となった早い時点で、ミーティングの頻度を話しあっておくとよい。すでに第2章で、ミーティングの頻度の多寡によるメリット・デメリットについて考察した。自分自身だけでなく指導教員の仕事のやり方もふまえたルーティンを確立することが重要なのだ。

ミーティングで大事なのは、その頻度にかかわらず、定期的にそれが行われることだ。「何か話す必要があれば」会うという考え方は災いのもととなる。というのも定期的なミーティングの役割は、指導教員も学生もともに一定の間隔で期限を設け、それによりそこまでの作業のレビューをすることにあるからだ。予期しない理由でミーティングがキャンセルされてしまうこともあるだろうが、指導教員であれ学生であれ、特に話すことがないと思っていても会うことが重要だ。たった五分のキャッチアップでも、特にミーティングを設けるまでもないと思っていたマイナーな問題の解決につながる場合もある。さらに定期的なミーティングは、話す内容があまりなくても確実に進展していると指導教員にアピールすることにもなる。

指導教員は、すでに満杯のスケジュールのなかにあなた（そしてそれ以外の研究学生）の指導時間を組み込まなくてはならない。指導の機会を最大限活用するためには、指導教員は会う前にあなたの書いたものを読んで、研究や課題について考える時間が必要となる。指導の効果を最大にするには、ミーティングを企画した日と実際のミーティング日との間に、一定の間隔を設ける必要がある。次回のミーティング予定については今回のミーティング中に決めてしまうとよい。また、そこで決めた日時をあなたが実際に守ることも大切だ。遅刻すればミーティングがその分だけ短くなるか、あるいは指導教員が、あなたに時間を与えるために、本来こなさなければならないはずの仕事をおろそかにすることに頭を悩ませることになる。さらに、直前になってミーティングをキャンセルするのも、指導教員が事前準備のために費やした時間を無駄にすることになり、〔機嫌を損ねて〕将来の関係やミーティングでの指導に悪い影響を及ぼしかねない。

指導教員とうまくやっていく上で重要なのは、「よい例」を示すことだ。仮にあなたの指導教員が先に示したような模範的な人物ではなくとも、あなたが模範的に振る舞うことで指導教員を奮起させることができる。それにより、ミーティングの前には十分に準備し、互いに対等なリスペクトを持つべきだ、というあなたの姿勢を示すことができる。たとえば、予定されたミーティングの前日か前々日に電話か電子メール、またはショートメールですべて順調である旨を伝え、すでに話したこと以外で考えたり、準備したりすべきことがないかを確認するのもよい。

これらの指導教員たちとのチュートリアル・ミーティングは、他のフォーマルなミーティングと同様の仕方で構成されるべきである。ミーティングの前にそれぞれが議題となる内容を提供しよう。その議題には次のような内容が含まれる。

- 前回のチュートリアルで合意した内容のレビューとまとめ
- 進捗状況に関するディスカッション
- 前もって渡していた文章などの内容に関する指導教員からのコメント
- そのフィードバックに対する自分の回答
- 自分の行動（たとえば実験やインタビューの仕方、セミナーへの貢献など）を見て指導教員が感じたことに関してのコメント

・チュートリアルでカバーしたかった内容をすべて完了しているかどうかの確認
・次のチュートリアルまでに何をどうするべきかの合意
・次のミーティングの日程の設定
・記録および次回ミーティングのスタート地点となる、ミーティングの要点のまとめ

最後に挙げた事項は非常に重要であり、次のミーティングまでに何をすべきかについて明確なプランを見通しておくべきである。チュートリアルの最後には必ず指導教員との間で、お互い次までに何をすべきかを合意した内容をメールで送信し、確認をとること。このやり方は無駄に紙を使用せず、環境にも優しいだけでなく、日付の記録も残り、進捗状況を見せるときにも役立つ。

▼指導教員は学生に進捗状況を正直に報告してほしい

指導教員は（たいてい）馬鹿ではないので、「すべては順調です、また近く面談をする必要が出てくるでしょう」とか「近いうちに草稿を送ります」などと伝言を残し、ミーティングを欠席する学生に騙されることはない。また、時々ふらっと現れ、手持ちの研究や新しいアイデア、研究の次のステップについて饒舌に話しては消え、正確な数値やグラフ、実験結果といった具体的なかたちをもつ成果を何一つ提出しない――当然、原稿など提出するはずがない――学生には肩入れしない。

さらに、現在ほとんどの大学では博士課程学生の進捗状況に関する記録を指導教員と学生がとり、指導教員とのミーティングを定期的に行うことを要求している。たとえ指導教員をしばらく騙すことができたとしても、進捗がないことはそのうち、正式な進捗報告の場でばれてしまう。

もしも行き詰まり、自信をなくし、家庭内でのトラブルあるいは何かしら研究を続ける上で問題を抱えているの

であれば、指導教員にそれを知らせることだ。

▼指導教員は学生に指導に従ってほしい――特にそれが学生が希望した助言である場合には

これは、指導教員の期待としてきわめて筋が通ったもののように見えるが、不思議なことに裏切られることも多い。たとえば、文献を読み進める自身の作業が正しい方向に進んでいるかブラッドリーがたずねた際、ブリッグス教授は「ロマン主義文学をより幅広く読みなさい」と助言し、さらに「研究分野を深く知るには二人の著者の文献だけでは足りない」と説明した。しかしブラッドリーは、同じ時間でたくさんの文献を片付けるよりは、四つの著作を精読することに決めた。彼は博士論文が特定の著者のある著作に焦点を置いている以上、他の著者の作品を読む理由が思いつかなかったのである。言い換えれば、彼は指導教員から期待していた内容の助言を得ることができなかったため、指導教員の解答を無視したのだ。

これはブリッグス教授を怒らせた。彼女はブラッドリーとすばらしい関係を築いてきたと信じていたが、今やブラッドリーの振る舞いから、彼が自分に敬意を払っていないと感じたのだ。彼女は、指導を求めはするが、自分が正しいと信じきっている学生と一緒に仕事をすることはできないと感じた。この結果、ブラッドリーは伊・英文学の両方を専攻する、代わりの指導教員を探すために一年を無駄に過ごすこととなった。ようやく見つけた指導教員は、彼のこれまでの進捗状況を確認した。すると、なんとブリッグス教授と同じことを言うのだった。「もっとロマン主義文学について知っておいた方がいいわね」。

▼指導教員は学生が研究に熱意をもち、驚きを与えてくれ、一緒にいて楽しいと思える人であってほしい

もし、あなたが自身の「研究に熱意をも」てなければ、他の誰がそれを面白いと思えるだろうか？　どうして他

人の興奮や熱意、興味をかきたてることができるだろうか？　大学院生は自分の研究に対し情熱をもつことで初めて、周りにいる人を巻き込む力をもつ。興奮は伝播するのだ。他の人々がその人の研究のなりゆきを知りたがっており、それについて話すよう本人に促すことは、その学生にとって有利に働くし、興奮のるつぼの中心にいることで、勇気づけられる。研究についてほとんど関心が払われない環境下で何かを得るためだけにせっせと働くことと、周りに進捗状況を知らせるために次々に課題に取り組んでいくことの間には、きわめて大きな違いがある。

もちろん、自分のやっていることについて、耐えがたいほど退屈で尊大な態度をとることと、こうしたワクワク感を維持することとの間には、引くべき一線がある。このレベルのモチベーションを維持できれば、博士課程の日々は喜びと希望に満ちたものとなるだろう。またそれだけでなく、指導教員との関係性を自分の求めるようなものへと引き寄せる主導権を握ることもできるはずだ。

うまくいく学生であれば、研究分野に対する知識はすぐに指導教員のレベルに追いつく。これこそが、「驚きを与えてくれ」る学生になるために必要なことである。博士号の取得とは研究分野におけるエキスパートになることだ。関連分野の専門家だからといって、指導教員があなたの特定の分野について同じように深く知っているわけではない。だから、指導教員はあなたの研究の進捗が、常に新たな情報や証拠、アイデアといった驚きを与えてくれることを期待するのである。他方、指導教員は、学生がプロの研究者としての様式や倫理規範への適応に失敗するといった、ショッキングな事態を期待していない。指導教員とうまくやっていくとは、こうした驚きとショックの狭間で上手にかじをとっていくことなのだ。

そして、「一緒にいて楽しい」！　これはいくらなんでも指導教員との関係において過大な期待かもしれない。しかし、一緒に仕事を進める相手とそのような関係を築くことができたらどれほどすばらしいだろうか。逆に（博士課程の）三年以上に及ぶ研究を、うんざりする相手と一緒に進めるのは本当につらいことだ。関係をうまく築くため、自分の選んだ指導教員の好みにあわせて研究テーマを決めてしまうのは、自分〔の好み〕でテーマを選択し、それに応じた専門家に割り当てられるよりも賢いやり方だ。人を一瞬で嫌いになる要因は、あなたも指導教員もおそらく同じだ。当然ここまで極端なことはそうないにせよ、博士課程とは、とても長い期間にわたって続く、ハードかつエモーショナルな経験なのである。

これを対人関係で言うなら、最初はどんなに些細な不和でも、時間が経つにつれて誇張され、耐えられないほどに歪んでくるということだ。これは双方向に作用するので、指導教員が学生と過ごす時間を楽しいと感じていれば、学生にも相応の便益になる。それは、ウィットに富んだ会話や奇抜な手法で指導教員を楽しませ、仕事以外での関係も深めて友情を育むよう試みる、といった類のことではない。第2章で見た指示にしっかりと従うだけでよい。もしあなたが指導教員を注意深く選び、指導が円滑になるよう議論を尽くしたのなら、こうした努力をしなかった学生よりは関係構築が容易だろう。

他のあらゆる人間関係と同様、あなたと指導教員の関係も時とともに変化する。あなたが一定の配慮を指導教員に示せば、その関係は徐々に互いを尊重するものとなり、会うのが楽しみになる。一緒に研究をうまく進めるなかで、楽しい仲間となることは可能なのだ。

指導教員を「育てる」必要性

指導教員に研究の進捗具合を報告する重要性はすでに指摘した。本章で述べた通り、あなたは徐々に、特定の技術や方法、分野において、主任指導教員より高い専門性と知識を得てゆく。主任教員より熟練した研究者となる可能性もある。

指導教員を効果的に活用するには「訓練」と「教育」を要する。「訓練」とは指導教員の期待に応え、また、あなたのニーズや要求にも合わせてもらうようにすることだ。「教育」というのはそう難しいことではない。上手な指導の仕方を分かっていない指導教員にあたった、と考えるより、時間が経てば自分の方が指導教員より研究テーマについて詳しくなる、と考えた方が理にかなっているだろう。とはいえ、驚きと刺激に満ちたやり方で指導教員に情報を与え、この「教育」を推し進めていくのがよい。これによって自分の研究に対する興味を高いレベルに維持できる。それは、一緒にいて楽しい、と相手に思わせることにもつながる。

両者の関係のスタイルについてはそんなところだ。関係の「中身」は重要だが、最初からその重要性を理解するのは難しい。あなたは指導教員が自分の研究分野についてほとんど知らない、あるいは研究テーマについての知識について、指導教員と自分との間にギャップがあると感じ、濁った水の中にいるような視界不良を感じるかもしれない。しかし、指導教員には、研究結果に関わるどのような発見でも話して差し支えない。実際、指導教員もあなたの研究の進捗度を知るために、それらを把握する必要がある。文献を読み、他の人と議論しながら発見した研究分野の新たな側面なども指導教員に話そう。ただしそのときには、指導教員がそれまでその情報を知らなかった、とあなたが思っていることを気づかれてはならない。別の言い方をすると、指導教員の「教育」は、指導教員にとって既知の事柄がようやくあなたにも分かるようになった、という体での情報共有を通じて行われる必要があるのだ。

もっとも、こうしたことは、時が経ち、あなたの研究が進むにつれて重要性が薄れる。あなたが本書に記したことを忠実に実行すれば、次第に、指導教員が指導し指示する関係から、あなた自身が研究の進展を管理する関係へとイニシアチブが移るからだ。情報と承認を得る「報告先」だった指導教員は、新しいアイデアや考えを話しあう相手に変わる。指導教員を相談相手として、また反対意見を提示する能力のある専門家として感じるようになる。

指導教員は上司ではなく同僚となり、その関係性も以前より非対称なものではなくなっていく。実際、指導教員をもつ重要な目的は、この関係の変化にあるのだ。

特定の研究技法について指導教員より詳しくなるのはあなたであり、指導教員は新たに勉強しなければ、あなたの調査結果をテストしたり再現したりできないかもしれない。そうすると、たとえ疑わしいものであっても、あなた自身の発見や結果が正しいものとして受け入れられる可能性が、そうでない場合よりも高くなる。そうした状況では、なぜそのような結果になったのか、その理由が議論の重要な焦点になるはずだ。証拠に対するあなたの解釈は、厳しい検証に耐えられなければならない。これらすべては、博士論文口頭審査や学会発表、セミナー開催時のプレゼンテーションに際して重要なスキルとなり、研究を議論するよい練習となろう。

このような状況で行われる学習は、非常に双方向的である。あなたは指導教員から、どのような質問が重要で、どのように答えるべきかを学ぶ。主任指導教員は、あなたから新しい研究手法とそれがその分野にどう応用されるかを学ぶ。

指導教員が、あなたが自信をもって研究を進めていることに気づき、それに対して敬意を払うようになれば、あなたは容易に彼らを「教育」することができる。指導教員は忙しい研究生活のなか、新たな研究手法の発展やそれらの研究分野への応用といった最先端の知識を学生からの報告で知ることができる。これが学生を受けもつメリットである。指導教員に博士課程を通じて協力的でいてほしいなら、研究の過程であなたが発見したことを彼らに報告し続けよう。

もし、この段階で指導教員があなたの研究に十分真剣にコメントしてくれないなら、学会で発表可能かどうか聞いてみるとよい。そうすることで研究が十分に評価される〔彼らの態度がより真剣になる〕可能性が高くなる。

コミュニケーションの壁の取り払い方

ここまで、メインの指導教員をあなたにとって話しやすい人へと「教育」する重要性を説明してきた。また、言うまでもなく「教育」への取りかかり方は一通りではない。すでにいくつか述べてきたが、ここではそれらをもう少し詳しく見てみよう。

まず、指導教員が「実際にすること」と、学生が「指導教員がするだろう」と想定することとの間には開きがある。たとえば、指導教員が学生のために割く時間には、直接指導を行う時間以外に、学生が書いたものを読んだり、学生の研究について事前に考えたりすることが含まれる。

指導教員があなたのために割いてくれる準備などの隠れた時間について、あなたが意識しており、また感謝していることを示そう。それにより指導教員との心理的な距離がぐっと縮まり、単に技術的な話にとどまらない、率直な意見交換ができるようになる。事実、あまりに多くの指導教員が、学生との関係性といった博士課程においてきわめて重要なプロセスへの言及を最小限にし、研究の内容のみに焦点を当てて話すことが重要だと考えている。彼らは、「個人の問題」についてオープンかつ気がねなく話しあう経験に乏しい場合もある。

アンドリュー教授とアダムの例を見てみよう。指導教員であるアンドリュー教授はアダムについて、「アダムはいつも退室するときの方が入室するときよりずっと嬉しそうに見える」と言う。しかしアダムにも言い分がある。「先生と会うときはとてもイライラする。でもそれをどうやって伝えたらよいか分からないんだ」。誤解とコミュニケーションの崩壊が明らかに見てとれる。こうした誤解があると、学生は指導教員のアドバイスをなかなか素直に受け入れられない。この原因の一部は、アンドリュー教授がアダムの期待に応える言葉を口にせず、すべては順調だと考えて、アダムをがっかりさせていることにある。もしアダムが、指導教員との人間同士の交流をうまく構築できていたら、指導教員に対して自身がどう感じているかを伝えることができ、二人の関係をお互いの信頼にもとづく誠実なものにすることができていただろう。

もう一つの困難な状況は、指導教員が他国出身者で英国のシステムに馴染みが薄い場合に生じる。たとえば、米国のシステムは講義形式のコースワークに始まり、研究活動に専念するのは三年目になってからだ。また、たとえ指導教員が〔英国と同じ〕EU出身だったとしても、博士課程の最後にある口頭審査の意味づけが、英国と出身国とで大きく異なる場合もありうる。もちろん、通常そうした違いは他国出身の教員が比較的容易に理解でき、考慮もされる。だから、学生がそうした慣習の違いの矢面に立つことはまれだ。しかし、もし指導教員が慣習の違いを十分に理解していないと感じたなら、指導教員とまず話しあう必要がある。指導教員がこれまで英国で働いたことがなく、博士号に必要とされる基準を十分に理解していない場合はより深刻だ。特に英国の基準は米国や大陸ヨーロッパのそれとは異なる。通常、そうした問題は博士課程学生の進捗レビューのミーティングで取り上げられるが、それでも心配な場合は、あなたは学科長や研究チューターに相談に行く必要があるだろう。

最後に、もしあなたの指導教員の英語にきわめて強い（外国訛りの）アクセントがあって分かりにくい場合、あなたは「コミュニケーションの改善」といった項目をチュートリアルのアジェンダに必ず盛り込まなければならない。このような率直な表明は、「申し訳ありません。もう一度仰っていただけますか」と毎回要望するよりは望ましいだろう。

▼チュートリアルの質の向上

指導教員とうまくやるために最も基本的なことは、彼らと何でもよく話しあうことだ。コミュニケーションの壁を取り除くのである。学生であるあなたが、チュートリアルの時間を充実させる責任を負うのがよい。すでに述べたように、話したい項目をリスト化して指導教員とのチュートリアルに持ち込むとよい。必要に応じて、指導教員にも項目を挙げてもらうことで、チュートリアルで何を扱うべきかについて、リスト上で合意をとっておくとよい。ほとんどの場合、誤解が解けるはずだ。

指導教員にとってタブーの感があるトピックについて、彼らに口を開いてもらうためには、直接的だがポジティブな質問を通じて、指導教員側の善意に期待している旨を伝えるのがよい。以下に例示するように、研究に直接関係ないが、かといって過度に個人的なことでもない一般的な話題から少しずつ始めることが常に重要である。

・私は学びの機会をうまく活かせていますか？
・指導から次の指導までの間に、私の研究は十分に進んでいると思いますか？
・先生からのコメントの活用方法に問題はないですか？
・指導において私の教えを請う態度は適切ですか？
・お互いがもっと効率的に作業を進めるにはどうしたらよいとお考えですか？

このような質問は、自然に「両者の関係」に関わる会話につながる。それなりに敬意を払ってもらっていると感じた指導教員は、さらにオープンになる。技術的詳細に関する議論に隠れて、どちらかが「守勢に回る」必要はなくなるのだ。

指導教員とのコミュニケーションの壁を取り除く、踏み込んだ要素は第2章で述べたが、お互いが相手に期待することを話しあうのが最も重要だ。博士課程の異なる段階ごとに、許容できる接触の量と種類を非公式に合意しておけば、不測の事態に関しても話しやすくなる。あなたが指導教員にしてもらいたいことは時とともに変化する。だから連絡のとり方に関して定期的（おそらく年一回）は話しあうとよい。そうすれば、たとえ両者の関係に問題が生じてもそれを解決しやすい。

締切の大切さについては第8章で述べるが、ここでもう一度、指導教員とうまくやるための重要なステップについて触れたい。チュートリアルを終える際は、必ず次に会う日程を決め、手帳に書き込もう。次までの時間の長さはあまり重要ではない。必要なのは、次にいつ指導教員に会うのかを明確にすることである。

▼自己主張のスキルを伸ばす

伸ばすべきスキルの一つは、指導教員との関係を変えたいとき、それを相手に要求するスキルだ。問題を特定するのは簡単である。指導教員のアクセントを理解するのが難しいかもしれない、指導教員の指示を理解するのが難しいかもしれない、または研究手法を変更したいかもしれない。難しいのは、勇気をふりしぼって尋ねることだ。最初にやるべきは、自己主張のスキルを高めることだ。断定的（assertive）であることは、攻撃的であることと同じではない。自己主張とは、自分の考え、感情、信念、意見を正直かつ適切な方法で表現し、他人の考え、感情、信念、意見も尊重することを意味する。

自己主張により、個人は他人の権利を侵害することなく自分の個人的権利を表明できるようになる。自己主張とは、消極的でも攻撃的でもなく、バランスのとれた自信に満ちたアプローチだ。自分も相手も大人であると認め、目前の問題について率直に話しあうメリットを強調する行為だ。

自己主張的行動の核心は次の三つに集約できる。

・自信：状況に対処し、変化をとげる力を信じること。
・明確さ：メッセージを明確かつわかりやすく伝えること。
・コントロール：落ち着いて、必要な変化や情報を求めること。

これらを達成するためには、他人のせいにするのではなく、自分自身の考えや感情を顧みて発言内容を考えるのが一つの方法になる。こうした発言では、「あなた」ではなく「私」が軸になる。
・「あなたの訛りがひどすぎて、何を言っているか分かりません」ではなく、「訛りのせいであなたの言うことが理解できないと、私はイライラしてしまいます。こうするのはどうでしょうか……」と言い換えよう。
・「あなたが方法論Xを使うよう指示してきたせいで、ひと月もの時間が無駄になりました」ではなく、「この問題に対して、方法論Xではうまくいかないため、私はわれわれ両サイドにとって望ましい進捗を生み出せていません。代わりに、方法論Yを使用するアドバイスをいただけますか？」と言い換えよう。
・「あなたはいったいどうして技術Zを使えなんて言えるんですか？」ではなく、「私は技術Zの使い方をまだ学んでおらず、わかりません。詳しく説明していただけますか？　あるいは、ポスドクの誰かと一緒にやらせてもらえませんか？」と言い換えよう。

これにより、相手が防御的になるのを避け、謝罪や非難よりも生産的な方法に重点を置くことができる。アイコンタクトを厭わないなら、目を合わせることで自信を示そう。相手の話を要約することで、積極的に聞いていることを示そう。「私の理解が正しければ、あなたの見解は……ですか？」や「あなたは……と言っていますか？」などのフレーズを使うことができる。批判するのではなく、相手にアドバイスを求めよう。

大人の会話とは、お互いの意見には理由があると想定し、議論の目的を意見の根拠に対する理解に向けることだ。相手の間違いを前提とするのではなく、なぜその見解をもつに至ったかを探ろう。相手はあなたの動機を誤解しているかもしれないし、他からの圧力で締切に追われているかもしれないのだ。互いの動機を理解できれば、合意に達するのも早い。

自己主張の場合と同様に、何か変更を求める際は、ポジティブな返答の可能性を高めるよう文章の構造を工夫しよう。たとえば、プロジェクトの方法論の変更について話したいと思っている旨を、ミーティングの前にメールで知らせておくとよいかもしれない。難しい話になりそうなときはそれを明確にしておこう。これにより、指導教員は話の準備ができ、ミーティングに十分な時間を確保することができる。数カ月間悩み続けていた問題について話すために会議を設定したのに、指導教員が二〇分後の別の会議のためにすぐに離席しなければならない状況にあると後でわかるのは最悪だ。

これらのことを一人で行うのが難しい場合は、常に他の人からの支援を受けることができる。友人や家族と会話を練習することができるし、学生組合にアドバイスを求めることもできる。多くの学生組合には専任の大学院アドバイザーがいる。サポートを受けるためにミーティングに別の人を連れて行くこともできるが、その際は主導権を持って話すようにしよう。これにより、ミーティングの展開が変わる可能性がある。学生組合アドバイザーの同伴のもとで、指導教員とのミーティングに出席することは、告発のような雰囲気を生む可能性があるが、あなたが課題に取り組む自信がつくのなら、その方がよいだろう。ただし、事前に指導教員にそのことを必ず伝えておこう。

▼フィードバックの質の向上

効果的なコメントを指導教員からもらうことがいかに重要かは、これまで述べてきた通りだ。だから、指導教員とのミーティングの日程が決まったら、指導教員がその時間を最大限有効に使えるよう配慮すべきだ。もう一度、あなたが本当に必要とする情報を聞き出すための質問を精査しよう。もし指導教員が「このセクションはよくないね」と言うのなら、あなたは戦略的に次のように答えるべきである。「具体的にどの点がよくないでしょうか?」文法的な構成がよくない、コンセプトの構成がはっきりしない、セクション自体が他の文脈からそれている等々、考えられることはいくらでもある。あなたは何を批判されたのか、どうやってそれを直したらよいのかを明確にしなければならない。あなたはセクションを完全に破棄する必要があるかもしれないし、他の部分に移す必要があるかもしれない。書き直す必要があるかもしれないし、書き直す前にアイデアを再考しなければならないかもしれない。あなたは指導教員からできるだけ多くの情報を引き出し、それをはっきりさせるべきである。一度情報を得ることができたら、次はその課題に対して行動を起こそう。指導教員とその課題についてさらに深く話し合った結果、物別れに終わることもあるかもしれないし、逆にあなたが主張したい（が目下うまくいっていない）論点の正しさについて、指導教員を説得できるかもしれない。攻撃的な言い方になっていなければ、指導教員のアイデアを批判することに怖気づく必要はない。検討すべき別の方向性を示しています、という体で話すとよい。重要なのは、生産的な話しあいを行うことと、両者にとって納得のいく結論に落ち着けることだ。そこで決まったことを実際にやるかどうかは、あなたの問題である。

指導教員とのミーティングごとに、話しあった内容の要点をまとめよう。このメモは電子メールで送り、「あなたと指導教員の双方が」保管しておくべきだ。こうすることで、関係者全員が合意事項を参照し、作業と指導がどのように進んでいるかを継続的に記録することができる。これにはいくつかのメリットがある。まず研究の進捗状況を後追いでき、学生は各時点で話しあったことを鮮明に思い出せる。指導教員から指摘されたアイデアはこれによって忘れにくくなるし、次回のミーティングのために準備すべきことも分かる。また、指導教員にとってメモは特定の学生の研究を思い出す手がかりになるので、特に二人以上の学生を指導する場合には大いに助かる。加えて、もし不幸にもあなたと指導教員との間の話し合いが深刻な論争に発展してしまった場合でも、メモはこれまでどのように研究を進めてきたかを示す証拠になる。

指導教員に、博士号の学位があなたにとってどのような意味をもつかを理解してもらうことも大事だ。たとえばブリッグス教授は、博士論文を書くことは、残念ながら本を書くこととは全く別物だと考えていた。彼女にとって博士課程とは、自分ででっちあげた問いを自分で解くことで、大学教員になるための準備をする期間にすぎなかった。しかし、先に説明した通り、博士課程とは、特定の分野において完全なプロの研究者になるために求められる基準と質を学ぶ、徹底したトレーニングの期間である。博士号とは、あなたにクラブへの入会を認めるものである。そのクラブのメンバーであるとは、正式な学者として認められ、かつ専門領域において議論の範囲を拡張できるくらいに十分な知識を有した存在として受け入れられていることを意味する。それは、プロとしてある状況において得たスキルを、別の場所で活かせることを示す立場にいる、ということでもある。

研究科が定期セミナーを開催していなければ、導入を提言するとよいかもしれない。定期セミナーはあなたと他の研究学生が、研究のアイデアや課題について自由に議論する形態をとる。こうした機会を利用できれば、あなたと指導教員は互いに論文の詳細に直接関係ないことに関しても話しやすくなる。

最後に、もしあなたが指導教員とうまく付き合いたいのなら、過度な要求を突きつける「厄介者」にならないよう気をつけよう。指導教員にはあなたにとって面倒ないかなることでも誠実に話し、要望や質問は率直に行うよう心がけよう。誤解やコミュニケーション不足が起きたとき、最も損害をこうむるのはあなた自身なので、あなたがコミュニケーションをオープンに保つ責任を負わなければならない。指導教員との関係は、非対称であることは避けられないとしても、できる限り共有されたパートナーシップにするよう努めよう。

指導教員の変更

もしメインの指導教員との関係が十分に発展していないと感じた場合、変更を検討する必要があるかもしれない。ここでの変更とは、外的な理由（たとえば、あなたの指導教員が他大学へ異動するなど）による指導教員の変更ではなく、あなたが変更したいと思うケースである。このセクションでは、個性の衝突、またはプロジェクトのトピックや方法論の変化から生じる教員変更に焦点を当てる。指導教員によるいじめや不正行為による変更については、第9章で説明する。

通常、このような変更は制度上可能だが、決して軽率に行うべきではない。研究の最初期の段階、共通の研究分野をより正確に確立する前の最初の数カ月間に判明した明らかな分野の不一致は、比較的簡単に修正できることがある。しかし、それ以降に行われた変更、またはその他の理由で行われた変更は、相当な心理的負担をともなう。

指導教員の変更は、離婚に相当する。そこにはフォーマルな（法的な）道筋はあるが、結果は相当な精神的苦痛をともなう。指導教員の交代が学生主導で行われた場合、指導教員のプロとしてのステータスに傷をつける。だから、その過程は、ときに「血塗られた」結果に終わる。

プロセスを進める鍵は、第三者に仲介を依頼することだ。そのような人物は、副研究科長、博士課程の担当者、高等学位委員会の委員長、または研究指導教員などの肩書きを持つかもしれない。また、職名は大学によって異なるかもしれないが、博士課程の指導システム全体に責任をもつ人物もそれに相当する。このタスクに特別に割り当てられた人物がいない場合は、学科の責任者である学科長なら必ず相談することができる。

第三者はあなたと指導教員が問題についてじっくりと話しあう機会を提供してくれる。また、それにより、現在の指導教員が自らの交代を受け入れる道を探ることが可能となる。さらに、第三者は新たな指導教員を探す上で相談に乗る役目も果たす。同じ研究科の同僚でもある旧指導教員と新指導教員の関係は、こうした第三者を介することでスムーズに維持される。

ニックは研究がまだあまり進展していない、マネジメント・オペレーションの分野に興味があった。一年目は、経営学研究全般にわたる博士課程学生が主催するセミナーに出席した。彼は数カ月後、指導教員のニューマン博士は、自分のこれから行いたい研究と合わないのではないかと感じはじめた。ニューマン博士のやり方は彼の仲間の学生たちが行っている研究と比べてはるかに「取りとめのない」説明的なものだった。一方、ニューマン博士は、ニックが研究分野に関する知識を広げる作業をもっとすべきだという自分のアドバイスを無視していると感じた。ニューマン博士にとって知識を広げる作業は研究手法よりも重要だったのだ。

そうした立場にある多くの学生や指導教員と同様に、彼らも最初の一年間はこの危うい関係を続けた。ニックはニューマン博士が研究をあまり理解していないと考えており、ニューマン博士は、自分が研究する分野でニックは価値ある研究を本当はしたくないのだと考えていた。その年末、博士課程の責任者が二人の不満に気づき、両者と個別に話しあい、別の指導教員に交代する可能性について議論した。

ニューマン博士は、ニックが自身の分野で研究を行うことはなく、それゆえ誰か他の者が彼を担当するのがよいと考えた。提案された新しい指導教員は、ニックが最初からやり直すつもりがあるのであれば、受け入れる用意があった。この変更は、第三者がイニシアチブをとって、三人全員に関連する問題を認識させたことで完遂された。ニックはすべてを解決するのに一年を費やしたが、最終的には新しい分野で博士号を取得した。それでもニックとニューマン博士は、研究学生としての残りの期間、文字通り言葉を交わすこともなく、お互いを避けていた。

しかし、指導教員をよりスムーズに替えることもできる。指導教員チームに別の学者を加え、その人に指導教員としての役割を一部担ってもらうこと、もしくはその人にリードしてもらいメインの指導教員になってもらえば、最初の教員は完全に否定されてしまったと思わずに済む。

ホー・メイ（Ho Mei）は開発経済学の博士号をとるために英国に来た。中国政府が彼女のスポンサーだった。

彼女を受け入れる側の経済学部も、彼女のような特別な学生を受け入れるのは初めてだった。この状況が、開発経済学者であり、学科長であるマークス教授がメインの指導教員となる理由となった。次に、これまで指導教員としての経験がない計量経済学者が、経験を積むためにも、第二指導教員として任命を受けた。彼は数学的な問題や経済関係の大まかなアドバイスならできるが、開発経済学の専門家ではなかった。

海外から来たメイ（May）（英国において同輩などからそのように呼ばれていた）はそのような指導体制を快く受け入れた。しかし、最初の一年が経過する頃、メイは、マークス教授が強く押しつけてくる研究のやり方が受け入れがたくなってきた。メイはマークス教授が勧めているそのやり方が形式張りすぎており、実際に自分がこの分野に入るきっかけとなった、より実状に近い経済的判断と関連がないと感じていた。

一年が経過するうちに二人の間の亀裂が深まり、学科の研究チューターにもそれが明らかとなってきた。彼はメイの能力が十分に発揮できていないと感じ、指導教員であるマークス教授と学生であるメイがともに女性であることが亀裂を生むきっかけになったのかとも考えた。彼は、マークス教授に指導教員の立場を辞してほしいと依頼するのは、彼女のメンツをつぶすことになるので、とてもできないと感じた。しかし、彼はマークス教授が業務関係の仕事で特に忙しくなった機会をとらえて、メイの指導教員の一人として開発経済学者のマへシュワリ博士に参加してもらうことを提案した。どちらかといえば渋々ではあったものの、マークス教授はこれに合意した。その決定後、数カ月にわたってメイはマークス教授よりもマへシュワリ博士からの助言をもらう機会を多くもつようになり、ようやく自分の望む方向に研究を進めることができると感じるようになった。正式にはどちらも彼女の指導教員となっていたものの、時間とともにマークス教授もメイとマへシュワリ博士とのやりとりがより生産的であると気づき、自分自身がより限定的な役割をもって指導にあたることを受け入れたのである。

指導における不適切な関係

博士課程の学生に対して、家族や友人が指導教員や審査員になることを禁止する規則が多くの大学に存在する。少なくとも、そのような関係は指定された人物（学科長など）に申告する必要があり、そうした人物は利益相反の可能性を最小限に抑える方策をとることができる。あなたの大学でどのような規則があっても、私たち著者はあなたに対して、指導教員との恋愛関係は避けるよう強く勧める。第9章では、指導教員が学生に対して好ましくない注意を向け、恋愛関係や性的関係を結ぼうとする状況について説明している。私たち著者の意見では、同意のある関係をもつことさえ倫理的ではない。

指導教員の役割と、親や配偶者、パートナー、そして恋人との役割は、まず両立しない。そもそも指導教員の役割には、プロとしての批判を数多く行うことが必ず含まれる。批判は建設的であることが好ましいが、そうは言っても批判は批判だ。批判は完全にプロフェッショナルな関係においてのみ、効果的になされる。もし感情的にプロフェッショナルではないものがお互いの間にあれば、学生は批判に対し憤慨、あるいはさらなる依存の感情を抱く。いずれにしても、そうした関係では学生が効率よく研究を進め、完全にプロとして自立した研究者になることは難しい。

第二に、指導教員との親密な関係は、研究科の他の人間との関係にとって妨げとなる。たとえば、指導教員と近い関係にある学生は、研究科の他の学生やスタッフたちが自分と関わることを避けがちであると感じ、結果として、彼らと議論したり彼らから学んだりする機会を失う。周りが「敬遠」する姿勢をとるのは、指導教員と親しい学生と会話すると、その内容が指導教員に筒抜けになると不安視するからだ。地位の高い指導教員と特別な関係にあるとみなされれば、築けたかもしれない新しい交友関係が制限され、日常の交流や共同作業でさえ、同僚やスタッフから職業上危険なものとみなされるようになる。

こうした事態は研究の進捗や研究仲間との交流に関わるばかりでなく、個人的な関係のためにも、可能な限り避けた方がよい。医学や心理学の分野では、「医師と患者との甘い関係はご法度」としている。同様に、指導教員と学生の関係に関わるロマンスも、プロとしての倫理違反として扱われるべきなのだ。

第7章
博士論文を書く

本章のポイント

1. 書く作業は最後にまとめてできるものだと思わないこと。実際に書かなければ、効率よく書く能力は鍛えられないし、合格水準の執筆能力すら養われない。
2. 研究の過程において、レポート、草稿、書評などあらゆる機会を使って書くよう心がけること。
3. 書く時間を設け、その時間をしっかり守ること。
4. 読みやすい言葉で書くこと。必要に応じてテクニカルタームを使うのはよいが、ジャーゴンは避けること。
5. 博士論文の形式と構造を理解し、先行研究レビューから最終評価までのすべての部分に十分な内容があることを確認すること。
6. 博士論文（研究の報告）は、テーゼ（アーギュメント）を支えるのに必要な分量以上に長く書かないこと。
7. 大学のライティングコースか、ライティングサポートネットワークに参加し、目的意識をもってライティングスキルを向上させること。
8. まずは同期の学生から、そしてそのあとに指導教員からフィードバックを受けること。これらは執筆とリライトの過程において鍵となる。
9. 論文は書きやすいところから書き、章立ての順番通りに書く必要はない。研究方法を記す箇所から書きはじめるとうまくいく場合が多い。
10. 自分の分野でジャーナルやカンファレンスの出版物を書く機会を見つけよう。
11. 論文のオープンアクセスや、より広範なオープンリサーチの動向の価値について意識し、適切な場所で自分の成果を公表するようにしよう。

本章では、博士論文の執筆タスクについて説明する。まず断っておくが、私たちは「博士論文を書き上げる」とは言わない。この表現は、執筆がプロセスの最後に行うことであるかのような誤った印象を与えるからだ。確かに、二一六ページの図にあるとおり、結果を最後に「書き上げる」必要があるが、同じ図が示すように、それは書く活動の一部にすぎない。完全なプロの研究者になるために必要なスキルの一つは、適切な水準で学術的な成果を効果的に伝えることだ（四四ページ参照）。すべてのスキル習得と同様に、練習が必要だ。したがって、ライティングは早い段階から鍛錬すべき研究活動となる。

何を書くか

多くの学生は書く作業を難しく感じ、実際、「書かねばならぬその日」をできるだけ後回しにしようとする。言ってしまえば、どの著作家でも認めるように、書くというのは難しいものなのである。初心者の多くに見られる反応は、「何も書くことがない。自分の考えはまだ書くに値しない」と感じることである。しかし、それは違う。研究がどの段階にあったとしても、書く題材として扱える課題や問題は尽きないのだ。早い段階で書きはじめれば、最終的な論文に取り組む際に使える文章の塊を書き溜めることになる。文章を書き溜めることは、ライティングスキルの向上にも役立つ。

それでは、何を書くべきなのか。まず初めは関連文献をレビューした報告をたくさん書くことになる。次に先行研究を細かく批評することが続く。そしてその後、自分の研究計画や調査の新たなデザインといった、クリエイティブな作業に取りかかることになる。その後に仮説を立て、集めたデータの検証に入る。これから述べるように、どの時点においても、最終的な論文の一部をなす章の草稿執筆に取りかかることができる。各トピックの詳細は研究テーマによって変わるが、前もって指導教員と話しあい、合意を得るべきである。

ともかく、博士課程を通して常に何かを書き続けよ、というのが私たち著者からのアドバイスだ。研究の最終段階で、いよいよそれを書き上げるときには、論文の最も取り組みやすいところから書けばよい。それは当たり前すぎて、あえて言うほどのことでもないと思われるかもしれないが、実際は驚くほど多くの学生が、論文は出版される形態そのままに頭から書くべきだと信じている。それは違う。論文は日記ではないのだ。

「科学論文はまやかしか？」という論文でメダワー（Medawar 1964）は、論文を書き上げる過程とは、騙しの訓練だと述べている。つまり、読者は研究が論文に書いてある通りになされ、結果報告は論文で示されているようなロジカルで順序だった仕方で執筆されている、と信じ込んでしまうのだ。彼が主張するように、これはミスリーディングであって、研究に取り組んで科学論文を書きたいと思った読者は、専門家とは違って自分の場合はまったくスムーズに事が運ばないと感じ、その意気をそがれてしまうかもしれない。

まずは「研究手法」の章から書きはじめてみよう。この箇所はもちろん、完成した際には論文の中盤に来るが、何をどのようにしたかは自身がよく分かるはずだから、論文執筆の取りかかりによい。他に、「先行研究」から始めるという方法もある。これは論文のトピックについて、これまで何が書かれてきたかを再認識する上で妥当な出発点である。もしここから始めるのであれば、執筆の最後に、重要な文献がその後に発表されていないか、確認することを忘れないようにしよう。

すでに書いたものを破棄したり、初めから書き直したりすることを恐れてはならない。ある課題について書いた初稿の価値は、書き下した言葉にあるのではない。自分の頭の中で課題をどうまとめ、どのような表現を使うのかが明確になったことにある。いったんそこまで来たら、初めに書いて学んだことを活かしつつ、ちぐはぐな初稿の細部にかかずらうことなく、同じセクションをまた初めから書き直すとよい。作家のイアン・バンクスは初めて出版に至った小説を書き上げるまで、「単語数にして百万のカス」を書いた（BBC 2012）。しかし、それらのすべてがその後の作品において綴ってきた表現の土台となったという。初めての木工作業や絵画が特に優秀な作品として出来上がることなどないだろう。むしろ、まずは小さな作品をいくつも作ることで、木材や絵の具の使い方の技法を学ぶものではないだろうか。物を書くのも同じことだ。

博士論文の型

第4章で議論した博士号を取得しない方法のうち三つは、学生または指導教員（または両方）が博士号の性質を理解していないことに関係していた。あなたが有能な研究者であることを証明するには、あなたの上級の専門家仲間である審査委員を満足させる水準で研究を行う必要がある。

それには、専攻分野の「知への貢献」が必要だ。これは非常に深く心に響く言葉でありながら、同時にとてもあいまいな言葉であるがゆえに学生を不安にさせ、悩ませる。このセクションでは、博士論文の要件を満たす「型」を考察する。その議論の根底にあるのは、博士課程とは理論的な営みである、という理解である。たとえ非常に実用的な問題に取り組んでいたとしても、博士論文ではそれを理論的なフレームワークのうちに収めなければならない。何らかの問題を解決するのは重要かつ望ましいものだが、博士号のための「知への貢献」としては十分ではない。博士号では、なぜあなたが問題を解決できたのかを説明する理論を打ち立てるか、既存の理論にそれを加えるという作業が必要なのだ。

大学の博士号付与の要件は、たとえばアラブ研究から動物学に至るまで、すべての分野に当てはまるものでなければならないので、どうしても形式的になり、特定分野の具体的要件を示すことはできない。事実、研究トレーニングの目的は、与えられた研究を行う能力だけでなく、そもそも何が必要とされているかをしっかり見定めることでもある。

しかし、論文には特定の「型」が存在する。言うまでもなく、それは内容から独立し、あらゆる知識の分野に適用できるものでなければならないので、非常に抽象度が高くなる。それは音楽でいうところのソナタのようなものと考えれば間違いないだろう。これは作曲の型だが、その型は「内容」とは無関係だ。ハイドンはソナタの型を使って曲を書いたが、レノン&マッカートニーもソナタを書いている。ソナタの型はきわめて幅広い内容をもつが、すべての音楽に当てはまるわけではない。たとえば、ドビュッシーもブリテンもこの型を使わなかった。ジャズのスコット・ジョプリンはソナタの型を使ったが、ビックス・バイダーベックは使わなかった。博士号の場合も同じである。これは特定の「型」にすぎず、すべての研究がそれにフィットするわけではないので、「型」の構成要素について知っておこう。

博士論文の型として、考えなければならない要素は五つある。研究分野、研究トピック、研究方法論、研究の貢献、そして研究の評価である。このような分析的枠組は、論文を通じて一貫している必要があるが、それぞれが章立てに直接対応する必要はない。とはいえ、これらの項目は、審査の重要なポイントになるため、論文全体でカバーしなければならない。

▼研究分野

「研究分野」とは自分が携わる学業の分野のことであり、その分野についてプロとしての規準を満たすほどの詳しい知識をもつことが要求される。よって、その分野が今現在どのような状態にあるのか、たとえばどのような発展がみられているのか、何が論点になっているのか、その分野の第一人者が何に興味をもち何に携わっているのか、どのような思考が分野の先を行く考えを打ち出しているのかなど、熟知しておく必要がある。またその分野の現状に至るまでの歩みも把握しておく必要がある。それをどこまでさかのぼって把握すべきかは分野にもよるため、指導教員のアドバイスを得ることを勧める。

これらを熟知していることを示す方法として、先行研究レビュー（あなたの博士論文の重要な一部に組み込まれることになる）を書くやり方が一般的である。忘れてはならないのは、この文献レビューは目的があって行うものだということだ。つまり、研究分野の背景を研究者自身がプロ（専門家）としてよく知っているという事実を示すために行われる。「プロとして」というのは、第3章でみたように、その研究分野について他の実践者や研究者などのプロたちが聞きたくなるほどの内容を述べられることだ。よって、興味深く有益な視点から論点を整理し、他人の貢献を評価し（もちろん批判するときはしっかりとした理由を示す必要がある）、研究活動のトレンドを見つけ、理論的・実証的な面における弱点を指摘するなどの行為が、その分野のプロとしての腕前を見せることになる。

重要なのは、百科事典のようにすべてのタイトルを紹介し、各研究の説明だけを掲載しただけで、筋の通った整理や評価を行わないのは、適切でないということだ。これでは、博士号に求められる専門的な判断を示せない。運転免許試験で、終始時速二〇マイル以下で運転するようなものだ。試験中にミスがなくとも、運転能力を十分に示さなかったのだから不合格だろう。同様に博士号をめざす者として、自分が研究している分野の理解には自信と能力が必要であり、文献レビューを通じてそれを証明しなければならない。第5章で述べた、批判的で分析的なアプローチで研究を進めることについてのアドバイスも思い出そう。文献レビューは、博士論文においてこの批評性と分析力を示す主要な場である。

論文を書く際は読者を念頭におこう。ある学生は、研究テーマに沿って先史時代から二一世紀までの文献レビュー二〇〇ページを書いた。非常に興味深いが、これはその学生の学術的貢献を特定しようとする審査委員には邪魔でしかなかった。テーマについて全史を説明する必要はない。また、基礎的な理論やアイデアを説明する必要もない。文献レビューは、あなたが取り組む広義の研究分野においてよく教育された学者が知っていることと、論文の続きを読むために知る必要があることとの間の知識のギャップを埋めるものと考えるとよい。このような読者を念頭におくことで、どのような参考文献を含めるべきかの決定を、一定の情報にもとづいて下すことができる。

あなたの論文を理解するために、読者（他の博士課程学生や研究者）がどのような本や論文を読む必要があるか、そしてそこから何を得る必要があるかを考えてみよう。先行研究について議論する方法は、論文の後半にあるあなたのオリジナルな成果の前提となるものでなければならない。提供するのは、あなたが読んだ文献に関する一般的な議論ではなく、その先にあなたのオリジナルな貢献を指し示すものである。

良い先行研究レビューは、論文の後段で行う議論がなぜ重要かを明らかにするものだ――それは、あなたが埋めるつもりであるところの「先行研究の穴」を浮かび上がらせるのである。

博士課程の早い段階で文献レビューを書きはじめるのがよい。そうすれば、初期に読んだ内容がまだ記憶に新しいうちに、自分の考えを記録することができる。

第5章で述べた効果的なノートの取り方を思い出そう。多くの大学は、学習の最初の年の終わりの進捗レビューのために、学生に先行研究レビューを主要な成果の一つとして提出させる。ただし、先行研究レビューはこれで終わりではない。研究の主要部分の作業の後に再びレビューに戻り、より研究内容に即したリストにしたり、後日発表された文献を含めたりするとよい。

多くの学問分野では、関連するジャーナルを読むことで、フォーマットのスタイルを把握できる。生化学、社会学などの『年間レビュー』には、その分野のある一部分に関するレビュー論文が含まれている。多くの分野で主要な学術雑誌による現在の研究状況に特化した特集号があり、著名な研究者たちが寄稿している。また、ブログやソーシャルネットワークを通じて、研究トレンドの最新情報が提供されることもある。これにより、他の人がどのようにトピックを評価し、形成し、注目しているかを知り、研究をより充実させることができる。これができるレベルを目指して研鑽を積むべし。

ただし、ブログ、レクチャー、ソーシャルネットワークの議論、教科書、百科事典の記事といったややインフォーマルな情報源は、研究文献について知る重要な方法ではあるものの、論文に引用されることはめったにない。代わりに、主要な査読付き研究文献を調べるきっかけとして役立てられる。ほとんどの分野でこのような文献は学術誌に掲載された論文だ。歴史や文学研究など一部の分野では、書籍（研究モノグラフ）が重要な情報源となるが、多くの科学分野では書籍でオリジナルの研究はほとんど発表されない。エンジニアリング分野など一部の分野では、カンファレンス論文が厳密にレビューされて正式なカンファレンスプロシーディングスに掲載され、重要な研究文献とみなされる。他の多くの分野では、カンファレンスは早期段階のアイデアを非公式に探索する目的にとどまり、その後ジャーナル記事や書籍として出版される。

上記のアドバイスは、すべての研究分野に適用される。ただし、一部の分野では、研究に対する理解を示すために、研究文献以外のレビューが必要な場合がある。たとえば、コンピュータサイエンスのような科目では、「テクノロジーレビュー」が研究分野の理解を示す一部として文献レビューと並んで表示される場合がある。芸術的な科目では、関連する音楽、美術作品、演劇公演の概要が適切である場合がある。

あなたの専攻における文献レビューの書き方に特化した記事を読んだり、ワークショップに参加したりすることは勉強になるかもしれない。Bell and Waters（2018）や Murray（2017）などの書籍にも良い実践例がある。

▼研究トピック

博士課程における二番目の要素は、研究トピックだ。ここで、あなたは何を研究しているのか、そしてなぜそれを研究するのかを詳細に説明する。あなたは問題の前提を打ち立て、仮説を形成し、必要に応じて他人の議論を検討することで分析する。

研究トピックを効果的に議論するためには、狭義の「テーゼ」〔持論、七五ページ参照〕が必要だ。これにより、明確な「ストーリーライン」が与えられ、研究中に行っていることを整理して関連づけることができ、理論的な議論を展開することができる。あなたの主題と、それを裏づけるデータと論拠の必要性は、何があなたの研究に関連するかを示す基準として重要な役割を果たす。したがって、テーゼの裏づけに貢献することのない、余分だったり無駄だったりする材料で論の焦点がぼやけないよう、強く意識する必要がある。苦労して手に入れた材料を省くことは心理的に難しいかもしれない。それでも、明確でわかりやすく、包括的な論文を書くという目標を優先順位の上位に置く必要がある。そうすることで、あなたの研究トピックがはっきりする。

▼研究方法論

博士課程における三番目の要素は研究方法論だ。最も一般的な言い方をすれば、それは論文の主張の裏づけに使おうとしている資料の関連性と妥当性を正当化するものである。審査員があなたの論文を評価する際の重要な問いは、なぜあなたの専門分野の同僚があなたの成果に耳を傾ける必要があるのかということだ。あなたは明瞭に納得のいく答えをもっていなければならない。

研究方法論は、分野によって大きく異なる。選んだ方法論が研究の問いや仮説の検証に適している理由や、なぜそれがあなたの博士論文の研究トピックに洞察をもたらすのかを説明することが重要である。たとえば、理系の分野では、信頼できる理論を打ち立て、特定の実験的アプローチを正当化し、および装置が効果を検出するのに十分に感度があり十分に調整済みであることを示す必要がある。歴史研究では、トピックとそれに対する分析的アプローチを考慮して、必要な文書が適切に解釈されていることを示す必要がある。社会科学では、データ収集の方法を正当化するだけでなく、使用する解釈フレームワーク（実証主義やポストモダンなど）について説明する必要がある場合もある。

研究方法論の妥当性に関する議論は、論文の重要な部分だ。指導教員との議論、最新の論文のレビュー、うまく書かれた博士論文を参考にすることなどによってこの力を養うとよい。

▼研究の貢献

論文の中心となるのは、実施した研究を説明するいくつかの章だ。ここで、研究分野、トピック、および方法論を結びつける。問いに答え、仮説の検証を試みるのはこの部分である。そのために、あなたが方法論のセクションで説明した方法を適用する。その後、こうした探究により得られた結論を提示する。自身の研究成果を提示する場面だからといって、自分の仕事を先行研究の文脈に位置づけることをやめてはならない。これらの探究をどのように実施し、提示するかは、分野によって異なる。指導教員のアドバイスを仰ごう。

さらに、博士号に値する十分な貢献とは何かについても指導教員に相談しよう。論文の「十分な貢献」に対する感覚は博士課程を通じて身につける必要があるが、あなたの分野でのオリジナリティの要件を理解するにはガイダンスが必要だ。

研究の貢献について書くセクションは研究のオリジナリティを示す箇所でもある。研究の問いの提示だけでなく、新しい領域に方法論を適用し、厳密に提示された結論を出せることを示す必要がある。第５章で議論したように、オリジナリティを生み出す方法は多数ある。第5章を参照して、あなたの研究がオリジナルである理由を説明するのに役立てるとよい。どこまでが先行研究の分析で、どこからがオリジナルな貢献なのか、論文の構成から明確にわかるようにするとよい。これが明確でないと、審査者もあなたの研究の貢献が何であるかの理解が困難になる。

▼研究の評価

研究の評価は博士課程の最後の要素だ。これは、あなたの論文が学問分野の発展にとってどのように重要であるかを評価することである。ここで、分析の重要性を強調し、資料・素材の限界を指摘し、今後どのような新しい研究をするとよいか、等々を示す。最も一般的に言うと、研究分野と研究トピックに関する理論が、あなたの研究の結果、どのように変わったのかについて論じるのだ。したがって、後に続く研究者（もちろんあなた自身も含む）には、あなたの仕事を考慮に入れる必要が生じる。

自身の研究を評価したり、その限界を指摘したり、別の視点から論じたりするのは奇妙に思えるかもしれない。結局のところ、自分の研究が最高に画期的であると考えてしまったり、あるいは非常に偏った見方をとったりするのが関の山ではないか？　そうではないのだ。これについては第3章で博士号の意味について私たちが述べた通りだ。博士課程というプロセスの観点から言うと、個人的なモチベーションとしてはそうかもしれないが、研究とは自己目的的な営みではないのだ。分野で何が起こっているかをよく理解し、それに対する自分および他人の新しい貢献の影響を評価できる完全なプロの研究者であることを証明する機会として、研究はなされるのだ。そして、それが博士号を取得することの意味なのである。

通常この部分は最後に配置されるが、甘く見てはならない。これがうまく書けるようになるには、第4章ですでに指摘したように、予想よりも長時間かかる。事実、私たちの経験では、この部分の不十分さが論文の再提出を求められる最もよくある理由なのだ。

ここで避けるべきポイントがある。「要約と結論」という論文の最終部分を書く際、その章には要約と結論の両方が含まれるべきだ。この部分を過剰なまでに長い要約で埋め、結論がほとんどないというのは学生が犯しやすいミスである。簡潔な要約は役に立つが、審査委員は直近の数日に論文の内容を読んでいてその記憶は鮮明なのだから、詳細な要約は不要だ。代わりに、論文の結論に焦点を当てよう。あなたの研究からの主要な発見は何か？　あなたの学問分野にどのようにオリジナルな貢献をしたのか？　それはどのように新しい方向性や将来の研究機会を産むのか？　あなたの貢献の結果は分野やトピックの理論にどのような影響を与えたのか？　過剰に長い要約の後、結論が最後のページ（または最後の段落だけ）にしかないことがときにあるが、これでは不十分だ。前述したように、論文の結論にはいくつかの側面があり、これらすべてをカバーする必要がある。

詳細な構成と見出しのつけ方

博士論文の「理想的な」長さについて、まわりの人が語っているのを聞くことがあるかもしれないが、無視しよう。研究の内容、動機、そして研究結果から何がわかったか、論文の長さはこの三点が収まる以上でも以下でもいけない。博論の長さについて、大学の規定は一般的に上限を定めている。もし上限よりも短く論文の主張を確立できる場合はそれでよい。

「簡潔に」述べることができる場合はそうする、という鉄則を採用するのもよいが、「簡潔に」述べる、というのが、長い言葉や複雑な文構造を使うことを意味するならやめておこう。

上述のように、論文は博士号を形づくる五つの要素を含む必要がある。それらがどのように提示されるかはさまざまであるが、実証的な論文を念頭におくなら、よく使われる例は、たとえば次のようなものになるだろう。

- 序論（目的を含む）
- 先行研究調査（研究分野および研究トピックに関する関連文献のレビュー）
- 研究トピックとその取り組み方
- 研究方法（何が行われたかの記述を含むデータ収集）
- 結果（何が見つかったか）
- 議論（研究トピックの発展および今後の研究に対する提案）
- 結論（短い要約および論文の貢献の詳細）

これらの項目は、専門分野やトピックに応じて関連する章にさらに細分化されることもある。実証的なデータ収集以外のタイプの研究が一般的な領域では、博士号を構成する五つの要素は、異なる方法でカバーされることもある。

上記の主要な項目に加えて、論文の最初には、審査者の仕事の便宜に資することを目的に、論文の要点を示したアブストラクトが必要だ。そこでは、なお調査中の研究課題と、論文のオリジナルな貢献も明確に書こう。これにより審査員は論文を読む前に概要をつかむことができる。論文の最後には、本文にうまく収まらないグラフ、表、データ収集シートなどの付録と参考文献の詳細なリストが必要だ。

大学は、行間やページの余白、タイトルページの言葉遣いなど、完成論文がどのようになるべきかについて詳細なイメージをもっている。また、論文の製本や作成する部数にも規則があり、論文を図書館のウェブサイトにアップロードする方法に関する指示もある。すべての情報を把握し、最後の瞬間に、ちょっとした重要な指示を守り損ねて、パニックに陥ることがないようにしよう。

形式的な手続きをすべて把握したら、論文作業をエンジョイできる。指導教員や審査者の期待に応えるために何千字も書き連ねているときは、適切かつ簡潔な章や節のタイトルを考えると、気分転換になる。論文そのもののタイトルを決めるのも、少しの間なら楽しく感じるだろう。あっさりしすぎも説明しすぎもよくない。もちろんタイトルは内容と明確な関係がある必要があるが、だからといってあえて退屈なものにする必要はない。読み手の興趣をそそり、審査者の好奇心をかき立てるものにしよう。

ある指導教員は学生に、ベッドの中で普段読むような本に負けない〔魅力的な〕論文を期待していると繰り返し指導していた。読み手が夢中になって、思わず午前二時くらいまでぶっ続けで読んでしまうものを期待していたのだ。これはさすがに〔研究論文では〕実現不可能な気がするが、だからといってこの状態を目指さない理由はない。つまり、論文に欠かせない定義の正確性を損なわない範囲で、可能な限りジャーゴンではなく日常的な英語を使うということだ。また、埋め込み節が増えていくような複雑な構文を含まない文章を心がけること。独創性と堅実さを有する論文であることと同様に、明瞭さを印象づけることを目指そう。定評のある専門家といえども人間であり、冗長な散文を誰も喜ばないというのを忘れてはならない。

いつ書くか

あなたは学生として研究に携わりはじめた日から、学術的な執筆を常時行うべきだ。しかし、他にしなくてはならない活動があるなかでどうやって書く時間を設けるのかが問題となる。

博士論文の「守護聖人」はビクトリア朝の小説家、アントニー・トロロープである。彼は〔郵便局の管理職としてフルタイムの仕事をこなしながらも〕、有名な『バーチェスター』および『パリザー』シリーズを含む多くの小説を書き残している。このような生産性をどのようにして手に入れたのだろうか。彼は毎日同じ時間に三時間を確保することに尽力し、書くことを日々たゆみなく繰り返したのであった。彼は自伝でこう説明している。

新たな小説を書き始めるときに、私はいつも週単位に区切られた日記を用意し、作品を完成させるために自分に許された期間、日記をつけるのを続けてきた。その日記には日々何ページを書き上げたのかを記入するのだが、もし一日や二日無為に過ごしてしまったとしても、その無為の記録がそこにあり、私に遅れを取り戻すべくさらに働くよう、訴えかけてくるのだ。（中略）この記録は常に自分の見えるところに置かれ、もしページ数が不十分なまま一週間が過ぎようものならそれは目の上のコブとなり、一カ月が過ぎようものなら恥辱のあまり心が悲しみに打ちひしがれてしまう。

(Trollope 1883)

トロロープは三時間のうちに二〇〇〇語を書き上げることを目標としていた。それは私たちを含むほとんどの人が、その時間内でそれだけ書くことの期待すらできない量である。しかし、私たちにとって模範となるのはその単語数ではなく、彼が書いた規則性にある。トロロープの「秘密」（それが秘密といえるなら）は、日々書く時間を決め、それ以外のことにその時間を費やさなかったことにある。彼はほかの活動の合間に書いたのではなく、書くことを中心として、それ以外のことを書く時間の外に回したのである。

文章を書く上の時間管理でよく知られたアイデアにフランチェスコ・チリッロの「ポモドーロ・テクニック」というものがある（pomodorotechnique.com）。これは執筆の合間に短い休憩をはさむものである。大まかにいえば、二五分ほど作業をし、五分の休憩をとる。それを四回繰り返した後に一五分ほどの長い休憩をとる。そしてまたそれを繰り返すのだ。

体系的に研究された形跡は見られないものの、多くの人がこのシステムを使うことで思考がより明瞭になり、集中力が持続すると言っている。逆にまったく効果がないという人もいる。もともとはトマト（イタリア語で「ポモドーロ」）の形をしたキッチンタイマーが使われていたが、今ではスマホやパソコンのアプリを使う人が多い。

時間に関する最後のアドバイスは、直感的にわかりやすくはないが、それだけに重要である。時間を決めて取りかかった作業に関して、その制限時間が来て書くのを中止しなければならなくなったとき、自然な区切りまで、すなわち節や章を書き終えるまで続けないこと。どれだけ中途半端であっても、それがデザインの途中であっても、書きかけの章、段落、あるいは文章であったとしても、わざとそのままの状態で残しておくこと。そうすれば心理的に完成させたいという意欲にかられ、その作業に戻って一度始めたことをなんとか完成させなければ、と感じる内面的なプレッシャーとなってくれるのである。それはまた作業の再開をより早く、より容易にしてくれる。

どう書くか

▼本腰を入れる

ＥＭＰは、科学専攻の学生の多くは論文を執筆する作業より、実験作業の方を好むことを明らかにした。実験作業には、研究ノートに現在までの進捗状況を記入することが含まれていた。論文の執筆には夜、週末、休日があてがわれるという。そのような学生は次のように語る。

ただ実験を繰り返すような、時間がかかって無心になってできるものなら好きだ。しかし、序論と結論を書くような難しいものは好きではない。

決められた時間を実験室でプラプラ過ごす方がいい。その方が精神的に楽だ。

書くことは「本当の研究」ではなく、常に二次的にしか考えられないため、なかなか意図した時期に始まらない。ある学生は、「わずかな時間の隙間があるときに少しずつ書き溜めている」と言いながら、直近で書いた文章を何度も放棄していた。

「後回し」と「一貫性のなさ」は忙しい現代においてよくあることだ。結局、他の誰もあなたの代わりに書くことはできないので、書き始める責任はあなたにある。指導教員は書かれたものに助言をすることはできるだろうが、それもあなたが書きはじめたうえでのことだ。そもそも、文章を生み出すには自らを規律する必要があるが、それを実行するかどうかはあなた次第なのだ。実際、多くの学生が最終年まで論文の執筆作業に入らない傾向があるが、これは本当にやめた方がよい。

では、あなたの場合はどうだろう。執筆活動を始めることに問題を感じているだろうか。インスピレーションがわくのを待っていたりしていないだろうか。どちらかといえばデータの見直しなど、他のことをしたいと感じていないだろうか。もちろんメールやツイッターの確認もしたいだろう。チュートリアルの準備もあったかな。買い物もしなきゃ。はたまた部屋でも片付けるか。このように考える傾向はすべての新米執筆者に共通している。しかし、トロロープのように、書く人は、書く時間を決めて、それをしっかり守る。その時間が来たら深呼吸をし、歯を食いしばり、書くのだ。あなたにもできることだ。

このような訓練をしてみるとよい。アントニー・トロロープは一五分ごとに二五〇語書くようペースを調整した。トロロープは手元の計算で一枚あたり手書きで二五〇語書ける罫入りの紙切れを使う必要があったが、パソコンを使う現代の私たちは、文字数などはすぐに分かる。初心者の場合、無理をせず、二〇分で二〇〇語相当（日本語で約五〇〇字弱）を目標とし、その文章の冒頭を「この研究の目的は……」とすること。今すぐに書くのではなく、書く時間を今決めること。早朝でなくてもよい。自分の状況と勉学のパターンなどから最適な時間を選ぶこと。ただし、一度決めたその時間は守り、邪魔が入らないようにすること。

さて、結果はどうだっただろうか。時間を決めて、その時間に他の邪魔が入らないようにし、執筆に専念することができたであろうか。もしできたならば、それはトロロープの歩んだ道へと一歩足を踏み入れたことを意味する。多くの人が発見するように、あなたもインスピレーションというものは書きはじめてからやって来るものだということを学んだだろうか。書き終わったら、その草稿を数人の同期に見せ、リアクションをもらうとよい。分かりやすい文章になっていたか。言いたいことをどの程度理解してもらえたか。必要に応じて改善し、次に指導教員に見せること。

社会的プレッシャーが、孤独な執筆作業の助けになると感じる人もいるだろう。多くの大学で、「黙って書け」グループなるものが形成されている（https://shutupwrite.com）。会合があるたびにそれぞれ何を書くかを簡潔に説明する。これが公的なコミットメントとなり、執筆が促される。そして残りの全時間を、黙って個別に書くことに費やすのである。そのセッションが終わる際、また数分かけて自分が何を達成できたかをグループで共有する。もちろんこれは自分の部屋や図書館でもできる。しかし、決まった時間に決まった場所にいるために、他の人と同じ活動をすることが社会的プレッシャーになり、集中して書くためのモチベーションになる。

▼リライトの過程としてのライティング

博士論文は審査されるので、論文執筆は何年もかけた研究の結果を単に報告する以上のものでなければならない。書く作業をすると、書き手は自分の研究について新たな思考をめぐらせることになるので、研究結果を文章化する段になると、学生は非常に苦しい思いをする。書くことが発見につながるのであって、一般に言われるように、発見をただ書きとめればよいというものではない。そう考えれば、書くことが論文作成で最も難しい作業である理由は簡単に分かる。

ある学生は言った。「書く段になるまで何を言うかなんて、もちろん完全に分かるわけではない。実際に書いてみるまで、あるセクションで述べた自分の解釈が完全に誤りであったことに気づかなかった。私が言おうとしていたことが言葉で体現できていない。だから根本から考え直して、該当する全部の部分を書き直そうと思ったんだ」。

もし、自分が書いたものをあたかも他人が書いたもののように読むことができれば、自身の不正確で雑な文章を簡単に批判できる。自身と自分の書いたものの間に「距離」を置く方法は、書いたものを二、三日脇に置いた後、初めて手にとるような気持ちで読んでみることだ。そうした時間がない場合は、他のやり方をしなければならない。つまり、電話やメッセージを片付け、ソーシャルメディアをチェックし、友達に会って「間」を置いた後に読んでみる。こうした心理的な「スイッチ」の切り替えは「距離」をおくのに役立つ。もう一つのやり方としては、書いたものを声に出して読んでみることだ。書いたものを耳で聞くと「言いたかったこと」と「(実際に)言ったこと」の違いに気づくだろう。コンピュータ科学を学んでいた学生のラニアは、自分の書いた論文を猫に読み聞かせた。役に立つような学術的なフィードバックを猫が与えてくれたかどうかは定かではないが、少なくとも誰もいない部屋で声を出して読む気恥ずかしさからは守ってくれた。同様に、読み上げたものを録音して、後で聞いてみるのも効果的だ。

ラグとピーター(Rug and Peter 2020)は一四かそれ以上の活動項目を含む、博士論文執筆の概観を提示した。書き直しは執筆作業のなかで重要な要素であり、レポートやチャプターについてバージョンの異なる草稿を残しておいて、新しいバージョンはそれ以前に比べてどれだけ意味が明確になったか、洗練されたかを見比べることは良い勉強になる。書き直しの最終版は博士論文、あるいはジャーナルに投稿する論文の基盤となる。

▼執筆者のタイプの違い

誰しも同じやり方で執筆をするわけではない。少なくとも二種類のタイプの学習者がいるのと同じで、執筆者のタイプも同様に二種類に分けられる。学校では最初に構想を練ってから書き出すよう教えられるが、世の中、計画的な人間ばかりではない。「とにかくやってしまえ」タイプの人も少なからずいる。言いたいことを言うと同時に、それを最善の方法で言うのは、そもそも簡単なことではない。よって、段階的なアプローチをとることが賢明である。

「シリアリスト〔連載作家〕」型の人は、ライティングを逐次処理的なものとして捉え、言葉を書きながら訂正を加えていく。そのようなライターは実際に書きはじめる前に何を書くか綿密な計画を立てる。「シリアリスト」型の執筆アプローチを例に挙げる。

> 今、難しく感じているのは内容をどういう文体で書き、そしてその流れをどうするかということだ。文章を書いているとき、自分の文体は良いと感じるし、書き手としても悪くないと感じる。でも筆の進みがとても遅いんだ。

そのような「シリアリスト」の書き方の一つに、多くの箇条書きとつくりかけのアイデアをまとめた書類を作るという方法がある。それらを徐々に肉付けし、最終的に文章の形にするのだ。もしあなたもこのような書き方をするタイプなら、さまざまなフォントや色を使い分け、原稿のどの部分が完成したか、どこが未完成なのかを強調することが役立つかもしれない。

それに対し、「ホーリスト〔全体論者〕」は一定の長さの完結した文章を書きながらしか考えられない。

私は手書きで完全な初稿を書いた。書きながら少しずつ書き直したけど、書き終えたときにはそれがかなりの分量になって、まるで紙の上の「第三次世界大戦」の様相を呈していた。興味がわけば朝は八時半、九時半くらいから夜遅くまで書き続ける。いったん始めたら、終わらないと気が済まない。構想から完成までの時間は短ければ短いほどよい。

「シリアリスト」は文章を書くことにおいて、「ホーリスト」とまったく異なる点を強調していることがうかがえる。

▼執筆の際の実用面について

パソコンで直接打ち込みながら書くのが好きな学生もいれば、メモをとったり、あるいは最初に手書きでかなりの原稿を書く学生もいる。ベストな方法などない。自分にあったやり方を見つけよう。

ほとんどの分野では、マイクロソフト社のWordなど、主要なワープロソフトを使って論文が書き上げられる。しかし、理系の特定分野においてはLaTeXシステムが標準となっている。それは数学的な表記の多い複雑な文書を作成することが可能だからである。もしこれがあなたの分野において標準である場合、ほとんどの大学に使い方を教えてくれる短いコースがあるため、そのようなコースに登録し、使い方を学ぼう。

私たちはみなパソコンのスペルチェッカーを使い慣れているはずであるが、文法的な校閲機能も備わっている。ただし、性能はまちまちである。とくにこの機能は学術的文献のいくつかの側面をなかなかうまく扱えていないのが実態である。たとえば、ある文章を受動態で書き直すよう言ってくる場合があるが、アカデミックな科学系の論文の文体としてそれは良くないアドバイスであることが多々ある。そうだとしても、特に英語が母国語でない学生や執筆に慣れていない学生にとって、基礎的なフィードバックの一つとして役に立つことは間違いない。

また、多くの参考書（もしくはそのオンライン版）も有用である。辞書も、言葉がもつ微妙な意味の違いを調べることに役立つほか、文脈のなかでそれがどのように使われているのかを見つけることにも役立つ。多くの大学では、たとえばオックスフォード英語辞典のような主要な辞書のオンライン版へのアクセス権を有している。また、他の本（たとえば *Gowers' Plain Words* や *Flower's Modern English Usage*）は、言葉の細かいニュアンスなどについてガイドを与えてくれる。また **Roget** のシソーラスは言葉の同義語や類義語を集め、その状況にあった適切な言葉を見つける上で役に立つ。

RefWorks や **BibTeX** などの文書管理ツールもある。これらは自分の集めた論文や本などのデータベースを構築でき、自動的に必要な書式にあわせて参考文献をリスト化できるだけでなく、論文の本文から参考文献の書誌情報にリンクでき、大変実用的である。博士論文など長編の文献を作成する際は、このようなシステムを使うことで、時間と労力を大きく節約できる。

▼ライティング工程サイクル

「ライティング工程サイクル」とは、書く作業に体系的にアプローチする方法である。その工程にはいくつかのステップがある。

- 要点を書き出すこと（もし「ホーリスト」であるなら順番を問わず書き記すこと。「シリアリスト」の場合は順番を付けて書くこと。あるいはマインドマップのように要点をページ全体に分散するように書いた上で、関連した要点などを線でつなげるのもよい）。書き出すときに思い立ったことをすべて書き込み、大まかな計画を立てること。もちろんその計画に常に従う必要はない。
- 右の内容を分かりやすい構成に落とし込み、それが済んでから、読みやすい文章を書いて、文法的に整った段落を作り、要点をそこにまとめていくこと。
・執筆の量などに関する目標と、それを達成する日付を決めること。
・一週間に二時間から五時間を執筆に費やす計画を立てること。毎週初めにその時間をいつにするのかを決めて、トロロープのようにその時間を守り、邪魔が入らないようにすること。
・執筆のための静かな落ち着ける場所を探し、できれば執筆には同じ場所を使うこと。
・書いたものを読み直し、校閲すること。
・初期の草稿は指導教員に見せる前に同僚や友人にコメントしてもらうこと。
・同僚からのフィードバックをもとに改訂を加えること。
・さらなるフィードバックを指導教員から得ること。
・フィードバックを受け入れ改訂をするか考え直すこと。

フィードバックは執筆する過程において重要な要素である。同僚にこうしたフィードバックを求めると、必然的に彼らからも同じことが求められ、さらにフィードバックを返す必要が生じる。よって、どのようにすれば効果的にフィードバックを返せるかを意識するのも重要である。フィードバックを返すときの基本などについては、指導教員向けに書かれている第11章（三一〇ページ）に記載しているが、学生であるあなたにも大きく関わる内容なので、参照してほしい。

書くことを学ぶ

どのように書くことを学び、スキルを向上させるのか。博士論文を書く段階になると、英語そのものには慣れていても、博士論文で必要とされるアカデミックなライティングスキルが課題となる。アカデミックに書く技術を学び、向上させるにはどうすればよいだろうか。一つ確かなことは、ライティングスキルは教えられるものではないということだ。

いかなるスタイルでも、良いライティングをするための基盤はリーディングである。読む際には、文章の内容だけでなく、論文や本全体がどのように書かれているかに注意しよう。使用されている語彙や文の構造をメモしておこう。これらは日常的なライティングで自分が思考を表現する方法とどう異なるのだろうか？　文章構造はどうなっているか？　良いライティングには、明確な議論を展開するための節や段落の構成から、個々の文章の構造、特定の言葉の選択に至るまで、さまざまなレベルで注意を払うことが求められる。Mewburn, Firth and Lehmann (2018) は、アカデミック・ライティングについて詳細なアドバイスを提供しており、役に立つだろう。

多くの大学では、ライティングスキルのコースが提供されている。これらは有用かもしれないが、あなたの専門分野に関連しているかどうか確認する必要がある。より有益なのは個別のフィードバックだ。

いくつかのライティングコースでは、「ワークショップ」と呼ばれるスタイルが推奨されており、断片的な文章を書いてグループ内の他者と交換し、その後自分の考えやコメントを共有することができる。指導教員などの専門家や、ルームメイトや家族などの一般人にあなたが書いたことを読み、説明してもらうと学びになる。

あなたの文章を読んだ人は、「理解した」と思ったかもしれないが、彼らに改めてその内容を説明させると、彼らの理解があなたが伝えたかったことと（完全に？）異なることに気づくかもしれない。

アカデミック・ライティングは、不明瞭で専門用語だらけであることを意味しない。よいアカデミック・ライティングとは、明確に論旨が伝わるものだ。つまり、アカデミック・ライティングは語句の精度と簡潔さを担保するために専門用語も使うものの、わかりやすい言葉を使ってアイデアや作品を明確に説明することを重視する。学校やクリエイティブライティングクラスで受けたアドバイスは、明快なアカデミック・ライティングには役立たない場合がある。たとえば、そうしたコースでは、語彙を変化させ、同じものを異なる方法で表現するように奨励されるが、精度と明確さが重要な目標であるアカデミック・ライティングでこれをやってはいけない。

読書からインスピレーションを得ることは、正確に同じ言葉をコピーすることではない。多くの学生は、先行研究のレビューを行うセクションで、読んだ論文から多くの引用をコピーして書きはじめ、後でそれらの引用を改変してつなげようとする。これはやめよう。混乱した文章になり、自身の理解を明確に伝えることができない。そればかりか、最悪の場合、これは剽窃に近い行為となり、わずかに変更した文章を自分のオリジナルの文章として見せかけることになる。代わりに、自分自身の方法でアイデアを構造化し、特に自身の論文のアイデアに適切な背景と裏付けを与えるようなかたちで取り組もう。

指導教員からのアドバイスは貴重だが、指導教員からライティングの細かい点について詳細なアドバイスがもらえると思うべきではない。指導教員は適切なライティングスタイルの指導のために、数ページにわたって詳細なコメントをすることがあるが、全体にわたってそうするわけではない。また、指導教員によっては、専門的な知識をもっていても、ライティングの指導は自分の仕事ではないと考えているかもしれない。

指導教員とライティングに関して腹を割って話すことは重要だ。これにより、互いの期待値が異なるという事態を避けることができる。同僚学生から相互的支援を得ることも有益だ。学生同士または少人数のグループでの合意のもと、お互いの論文を読み合う「バディ」形式（二一〇ページ）は、指導教員からのアドバイスと同じくらい有益となる場合がある。

ライターズブロック

「ライターズブロック」という言葉はさまざまな状況で使われている。レイ・ブラッドベリやヒラリー・マンテルなど著名な作家も経験しており、普段からストーリーや登場人物を創作する活動に慣れているのに、一時的にそれに必要な言葉が見つからなくなる現象であると語られている。この「ライターズブロック」は、学術論文や研究論文をどうしても書くことができず、書けないという苦しさからすべてを諦めることすらある博士課程の学生やその他の学者にも当てはまる。ただし、同じ表現を使ってはいるものの、学者と小説家は明らかに異なる執筆活動に取り組んでいる。創作家はある状況を想像し、そこから生まれてきたものをとことん追いかけていく活動に取り組む。研究者は自分がなしとげたことを解釈し、それを説明しなくてはならないが、それだけに非常に限られた範囲内のことを扱う。

学術的な著作活動をする際のライターズブロックの主だった原因は、次のようである。

- 著者が執筆に慣れておらず、書く練習が足りない。
- 著者が自分のした研究とその結果を見て、書くに値しないのではないかと思い込む。
- 著者は書きはじめる前に何を書きたいかを知っているべきだと思っている。
- 著者が自分の研究についてうまく表現するために必要な、膨大で終わりのない文章量を想像し、どこから始めてよいか分からなくなる。

すでに述べたように、研究を重ねている博士学生が直面する著作活動という問題は、小説家が直面する著作活動の問題とは異なる。そうであるにしても、小説家のマーク・トウェインはアカデミックな論文を書く者に役立つことを書き残している。「先に進むための秘訣は、まず始めることにある。まず始めるための秘訣は、複雑な仕事を、取り組みやすい小さな仕事に分解し、最初の一つに取りかかることだ」。

つまり、メッセージはこうだ——少しずつ、しかし確実に始めよ。もし行き詰まったら、論文のすべてを書き上げようとしないこと。自分がよく知っている内容のなかでも小さな箇所を選び（器具、アンケート用紙、試料、歴史的な時代区分、なぜその課題を選んだのか、先行研究に見られる限界など）、そしてそれについて書くことだ。ここで忘れてはならないのは、小説家と違い、新たな世界を作り出す必要などないのだ。よく知っていることを選び、それについて書けばいいだけの話である。

もし（といってもそうではないことを望むが）、「書き上げる」段階まで来て、長めの文章を書く経験をほとんど、もしくはまったく積んでいなければ、この章の初めに戻り、執筆活動で経験を積むための提案に従うことを勧める。「こんなこと書いて本当に意味があるのかな」と感じる気持ちは、どんな著作家でも経験する。小説家のフランツ・カフカは遺書に自分の著作はどれも不十分であるがゆえに破棄すべきだとの指示を書き残している。幸いにも、カフカの指示は無視され、彼は二〇世紀を代表する最も重要な作家の一人であると言われるまでになった。博士課程学生も、研究結果が出て、誰しもその結果を見ることができるようになった今となっては、たいした結果ではないなと感じるかもしれない。しかし、思い起こせばカフカでさえも、なお不十分だという自身の気持ちにもかかわらず、きっといつかより良い作品が書けるようになるはずだと考え、書き続けたわけである。あなたも書けば書くほど文章がうまくなるのだという確信のもと、一六九ページの「ライティング工程サイクル」に従い、書き続ける必要がある。執筆活動自体が新たな案を生み出し、内容を合理的な順序に正し、結論を導出するのだ。

「書くことがありすぎてどこから書いてよいか分からない」という気持ちは解消できる。マーク・トウェインが言ったように、まずは作業をより細かいセクションに分けることから始めよう。たとえば、論文の各章のタイトル案をリストアップし、それぞれの章にトピックを割り振り、さらにその下に要点を並べることも可能だろう。このようにリスト化する間に、どこかのセクションがすんなり書けそうだと感じたら、そこから取りかかればよい。

どこから書けばよいか、あるいは次に何を書けばよいのかという質問に対する答えは、その時々に応じて、今一番簡単に書けそうなところを選べばよい、ということである。簡単な道を選ぶことに罪悪感を抱く必要はない。何かを書くということは簡単ではないが、その時点において他よりも書きやすい部分というところがあるものだ。

論文の内容と文体

▼内容

博士論文の一般的な形式についてはすでに述べた。論文内では自分が行った研究のさまざまな側面について述べ、説明しなければならない。読者にとって新しい情報や考察などを明瞭に書き表す必要がある。つまり、〔言うまでもないと思っていることでも〕議論の前提を明確にしてアイデアを表現する必要がある。ある考えを他の考えと結びつけたり、特定の仮説から生まれたりする思考は、明確に文章化されなければならない。「良い文章によって悪い考えを直すことはできない」「頭の中にある考えをはっきりと書き表すことができない」といった感想は、博士論文執筆者からよく聞かれる。だが、著名な詩人、作家、そして心理学者が認めるように、本当に考えることができるのは書いているときだけである。これはすべての著作活動に当てはまることなのかもしれない。

EMPの調査によると、多くの学生や指導教員は、論文では高度に構造化された比較的短い文章内に、非常に多くの情報を圧縮して書き込むべきであると考えている。指導教員は、学生が自分の取り組んでいる課題を要約し、概念化するために必要なことをようやく理解したのだとして、これに肯定的なまなざしを向ける。「論文の進化はどちらかといえば長さを変えることではなく、もともと一冊の大きな本だったものを、一つのテーマによってつながり、一つの課題に関する全側面を検証する二、三ないしは四つのプロジェクトにしていくことにある」とある指導教員は説明する。また別の経験豊富な審査委員は、このことを「ひとつながりになっているソーセージを一つの小さなサラミに変えることだ！」というのである。

一方、学生はこの要求をせっかく努力して集めた豊かな情報を犠牲にする否定的なものとして見る。彼らは多岐にわたる多くのことを無理やり一つのセクションに詰め込まなくてはならないと不満を漏らし、論文の形式を拘束的なものだと見てしまう。もっとも、多くの学生は自分に求められていることが何なのかを理解している。ある学生は、「良い論文であるためには、行った作業が何らかの問題に関連している必要があり、方法論において有効であることが求められる。また、その表現においては明確でなければならない」と説明した。

▼文体

第3章（四〇〜四一ページ）では、学術誌を定期的に読むことを提案した。自分の分野において現在受け入れられている文体がどんなものかを知り、参考にする意味でも、関連する学術誌を読むことは有効である。最初からこのスタイルで書く訓練を行い、ある程度習熟しておくようにすべきだ。

論文の「引用と脚注の規則」は細かいことだが重要だ。脚注の活用は推奨される？　それとも許容される？　はたまた禁止されている？　引用スタイルは何？　大学の規定を遵守することが重要だ。引用したすべての文献が参考文献に記載されているか、確認しよう。そしてミスがないように再度確認しよう！　こうした「些細なこと」はあまり重要と思えないかもしれないが、ミスを犯せば審査員の心証を悪くしてしまい、出だしからつまずくことになってしまう。参考文献は几帳面に記さなければならない。

▼論文の文体における代替スタイル

時代が変わり、社会科学や人文科学のなかには、代替的な論文スタイルが徐々に受け入れられるようになってきている。「アカデミック」なものとして認知される言葉で研究内容を表現する代わりに、手紙を書くような筆致で論文を書くことである。内容が明確であいまいでない限り、問題ないとされる。こうした考えは他の分野にも当てはまるかもしれないが、自分の分野がそれを許容するかどうかは注意深く確認しなければならない。

マレー（Murray 2017）は、日々の自由な書き物や自分のためのノートなどで使われるインフォーマルでシンプルな筆致と、論文のセクションごとの草稿で使われるようなフォーマルな、あるいはよりアカデミックな筆致を区別した。マレーの例が示すところによれば、論文に使われるアカデミック・ライティングは過去形で受動態が用いられ、客観的視点であり、断固として書き手の個人的な思惑は排除される。私たち著者は、すべての分野やトピックで必ずしもこれが必要であるとは思わない。研究や考えを描写する方法は、研究分野によって特有の「しきたり」があることが多い。自身の研究分野の学術誌に掲載された論文を読んで、この点を明らかにすることは可能だが、そうした「しきたり」は時とともに変化する場合がある。

マレーは、自身の書いたものを自分で読んで理解することは、より正確な言葉でアイデアを表現するために有効だと言う。また、用語を慎重に定義し、すぐれた根拠で内容の「ディフェンス」を強化することの重要性も強調している。私たち著者もこれに強く同意するが、必ずしも専門用語を使わずとも達成できると思われる。研究を同僚だけでなく、門外漢である家族にどのように説明するか考えてみよう。その上で、家族に対するときと同じ内容の説明が同僚に対するときにもできれば、あなたはアインシュタインが提唱したような、非専門家とプロの両方に対し同じように説明するという高度な技能を得たといえる。

ハートレー（Hartley 2004）は、「時代を超えて影響力のある文章は、そうでないものより平易で分かりやすく書かれている」という説を証明するために、文章の読みやすさを測る標準的な基準（the Flesch Reading Ease score：ＦＲＥ）を用いた研究を行った。その結果、アインシュタインの相対性に関する初の論文やＤＮＡ構造で知られるワトソンとクリック（Watson and Crick 1953）の論文のようなクラシックな論文は、実際に「平易で分かりやすい文章」で書かれていることが分かった。最近では、ハートレー（Hartley 2015）は、ＦＲＥスコアが低い投稿を、ジャーナルが自動的にリジェクトすることを提案している。もちろん、特定の用語が特定の状況下で使われる場合、専門用語は必要になる。しかし、それが必ずしも論文を複雑・難解にするわけではない。

文章の読みやすさを向上させるためにはどうすればよいだろう？　ＦＲＥなどの尺度は、短文で冗長さが少ない文を評価する。オクセンハムとサトン（Oxenham and Sutton 2015）は次のように述べる。「……書くことに時間をかけよう。時間は重要だ。生気を失ってはいけない。自分自身と読者をあなたが書いた世界に引き戻そう。何よりも、読者のことを考え、簡潔な言葉で大きな世界を描くようにしよう」。

また、コンピュータベースのツールを使用して、文章の読みやすさを評価し、改善策を提案することもできる。Flesch-Kincaid Readability（https://www.webfx.com/tools/read-able/flesch-kincaid.html）などのいくつかのウェブサイトでは、テキストのサンプルを入力して読みやすさのスコアを計算することができる。

また、無料版（たとえば http://www.hemingwayapp.com）や有料課金版（たとえば https://grammarly.com）など、文法チェッカーツールもいくつかある。たとえば、Hemingway アプリは、副詞や受動態の使用が過剰であるかどうかを調べ、読みにくかったり複雑だったりする文章に対しパラフレーズのアイデアを提供する。

どの程度個人的な意見を入れてよいか、あるいはどの程度研究者の言葉で書いてよいかは、専門分野によって異なる。このことは、公平性の問題がある場合――自分とは異なる意見をいかに提示するか決める際など――に重要である。主観的な見解を入れたいときは、それが本当にあなた自身の見解であること、そして理論や考え、あるいは「事実」といったものを客観的に描写する方法を完全に理解していることが前提になる。主観と客観を異なるフォントで分けるのもよいかもしれない。

私たち著者は、自分の論文が他のプロフェッショナルな仲間にとって読みやすい文章になるようにする努力に拍手喝采を送る。自分の分野において、どのジャーナルでもよいが、最新のものを手に取って見てみるとよい。すべて現在要求される慣習に従って書かれていても、それでもやはりそのなかで、他よりも読みやすい文章で書かれているものが見つかるだろう。その書き方を真似するとよい。

学会発表論文とジャーナル論文を書く

あなたが完全なプロの研究者となる過程で、博士課程学生として念頭に置いておくべき著作物が二つある。それは学会発表論文とジャーナル論文である。これらは、あなたの論文が、同じ分野で働くプロの同輩たちが耳を傾けたくなる内容をもちあわせているかを試す方法でもある。研究の後半のどこかの時点で、学会での論文発表が可能か、またジャーナルに論文を載せられるか検討するべきである。これらの論文は博士論文よりはるかに短く、研究全体のうちの一側面や一部分しか取り扱うことができないのが普通である。

学会発表論文は普通ジャーナル論文よりもアクセプトされやすく、まずはここから取りかかってみることを勧める。実際、多くの大規模な博士課程においては学科自体がその内部でカンファレンスをもち、お手柔らかにプレゼンテーションを聞く機会を設けてくれる。求められる水準の見通しを得るため、提出済みの博士論文を読むべきだと勧めたように、自分が報告をしたい分野のカンファレンスで発表された学会報告のペーパーを入手し、目を通すべきである。あなたの指導教員やその学会をとりまとめている団体なら、そのような論文を紹介してくれるであろう。多くの学問分野において、博士課程の学生が発表するための特別な枠を設けてあるので、最初の公開発表をそのようなより守られた環境内で行うことが可能であれば、そうするのが賢明である。あなたはそのような場で発表された学生の論文をいくつも読み、自分の学問分野で研究している学生に求められていることは何なのかを把握する必要がある。うまくいけば、他の学生の初期の努力の結果を読むことが、自分も貢献できるものがあると感じるきっかけとなるだろう。多くの場合、このような学会やカンファレンスで発表するときに必要な〔交通費や参加費といった〕予算があり、費用を大学が賄ってくれる。もし発表が認められれば、そのような財政的支援を受けられるかどうか、ためらわずに聞いてみるとよい。

より大きなステップは、学術誌に掲載するための論文の作成である。この作業が重要なのは、専攻分野における専門家にとって、自分の書いた論文がアクセス可能になることを意味するからである。出版に至った論文は博士論文の提出の際にもサポート資料として提示することができる（二七〇ページ参照）。

もし自分の指導教員の一人が研究代表者である自然科学系の研究環境で、大きな研究プロジェクトの一員となって研究を進めている場合は、おそらく最初に出版される論文は指導教員との共著として出版されるだろう。これには出版の経験が豊富な研究者とともに研究することにより、「出版の奥義」を教わることができる利点がある。

もしもあなたがより個別で研究を行う環境におかれているとすれば、最初の課題はどの学術誌に提出すべきかを決めることである。これは一般的に初心者が思うよりもはるかに注意深く検討しなければならない。すべての学問分野において多数の学術刊行物があり、選択の余地がある。掲載を真剣に検討してもらいたいのなら、あなたの貢献はその学術誌のポリシーと慣習に沿ったものである必要がある。もし実証的な研究結果を発表するのであれば、文献レビューや解説記事中心の学術誌に提出するのは無意味な行為である。もしあなたの論文が、あるトピック内で何かに特化したテクニカルな内容であれば、そのトピックを専門的に扱う学術誌に掲載されるべきであり、ほかの問題に特化した刊行物で発表するべきではない。すべての学術誌の編集者は、どのようなスタンダードを設定していたとしても、その雑誌にとって不適切な投稿を多く受け取っているという。

あなたの論文を受け入れてくれそうな学術誌を、指導教員の助けを借りて見つけたら、次にすべきは、その雑誌に掲載された最近の論文のなかで特にすぐれたものを見つけることである。どれがすぐれた論文なのか、指導教員と意見を一致させておいた方がよい。次にそれがなぜすぐれていると感じるのか、検証するべきである。論点が合理的に構成されているからなのか、集めたデータの信頼性と妥当性なのか、それとも分析の形式と厳密さにあるのか、あるいは結果のオリジナリティや結論の明確さなのか、見極めるのだ。この検証は、あなた自身が自分の学問の能力をいかにその水準まで引き上げるか検討するガイドともなりうる。

出版のために論文を用意するプロセスは、この章で先に述べたようなライティング工程と同じプロセスを歩むことになる。草稿の作成後、まずは同輩からのフィードバックを得て、次に指導教員からもフィードバックを得る。このことは学術誌に投稿する準備が整うまで続く。一流の学者は皆、定期的に学術誌に掲載する論文をレビューしている。あなたの論文が学術誌の審査プロセスを通れば、あなたと同じ分野の有力な学者から非常に関連性の高いフィードバックを得られることとなる。もちろんこれは、その論文を改善する上で役立つだけでなく、博士論文の向上の手助けにもなる。

学会などのカンファレンスにおいて論文を発表し、ジャーナル投稿論文を書くことは、博士課程学生が専門家になるまでの道のりにおける重要な部分ではあるものの、リスクもはらんでおり、用心するに越したことはない。

第一に、現時点において、ジャーナルへの掲載経験は博士号取得の要件ではない。確かに大学の規定で「審査委員はその論文が出版に値するものかどうか見極める必要がある」と謳っているものの、ここでいう「出版」とは、「〇〇大学の博士論文」という名称とともにその大学の図書館で保管されるべきものである、という意味である。

第二に、本来は博士論文を書くために費やせたはずの時間が、他の文献の著作活動に回されてしまうことは、強く懸念される。論文は手ごわいため、学生の一部には論文を書くことを考えるだけでパニックに陥ってしまう者もいる。これらのパニック症状は何も書いていないことへの罪悪感とせめぎあう。これらの感情を抑えるためにできるのは、書くことにほかならないのだが、どうしても博士論文以外のものを書こうとしてしまう。よって、出版を目指して論文を書くという行為自体は理にかなっているが、いずれ書かなくてはならなくなる実際の博士論文を書くのを避けるために使われてしまう。

もし論文の執筆活動にプロフェッショナルな態度でアプローチし、それに余分な時間をかけず、そしてそれが審査に送り出された時点ですぐに博士論文の執筆活動に戻れるとすれば、それは有効な時間活用である。しかし、その記事や論文の執筆活動が延々と続き、学術誌に掲載するには今一つという状態に常にあり、いつも「あとちょっとだけ」書くことに時間と注意を注ぐ必要があるとすれば、それは博士論文を書き、完成させるために必要な作業から身を遠ざけているとしか言いようがない。このような理由から出版に向けた著作作業については必ず指導教員から同意を得て、指導を受ける過程のなかでしっかりと管理を受けるべきである。

とはいえ結局、博士課程学生である間にそのような論文を書くかどうかはその人次第である。もしこの博士号取得への道のりをプロになるためのトレーニング期間として見るなら、こうした論文の執筆について学ぶことは、教え方や研究の仕方を学ぶのと同様、重要な要素である。そこから得たいものが何なのかを事前に把握し、結果的に何をしたいのかを理解している限り、独自の具体的な目標を立てることに問題はない。博士号を取得するための基準はみな同じである（つまりオリジナルな業績を提示し、それをディフェンスすること）。これらの基準を満たせば、必要なスキルも自由に育ててよいというわけである。

研究についてのフォーマルな文章に加えて、より広い読者層を対象とした文章を書くことを検討してみてもよい。

たとえば、定期的に短い更新を投稿するブログや、新聞や雑誌の記事に似たスタイルで研究内容を紹介するThe Conversation（https://theconversation.com/）のようなウェブサイトに寄稿することができる。このようなよりカジュアルな文章は、専門用語や細かい議論でごまかすことができず、日常語を使ってアイデアの核心に迫る必要が生じるので、自分の考えを形作るのに役立つ。より広い読者層に伝わるだけでなく、自分の研究について何が本当に重要なのかを特定するのにも役立つ。ただし、このような活動に過度にコミットすることは避けるべきだ。注意しないと、研究をして博士論文を書く、という中心的なタスクから逃げる「転位行動」になってしまう。

オープンアクセス

ここ数年の間、大学において学術的な出版物をオープンアクセス化するべきかどうか活発な議論が行われてきた。つまり、文献や博士論文などをウェブ公開し、誰でもそれをダウンロードできるようにするかどうか、ということである。特定の学問分野においては、いわゆるプレプリントサーバーと呼ばれるものを使用し、査読される前の段階からいち早く論文原稿を公開することが標準となっている。他の分野では、このようなことがされているなどということすらほとんど知られていない。自分の分野において、何が常識なのかよく調べておくよう勧める。

博士課程学生として特に重要なのは、最終的に書き上げ、受理された論文をウェブ公開するかどうか決めることである。多くの大学の図書館では、審査委員が目を通して受理された論文についてはオンラインアクセスを可能とし、その論文をダウンロードできるようにするオプションを提供してくれる。また、別の方法として自分自身が運営するウェブサイトを通して公開する方法もある。このように公開することには多くのメリットがある。最も明らかなのは、世界中の人があなたの研究結果を読み、それをもとにさらなる研究を進められることだ。しかし、公開しない、あるいは公開まで数年の時間をおいた方がよい理由も考えられる（この後者の選択は、英語圏ではembargo-ing the thesis, つまり論文を「禁制する」とか「抑留する」などの表現で言い表されている）。たとえば、自分の研究をもとに本を出版したいと考えているとき、もし論文が公開されているのであれば、出版社はオンラインアクセス可能なものの出版に対して興味が薄まってしまう心配がある。また、博士論文後に続きの論文を書きたいと考えているものの、この結果が簡単にオンラインアクセス可能になった場合、自分がそのような論文を書く前にほかの人が自分の成果をもとにさらなる研究を重ねてしまうという心配がある場合などがある。

商業的なスポンサーがいる博士課程学生の論文に関して、審査後何年間は公開しないという同意書を交わしている場合もある。最終的には指導教員と相談し、オープンアクセスとするかどうかを選択する。実際、論文を審査に出す前の進捗報告会議の最終回で、オープンアクセスにするか否かという議題項目をアジェンダに盛り込んでいる大学が多い。

かつてジャーナル論文は、所属大学の図書館がそのジャーナルと購読契約を結んでいる場合のみ、あるいはコピー代を払えば入手できたが、現在では、多くの論文がウェブ上で無料で入手できるようになっている。一部のジャーナルでは、著者が自分の論文のコピーをウェブ上に置くことができるグリーンオープンアクセスを許可しているが、これには条件が付く場合が多い。たとえば、ジャーナルのウェブサイトへのリンク作成や、出版後一年間オンラインに公開しないことなどである。

あなたの大学ではどのようになっているか調べてみよう。多くのジャーナルでは、ゴールドオープンアクセスを使用しており、大学に対して論文を公開するために料金を請求している。あなたは、あなたの大学や学科内に、論文をオープンアクセスにするための基金があるかどうか調べる必要がある。ジャーナルオープンアクセスポリシーの包括的なデータベースは、Sherpa Romeo（https://v2.sherpa.ac.uk/romeo/）で利用可能だ。

「オープンアクセス」に加えて、さらに広い概念の「オープンサイエンス」と「オープンリサーチ」というトレンドがある。これらの目的は以下だ。

・研究過程で生成された幅広い資料を公開すること。
・それにより、他の研究者が新しい方法で再分析できるようにすること。
・他の研究者がその研究を基盤として研究を進めることができるようにすること。

たとえば、自然科学系の研究者は、自分たちの研究に使用したコードを公開することがある。社会科学系の研究者は、適切に匿名化されたデータセットをウェブ上に公開することがある。人文科学系の研究者は、他の研究者が分析できるように注釈付きの原典資料のコレクションを公開することがある。一部の分野では、オープンデータを含まない論文は掲載されないことさえある。たとえば、*Journal of Structural Biology* では、「生物マクロ分子の高分解能構造を記述する論文については、座標および関連する実験データを……蛋白質構造データバンクのメンバーサイトに登録しなければならない」と明記されている。

研究資料を公開することには多くの価値があり、研究コミュニティに広範な影響を与える良い方法である。しかし、そう単純な話ではないこともある。データセットやコードが他の研究者によって使用されるためには、自身の作業だけでなく、より正確に注釈を付ける必要がある可能性がある。さらに、それに関する前提条件を注意深く説明し、使用方法についての指示を明確にする必要がある。

政府資金提供機関は、オープンアクセスを通じて研究成果を公開することを求めるようになっている。世界中の多くの機関が Plan S (https://www.coalition-s.org/why-plan-s/) に加入しており、その使命は「科学はペイウォールに閉ざされるべきではない」というものだ。博士課程が研究助成金から資金提供されている場合や大規模な博士課程教育センターに参加している場合、指導教員は出版について関連する要件を知らせるべきだろう。

偽カンファレンス、偽ジャーナル、そして自費出版

博士号の取得過程、もしくは博士論文を提出した後で成果を出版するかどうかは、自分の携わる学問分野の慣習による。指導教員や信頼できる学者と、そして最近博士号を取得したばかりの元学生と話し、どのようなところで、いつ出版をするのが適切なのかをたずねるとよい。

自分の業績を何らかの形で出版するときに気をつけなくてはならないのは、経験の浅い研究者を標的にした実に多くの「偽」カンファレンスやジャーナル、そして出版社が存在することである。これらは、あなた自身の業績を世に知らしめ認めてもらう正当な機会のような顔で現れるものの、実際はどこかの業者があなたの学問的な野心を利用し、金儲けをしようとする機会にすぎない。

これらの偽カンファレンス（英語圏では俗に「スパムファレンス」とも呼ばれる）は、たいてい対面のイベントであり、多くはエキゾティックな場所で行われ、クオリティコントロールがまったくなく、提出された論文のすべてを受け入れるのである。二〇〇五年にマサチューセッツ工科大学の博士課程学生のグループが、表面上科学論文のように見える無意味な文章を自動で打ち出すプログラムを書いた。次はその文面からの抜粋である。

我々はデジタルからアナログへのコンバータの必要性に疑問をもった。進化的プログラミングの評価なしに、同種の認識論を利用することを我々は認めていることに留意すべきである(2)(12)(14)。反対に、ルックアサイドバッファは、エンドユーザが期待した万能薬ではないかもしれない。しかし、この方法は決して混乱をきたすことはないと考えられる。我々のアプローチでは、ナレッジベース通信のスレッジハンマーをメスに変えているのである。

このような意味のない「論文」が、すんなりと偽カンファレンスの一つに受け入れられたのだ。

またある学生はそのようなカンファレンスに論文を提出し、多くのイベントが同時進行で行われていることを会場到着時に知った。発表をすることになっていた量子力学についての発表は、古代ギリシャの宗教についての発表、そして農業に関する発表とともに行われることになっていたのである。

これらのイベントは自分のキャリアや研究に明らかに役立たないものである。自分の業績に関する有用なフィードバックを得ることもなければ、専攻分野における第一人者などに会うこともない。また自分の履歴書に書けるようなことでもない。

学術誌や書籍などの出版物もこれらの悪徳業者の標的となりやすい。ある日、ラシッドは非常に興奮していた。彼の論文を出版したいと出版社から申し出があったのである。残念なことに、その場に居合わせた同じ学科の多数の学生も、同じ申し出を受けていた。彼らの指導教員が学生たちに事実を打ち明けるのには心痛むものがあった。彼らが受けた申し出は、高尚な文書でもって、彼らの業績が称えられている電子メールで、これらはいずれも大学のウェブページを徘徊しかき集めた情報をもとに誰かが書いたものであり、実際に出版するとなるとかなりのお金をつぎ込まなくてはならなくなる、といったものである。このような自費出版をもちかける業者は、出版物を読むべき人に読んでもらいたいとは思っていない上、自分の将来のキャリアに関して害になる可能性もある。

どうすれば避けられるだろうか。まずは指導教員と大学の同輩に相談するのがよい。彼らはどのカンファレンス、ジャーナル、そして出版社が正当なものか、見当がついている。さらに、これらについてはオンラインリストも存在する。「偽ジャーナル」や「偽カンファレンス」、そして「学術自費出版」などの言葉で検索をかけてみよう。それらを避けることで、本当に意味のあるところで出版をし、自分の研究課題の結果を出発点に、研究を進めてくれるような読むべき人に読んでもらい、そこから学術的な知名度を上げていけばよいのである。

第8章
博士課程のプロセス

本章のポイント

1. 博士号取得までの道のりには心理的な段階があることに留意しよう。指導教員やピアサポートグループと話し、どの段階でも行き詰まらないようにしよう。
2. 指導教員と協力して、二一六ページに示されている図のように、研究の段階全体の時間計画を作成しよう。これにより、自分のタスクを時間軸上に位置づけることができる。また、この計画表を使って自身の進捗を把握することで、博士課程を続けるモチベーションを維持しよう。
3. 各段階でTODOリストを作成しよう。これにより、詳細な進捗を把握でき、ストレスを軽減できる。
4. 博士課程への本登録やその他の進捗チェックの節目に関する手続きを調べ、それらに従うようにしよう。
5. このやり方は、(たびたびある)作業の遅れから短期目標を見直す際にも便利だ。長期目標を見直すのが必要なこともある。
6. 締切は重要である。現実的な目標を立てて、それらを達成しよう。外部の制約(たとえば、学会発表、セミナー発表、実験やデータ収集の実施に必要な準備など)が存在しない場合、指導教員や仲間たちに報告するための擬似的な締切を設定し、やる気を高めよう。
7. 研究内容をお互いに批評しあい、励ましあい、締切を守るよう促しあうことのできる研究学生の仲間を、最低でも一人はもち、ピアサポートグループ(バディシステム)を作ろう。
8. インターネットのピアグループやSNSに参加し、連絡先を広げ、無関心や孤立感を減少させよう。もし、研究科にそのようなシステムがあるなら、積極的に参加しよう。
9. 研究科で教育に従事している場合は、大学から正式な契約で責任と報酬の詳細を確認した上で、教育スキルのトレーニングの機会を利用しよう。

10. 進捗に関する自己評価アンケート（付録1）を参考にして自身の課題を認識しよう。

博士号取得のプロセスは、必然的に複雑になる。学生はしばしば、トピックが確定したら、あとは見込み通りにゴールにたどりつけるだろう、という素朴な考えで研究を始めるが、残念ながらこれは全くの誤解である。第1章で議論したように、科学的方法の枠組み内でも、推測、再作業、後戻り、修正が必要であり、何よりも、博士号を取得するためにはインスピレーションが必要だ。不確実性は博士課程のプロセスにつきものであり、研究の成功にはあいまいさに対する耐性がなくてはならない。したがって、迷子にならないための道標が必要だ。

本章では、博士号取得までの道を二つの側面から考える。第一に、博士号への道のりには知的要素に加えて、多大な心理的要素が含まれるという事実を強調しつつ、この道のりにおける心理面について考察する。第二に、博士号取得をマネジメントすべきプロジェクトとして捉える。限られた時間内での成果達成に関わる実践的な問題を分析し、目標設定と締切確立が果たす重要な役割についても検討する。

心理面

博士課程の学生が経験する心理的な旅路には、いくつかの典型的な段階がある。これらは全ての学生に当てはまるわけではないが、多くは博士課程中に、以下で説明するような一連の経験をたどる。以下の説明は、三年間にわたる博士課程の途上にいる学生に対しＥＭＰが行ったインタビューにもとづいており、異なる段階における彼らの感情を描写することを目的としている。

▼熱狂

大学院生は期待と興奮のうちに研究を始める。しかし、この状態は課程をこなしてゆくにつれ変化する。この初期の興奮が終わるのは、たった一つの課題に長期間取り組まなければならないせいだ。工業大学で工業化学を学ぶフレディは、研究を続ける間、どんどん孤立していったと語った。

> はじめは目の前の作業に集中しなくちゃいけなくて、そのことで頭がいっぱいだった。いろいろあって熱意を失ったけど、はじめは研究にすごく熱中してて、いい研究ができるだろうと思ってたね。でも結局、それ以外のことの方が、ぼくをよっぽど満足させてくれることに気づいたよ。

一般的に、学生の初期の興奮は、具体的には初年度にできることの過大評価という形をとる。時が経ち、締切が近くなるにつれて、時間的制約や一つの課題に長期間向き合うことの単調さにストレスを感じるようになる。アダム（建築学専攻）は当初研究テーマの行く末に大きな期待をもっていた。「自分はやる気や熱意に満ちあふれているものの、それを組織立てることに弱い。指導教員に次に何をするべきか指示してほしい」と言っていた。後に彼は執筆が思考の整理に役立つことを理解したが、このときになって初めて、やりたいことのすべてを実行できるわけではないと気づいた。

最初の熱意を絶やさないためにも、研究の流れに沿って次から次へと現れる文流を追いかけるのではなく、できるだけ早いうちから本流のみに集中し、研究を推進していくのが大事であることに気づくべきだ。人とのつながりをもつためのネットワーキングへの参加やブログの執筆は自分を落ち着かせ、支流となるアイデアを楽しく探索する機会を与えるものの、本来の目的から逸脱しないように気をつけなくてはならない。

▼孤独

大学院生は研究テーマとある程度格闘すると、博士号取得のためにすべきでないことが分かってくる。通常、この時期までにもっと研究が進んでいるはずだったのにと感じ、その時点までになしとげた仕事量を振り返ってがっかりするという経験をする。そうした学生の例を挙げてみよう。

グレッグ（歴史学専攻）：一年目は大して研究が進んだとは思わない。もっとできたんじゃないかと思う。思い通りに研究が進まなくてイライラするけど、これ以上どれくらいできたのかは分からない。

アダム（建築学専攻）：研究はうまくいっているとは思うけど、ペースが遅すぎて、実際どの程度うまくいっているのか分からない。

チャールズ（天文学専攻）は研究期間中にとった他者とのコミュニケーションについて、次のように述べた。

コミュニケーションはほとんどの場合、表面的だ。会話はただ礼儀正しいだけで通りいっぺん。本当のコミュニケーションならもっと心が触れ合うことだろう。会話とコミュニケーションは別物だというしかないね。

チャールズは、指導教員との交流の量と質に不満を抱いていた。さらに、学部内の他の人々とはほとんど共通点がなく、誰とも自分の研究について話していないと感じていた。物理的には研究室を他の学生とシェアしているし、大学にも毎日来ているにもかかわらず、孤独を経験していた。同輩や指導教員との意見の交換や交流による知的な刺激に欠ける日々を過ごし、自分の研究テーマが他の人にとって重要でも面白くもないのではないかと感じ、やがてテーマへの関心を失っていった。研究のペースは落ち、行き詰まった。

第2章ではダイアナ（生物化学専攻）が、研究室で多くの人と一緒に研究していても、研究は孤独な作業であると不満を漏らしていたのを紹介した。ブラッドリー（英文学専攻）が「僕は完全に一人だけど孤立しているとは感じない。自分のペースでやれることに満足している」と異なる見解を述べたのとは対照的である。ダイアナとチャールズはブラッドリーより孤独ではないと思うかもしれないが、彼らにとっては完全に孤独な経験なのだ。ただし、ブラッドリーは、たくさんの時間を自分の自由に使うことができることについて、ダイアナやチャールズ、あるいはアダムの場合ほど極端な考えをもっていない。数カ月後、ブラッドリーは考え方を改め、次のように述べた。「大学院生は苦々しいものとして扱われる。僕たちはまったくアカデミックな世界の一員としては接してもらっていない。『孤独』にはやはりうんざりする」。これらの例に鑑みると、学生の主観的な認識は、客観的な状況と同じくらい重要な要素であるといえる。

知的な孤独は研究の成功のために不可欠かつ望ましいものである。しかし、デラモントら（Delamont, Atkinson, and Parry 2004）は、この知的な孤独感は社会的・感情的な孤独をともなう必要はないと述べている。専攻やトピック、大学にかかわらず、インタビューを受けた大学院生は、研究自体よりも研究する社会的環境の影響に苦しんでいた。しかし、その結果、初期の熱意を失い、研究のペースもほぼ停止状態にまで至ってしまったのである。

このような状況を回避する方法の一つとして、academic.stackexchange.com やフェイスブックの博士課程学生グループなどのウェブサイト、あるいはツイッターのハッシュタグ #phdlife などのフォローに少しだけ時間を割き、自分のしていることに興味をもってくれそうな人や自分と同じ心境にある人、同じような体験をしたことのある人を探してみるという対策も考えられる。同様に、www.postgraduateforum.com や米国にフォーカスした forum.

thegrad-cafe.com のような、博士課程の生活について議論している場もある。さらに、LinkedIn のようなネットワークを使って交流や情報発信するのもよい。地球の反対側にいるまったくの他人であったとしても、その人が研究に携わっていれば、このようなサイトを利用して短いやりとりをすることで、国際的な共同体の一員として自分を認識することにもつながるだろう。こうしたつながりは、周囲に博士課程学生が少なく、地域でネットワークをつくる機会が少ない大学に所属している場合には特に有用だ。

他の便利な手段として、全国的な団体からのサポートを得る方法もある。英国学生ユニオン（www.nus.org.uk）は、英国の学生を代表する重要な団体であり、学部生から大学院生までを対象とした支援・キャンペーン活動を行っている。残念なことに、近年では博士課程の学生に対する厚い支援が減少しているようだが（Lillywhite 2019）、将来的に状況は変わるかもしれない。もう一つの英国の支援団体である Vitae は、英国の大学のほとんどが加盟している団体であり、ウェブサイト（www.vitae.ac.uk）を運営し、対面およびオンラインで活動を行っている。これらの活動は、博士課程修了後のポスドクのキャリア形成にも役立つ。また、アカデミア以外での就職先を見つける際にもよい。これらの団体はＵＫＲＩによっても支援されており、特に助成金を受けている場合は、彼らのセッションに参加する権利があるかどうか確認するとよい。

▼作業に興味がわく

学生たちは自信をつけ、徐々に指導教員から自立するにつれ、研究自体がもつ内なる面白さを理由に、自らの研究にのめり込んでいく。一度努力が報われて、その結果をどう受け止めたらいいかが分かると、すぐに指導教員にアドバイスを求めに行く代わりに、自分で目の前の問題に取り組めるようになってくる。こうなると、手元の研究にどんどん夢中になっていくとともに、自分の取り組んでいる問題がさらに多くの時間とエネルギーを必要としていることに気がつく。

実際、ブラッドリー（英文学専攻）は、三年間の研究計画を自分できっちりとやりとげることができた、という感覚が大事であって、研究の原動力はこの内なるモチベーションだったと語った。最初は「研究しかやるべきことが思いつかなかったので、自然と研究していた」が、三年目の終わりまでには、研究を頑張って論文を完成させる以外のこともしたい、という「自然な欲求」が、以前と比べてはるかに弱くなった、と彼は語っている。最終的に論文は人生のなかで最も大切なものとなったが、最初は必ずしもそうではなかった。三年間の研究課程に取りかかりはじめたばかりの頃は、心の中に「あまのじゃく」がいて、研究科にも指導教員にも満足できなかった。過去にあったことを現在すべて肯定できているわけではないが、外部からの刺激は、作業にのめり込んでゆくうちにそれほど重要ではなくなっていった。外から指図を受けなくなったことで、自律性が養われていったとブラッドリーは語る。

▼指導教員依存から研究依存へ

学生たちが研究に熱中するにつれ、外部からの「承認の必要性」は小さくなる。実際、指導教員は学生を「自立させるプロセス」に取り組む必要がある。詳細は第11章で述べる。

アダム（建築学専攻）は博士課程の修了間際に言った。「はじめはフィードバックがすぐに欲しかったし、質問するのが怖かった。でも、自信がついてからはガムシャラに研究するのはやめ、不安はいつの間にかなくなった」。ここでアダムが語ったのは、研究をより自立して進められるようになり、それとともに「成果依存症」も軽快していく様子である。指導教官がフィードバックに必要な明確な基準のもとで進捗を評価できるのは、学生のアウトプットという手がかりがあってこそだ。だから、アダムの言葉は、外部の評価から自立するにつれ、自分で自分の進捗を自信をもって評価できるようになったことを示しているのだ。自身の研究の質に関する判断への自信が深まり、自分自身で思考を発展させることができるようになると、評価してもらったり、インスピレーションをもらったりするために、指導教員にコメントをもらいにいく必要性も薄まる。

アダムが第三者の介在なく自身の進捗度を評価し、自身の「指導教員」になるにつれ、ミーティングでアンドリュー教授に「何か具体的な成果を見せなければならない」というプレッシャーがなくなった。傍目には、以前ほど研究を一生懸命やっていないようにも見えるが、実際は、研究の進捗度を他人に見せるために無理に形にすることをしなくなっただけで、研究自体は、着実に進んでいた。

アダムの事例はイワン（核化学専攻）と比較できるかもしれない。イワンは自身の研究への自信を涵養しきれなかった。自分自身の進捗（あるいは進捗不足）から得られる学びに頼れるようになるには、この自信が必要不可欠なのである。

博士課程の修了間際にイワンは次のように言った。「初期の段階では指導教員との関係はよくなかったと思う。彼は直に情報をくれなかった。初めは指導もなく、自分で研究を進めなければならなかったが、後にそれは変わった。指導教員との関係がうまくいきはじめたら、フィードバックも自然に肯定的なものになった。指導教員のなかには最初から学生に取り組むべき研究課題を選別させる人もいる。それによって、違うやり方で課題に取り組む必要が生じるかもしれない。でも、あとあと一人で研究に取り組まなくてはならなくなるなら、その方がいいトレーニングになるかもしれないね」。

イワンの指導教員であるユーステース博士は当初、読んでおくべき文献のみを提示し、イワンが自分のアイデアを発展させるのを待っていた。しかし、博士は次第に、イワンが欲しているのは、それまで博士が行ってきたような助言（guidance）ではなく、研究に対する方向付け（direction）ではないかと考えるようになり、イワンが博士課程を修了する直前まで、より緊密な指導を続けた。さらに、同じ研究室に居たポスドクだったイワンの次の指導教官も、イワンの研究をさらに管理した。

イワンは指導教員の手厚い指導に満足していたが、結局彼を取り巻く過保護な環境がいかに研究に影響していたかを述べるに至った。イワンは過度な指導教員への依存と研究に対する内的な満足感・関与度の欠如には密接な関わりがあることに気づいたと言う。現在、イワンは外部からの管理の重要性を認めながらも、のちのち自立して研究を進めるためには指導教員への過度な依存は避けるべきだったかもしれないと考えている。

これら二つの事例は、研究学生と指導教員とのさまざまな関係、および研究において何が重要かをめぐるさまざまな認識を表している。それらはまた、指導教員が学生の進捗度を評価し、それを情報として伝える重要性を示してはいるが、学生にとっても、自分で得た手ごたえを常に自分で消化していくことの大切さを示唆している。

修了間際にイワンは次のように述べた。「良い指導を受けることは大事だ。僕の指導教員はそれをしてくれたと思う」。しかし、主任指導教員のユーステース博士は言う。「彼には本当に手取り足取り指導したからね。なんとかよい結果を得ることができてよかったよ」。事実、ユーステース博士はイワンが博士課程を修了するまで毎週のように指導を行い、イワンの論文を編集し、校正し、多くのセクションを書き直してあげた。イワンは最後まで指導教員への依存から脱却することはできず、自身の努力から得られる手ごたえを頼りにすることもできなかった。

▼退屈

博士課程の半ばにもなると、学生も飽きたり、困ったり、完全に行き詰まった気分になったりする。この「どこへも進まない症候群」については、研究者を含む多くのクリエイティブな仕事に携わる人々が口をそろえて証言する。その中には、これは自らの研究プロセスの一部であると述べる人も多くいる。指導教員もインタビューで「症候群」について述べている。フォースダイク教授（工業化学専攻）はフレディについて言った。「彼は半年間は苦しむだろうが、それを乗り切れば、研究成果が次から次へと出てくるよ」。

しかし、フレディはこう言う。「今は退屈な、論文には欠かせない、とぼとぼ歩くだけの時期だ。考えないで結果だけを追う、チャレンジのない期間だ」。

これについて、ブラッドリーも哲学的なことを言う。「夜明け前は常に最も暗いものだ。それが自分のおかれた状況というだけ。論文がその時期にあるというだけ」。

アダムは次のように言った。「今は自分のやっている研究が、学位をとるための水準に十分達したことが分かったから、興味を失くしてしまった。チャレンジはないね」。

グレッグ（古代史専攻）は言う。「今は研究の機械的な日々にうんざりしている」。

研究生活において、単調かつ繰り返し作業の日々が続くのは珍しくない。研究をどのようにシステム化するかを学び、継続するために自身を律していくなかで、必然的に通過する過程である。むしろ、研究が計画通りに進めば進むほど、すべては徐々に予測可能で単調になっていく。しかし、これらを一つの過程として正面から認識しさえすれば、こうした単調かつ繰り返しの作業に退屈しないというわけでもない。それでも、そのような状態は創造的なプロセスとは切っても切れない、潜在的な要素なのだと認識することで、それに対する最悪の反応から自分自身を守ることができるはずだ。

▼フラストレーション

研究が進むと、結果をさらに追究するにはどうしたらいいか、新しいアイデアがわいてくる。新たな冒険をすることは常に魅力的だが、決められた期限内に博士課程を終わらせたいのなら、脇道にそれることなく、計画通りに手元の研究を遂行した方がよい。もともとの課題に慣れれば慣れるほど、もどかしさはますます増してくる。目の前にある結果やアイデア、理論への追究が制約されるのは、博士課程に在学するほとんどの研究学生にとって不満とフラストレーションの源となる。

機械的で単調になった研究に対し、不満やフラストレーションが生じるのはよくあるが、そうしたものに研究を邪魔されないよう注意しよう。面白そうなものを追いかけ、手元の仕事から次々生まれてくるアイデアを探究できる立場にたどりつくには、正確に事を進めることの大事さを理解し、感情をコントロールしなくてはならない。研究を関心の赴くままに進めたいという欲求は、博士号を取得した後に満たせばよい。

自伝的小説『サーチ』(一九五八年版)のなかで、C・P・スノーは、機械的で単調な研究プログラムのせいで生じたこの種のフラストレーションに、どのように向きあったかについてうまく述べている。彼は、科学コミュニティに十分なインパクトをもたらし、わくわくするが一見突飛な〔手元のテーマとは無関係な〕研究ができるようになるまで、何年もの間、「食べるための〔基本的な〕仕事」をした。

私は権威ある人々が最初から私を「信頼できる気鋭の科学者」として扱ってくれるとは思っていなかった。自分で証明しなければならない。……手始めに安全な課題から取り組んだ。面白い研究ではなかったが、ある程度の成果は上がる仕事だった。将来が一時の間でも保証されると、私は長い間私を魅了してきた課題に再び取り組むことにした。地位と名誉はすでに得ていた。ともすれば不毛な探究に終わりかねない賭けに出る余裕はあったし、研究の経験も技術も十分に備えていた。

私たちとしては、あなたが博士号取得に向かって進めている研究にどうアプローチしたらよいかについて、こうした高名で聡明な研究者たちの言葉をアドバイスとして捧げる以上のことはできない。不満を、自分の歩む道からそれる原因にしてはならない。一度博士号を取得してしまえば、自分のアイデアを試すよりよい機会があることを覚えておこう。

▼終わらせるべき仕事

第3章では研究学生が博士課程の最終段階に至ったときに口にした、博士号に対するさまざまな見解を記した。博士号をゴールと考えるか――「絶対とるぞ！」――、完遂の途上にあるタスクと考えるか――「終わらせなきゃ！」――は、多くの学生のやる気にとって大切なようだ。学生生活の終わりにさしかかりつつある大学院生たちが、「研究を終わらせるために大事なことは、『頭のよさ』より『決意』『決断力』だ」と述べたことを、あなたはいつか思い出すだろう。

第2章で、この「頭のよさ」という概念が、博士課程の新入生の成長をどれほど妨げるかについて述べた。新入生は、博士号をもっている人はとても賢いと信じているので、博士号保持者を尊敬する。特に専攻を同じくし、著作論文を読んだことがある人に対しては強い憧れがある。同じように、彼らは自分をとても賢い存在とは思っておらず、今は、そしてこれからも、皆が憧れるあの学位には値しない存在だと心から思っている。しかし、実際に研究者として歩みはじめると、博士号の要件はそれほど際立った能力を要求してはいないことが分かる。ただ、継続する力、退屈やフラストレーションの感情を乗り越える力が必要なだけだ。

この気づきは博士号の見方を変える一歩だ。最終的には、研究という仕事は単なる「仕事」である、という認識にまで至っておく必要がある。もし、博士課程が終わる三年目までにこの境地に達していなければ、少し時間を使って、その研究で現実的に何を達成できそうなのか、正確に分析し直そう。もし、研究というのは他のタイプの仕事と同じく、一定の期限内に計画、実行、完了するべきものであると気づけていれば、あなたの博士課程は最後の重要な動機づけ段階に入ったことになる。終わらせるべき仕事がある――デッドラインを設定しなければならない時が来た。他の仕事と同じく、この仕事も最後には報酬が得られる。この場合、金銭的なボーナスではなく、より高位の学位で報われるのだ。

▼幸福感

論文提出後は期待と不安が交錯する日々が続く。論文の口頭審査（第10章で詳しく述べる）の日を待たなくてはならない。

日々論文に向かいあう必要はもはやなくなり、暮らしに穴が開いたような気持ち、肩の荷が下りた感じはするだろうが、まだすべて終わったわけではないことを思い出せば、そうした気持ちもしぼむ。最後の瞬間は、口頭審査が終わり、博士号を授与された後、あるいは決められた期限内に論文の部分的な修正を終えれば博士号を授与する旨、告知された後にやってくる。この段階においてどのような結論が出るのかについては、第10章でより詳しく述べる。

その後、あなたは喜びと解放感と達成感に包まれる。とてつもない自信がわいてきて、たとえば満員の教室でも、「周りの他の人のためにも、発表者に内容を確認する必要がある（私が必要だと思ったなら、他の多くの人も同じように思っているはずだ）」という信念をもって、質問をすることができる。「他の人は分かっているのに、アホすぎて内容が分からなかったトンマは自分だけだ」とはもう思うまい。こんなことを言っては不適切ではなかろうかと心配しながらゼミで言動を慎み、その後一〇分ほど経ってから誰か他の人がまさに同じことを質問するのを聞くはめになることもなくなる。喜びは徐々に弱まっていくだろう。たとえば書籍の出版など、他の仕事が必ず穴を埋めてくれる。だが、学位を取得したという自信は永遠なのだ。

はるか昔に目指しはじめたゴールにようやく到達した今、幸福感があなたのすべてを満たしている。研究に取り組んだ年月は、この幸福感で報われる感じがするだろう。これはまさに「満足遅延」というやつだが、博士号を取得した人は皆、この達成のすばらしさを語ってくれる。

疑念と不安

▼インポスターシンドローム

ここまで読み進めたあなたは、研究に必要な技術と心構えを獲得していることだろう。不安を感じるのはあなただけではない。博士課程の学生は皆同じだ。この不安とも、あなたはうまく折り合っていけるようになるだろう。博士課程を歩むにあたって、すべての心理的側面のなかで最も手がかかるのはこの不安であり、これは博士課程の全段階であなたについて回る。不安によって、「自分って博士になれるほど賢いのかな?」「他の研究者たちに『あいつは詐欺師だ』と思われやしないかな?」といった気持ちになるのである。

このような気持ちはときに「インポスター現象」や「詐欺師症候群」とも呼ばれるものである。これは自分の達成を内面的に肯定できないときに起こる心理状態である。実際の業績を見る限り十分な能力があるのは明らかなのに、このシンドロームを経験する者は、自分があげた業績を見ても、自分はそうした成功に値しない詐欺師であると固く信ずるのである。成功の証は、「運」、「タイミング」、または自分を本来よりも賢く有能な存在として他人に信じ込ませた結果として無視されてしまう。しかし、あなたの場合、このような体験は一時の事象として過ぎ去り、成功を内面的に肯定できるようになり、自信をもって自分の本当の姿なのだと感じる日が来るはずだ。

研究を進めていくなかで不安はときに大きくなったり、小さくなったりするが、不安から解放されることはない。それはときおり自分を襲うものであるが、いったん博士号取得に成功したときに感じる「肩の荷が下りた」感覚は、これまで長年つきまとっていた不安から解放される安堵感から来るものなのだ。

博士課程への心構えが変わるにつれ、あなたの振る舞いもそれに応じて変化していく。批判などに潰される弱者ではないことに、自信がついてきたことに気がつく。この自信は口頭審査の際、大きな助けとなる。はるか昔に始めた仕事はもうすぐ終わる。最後の光が見えているのだ。

いまや、あなたは事実として、そしてルーティンに身を任せて、ゴールへとまっすぐに進んでいる。しかし、指導教員と議論すべきことはまだある。書くべきもの、使わない文献と使う文献、統計解析や実験結果の確認、論文にまだ組み込んでいない未使用データの確認、さらに練るべき理論モデルもある。これらのふわふわした目標をうまくまとめ上げ、評価してもらう準備に取りかかるのだ。しっかり準備して完成度の高い論文を目指そう。

▼「先を越される」こと

多くの研究学生を不安にさせるのは、誰かが自分のトピックの研究を先に発表してしまう可能性だ。同じアプローチで、同じか似たような結果すら得ているかもしれない。「誰かが先にそれをやっていた」という事実は最もやる気をそぐものだろう。こうした同業者は遠くに住み、別の言語を話す人かもしれないのだ。

お互いをまったく知らない研究者が、似たような発見を同時期に行うのは決して偶然ではない。第4章でふれたクーン（Kuhn 1970）はこの現象について次のように説明している。科学の発展は、社会を次のステップ——最新の発見——へと進める前触れとなる。このステップに至るには科学的基礎が前提になければならないが、いったん基礎が築かれれば、世界中の研究者がそれを発展させる可能性をもつ。だからこれまでに会ったこともない異国の研究者たちが同時期に同じように重要な発見をして、ノーベル賞を共同受賞することがあるのだ。

関連した研究が出版されれば、多くの院生は自分が取り組んできた研究が無駄になったと感じる。指導教員でさえも、同様の研究が出てくれば学生の研究をどう位置づけるか迷いを感じるだろう。だが、心配は要らない。これまでの努力が無駄になるわけではない。

似たような研究がすでに発表されていても、結果が異なればあなた（もしくは指導教員）は著者とコンタクトをとり、自分の研究と既存の研究を結びつけて議論を喚起し、双方の研究の完成度を高めることができる。もし自分の研究が既存のものと似ていて結果も近ければ、既存の結果の正当性を初期に証明・補強したという貢献が得られる上、自分の研究の信用度を高めることもできる。今後自分の研究を刊行する際、これをやるのもよいかもしれない。あなたの発見は、既存の研究を支持しようがしまいが、研究分野における今後のあらゆる展開に役立つのだ。

最悪なのは、あなたの研究テーマを誰かが先に発表していること自体ではなく、それに気づかないことだ。大学院生として重要なのは研究分野の進展に常に目を配り、最新の情報を押さえていると示すことだ。

ヘルプとサポートの位置づけ

▼大学はどのように孤立の問題に取り組んでいるのか

大学や資金助成団体は、博士課程学生の孤立感解消のためにいくつもの取り組みを行っている。たとえば、一つの大学で一つの幅広い分野において多数の学生（通常は年間五〜一〇人の新入学の院生）をサポートする「博士課程教育センター」を支援することだ。このようなセンターに所属することで、孤独感を減らせるかもしれない。同世代の学生同士で話すことができるほか、彼らは専門分野についての知識をもっているだろう。第2章では、このようなセンターを利用するメリットとデメリットについて説明した。

また、実際の研究グループの外側には、数多くの研究活動――講義、研究セミナー、ジャーナルクラブなど――があるかもしれない。ただし、すべての人に適しているわけではない。このようなグループの活動のみで独自の研究成果を出すことは難しいかもしれないからだ。

また、より形式的ではないアプローチとして、地域のいくつかの大学が共通の分野でグループを形成することがある。これにより、単一の大学では実現困難な高度なコースやミニ会議などを実施することができる。

また孤立に対抗する方法として、外部組織とのコラボレーション型の博士号というものもある。たとえばUKRIは自らの出資により、学生が大学と科学技術企業の両方に拠点をおけるようになるCASE Awardsを多数開催している。同様に、彼らは大学と博物館、ギャラリー、劇場企業などの文化パートナー間のコラボレーションによる博士号取得に資金提供もしている。これにより、博士課程学生が二つの「拠点」をもつことも可能だ。うまくいけば、どちらかで閉塞感を抱いたり、孤独な気分になったりしたとしても、異なる視点をもつさまざまな人々と話す機会をつくれるだろう。

▼博士集団指導体制

他のやり方は、部局が年次集団指導体制をつくることである。この体制では学生が、特定の分野内で関連する諸テーマについて、一年の間、一つの部局で研究することを前提に選抜される。たとえば、材料工学専攻であれば合金の圧力、産業心理学専攻であれば職場のストレスといった具合である。学生はそうしたテーマのなかで自らの課題を設定する。それはきわめて個別的な課題で、総合的な研究プログラムとはかなりの距離があるだろう。集団をまとめるのはテーマに関心をもつ二人の教員であり、彼らがプロジェクト解散まで集団の全員にとって指導教員の役目を果たす。

この集団は、たとえば二週間おきに集まって各自の成果を発表しあう。これはワークショップの形をとり、一人の進捗や課題、アイデアはスタッフと他の学生によって議論される。情報を交換し、助けあい、フィードバックを交わし、他の人と経験を照らしあわせる。こうして、意見のシェアと交換が常に行われ、グループは支援ネットワークになっていく。さらに、Facetime、メールや電話、インフォーマルな集まりなどでもこうした交流は続く。このシステムは、学生としての帰属意識を強化し、彼らの学習にとって心強い支援枠組みとなるので、特にパートタイムの学生にとって良い効果をもたらす。

集団の初期のミーティングでは、導入にかかわる問題についてふれ、のちのミーティングでは、メンバーがいつ特定のスタッフとつながり、より伝統的な形態の博士課程学生になるかを決める。

集団のメンバー全員がそれぞれ別個の指導教員とペアになっても（集団のリーダーはこの枠内で動くことになる）、メンバーは集団としてのミーティングを続けたいと思っているだろう。集団の構造化と発展のためには、別な集団からもフィードバックを受け入れるフレキシビリティの維持が必要だが、集団の基本形態は初期から変わらずに存在する。

この体制には多くの利点があるが、主な欠点は、効果を発揮できるのが学生数が多い研究科に限られるということだ。小さな研究科では密接に関連する研究テーマをもつ学生を集めるのは大変だからだ。

一般的に、このセクションの冒頭でリストアップしたような理由から、特定の研究科と学生のニーズに柔軟に応えられる博士課程プログラムのコンセプトが最も有望な手立てであるのは間違いない。このコンセプトを発展させる過程では、必ずどこかのタイミングで解決すべき何らかの課題に直面することになるが、このうち最も手ごわいのは、博士課程の学生は博士課程の枠組内だけで教育されなければならない、という考えである。著者たちの目からは、そうとも限らないように見える。現在きわめて広く見られる研究資源の中央集権的管理に歯止めがかかるという点だけでも、よく指導された個々の学生は、プログラムにおいて重要な役割を果たすだろう。

▼自助努力、相互扶助グループ、バディシステム

博士課程でしばしば孤独や孤立を経験するのは事実だとしても、すでに述べたように必ずしもそうなる必然性はない。また先ほど提案したように、他に自分と同じような状況にある人と会う機会が定期的にあれば、さまざまな方法を使い、自分たちの問題を自分たちで解決できることに気づくだろう。自分の属する学科が集団指導体制などを準備・提供する前に、自分で同級生と一緒に何か手を打つ選択肢もある。これは俗に「バディシステムを築く」と呼ばれ、さまざまなメリットがある。

まず最も明らかなのは、誰も自分の研究に興味をもってくれず、関心ももってくれず、学位についてあなたが抱いている気持ちを気にかけてもくれない、そうした孤独からの脱却である。あなたが研究を進める上で落ち込み、退学してしまおうかと真剣に悩んだとしても、それは大学院生にありがちな悩みであり、あなただけに起こるわけでも、あなたの力不足のせいで起こるわけでもないことが分かる。気持ちの落ち込みは、ほとんどの研究学生がときどき経験するものなのだと気づけば、それは自分の力不足を証明するものではなく、単に乗り越えなければならないプロセスの一部にすぎないことに気づくものだ。

さらに、そうした気持ちをシェアし、その気持ちやそれが研究に及ぼす影響について誰かに話すことができれば

いっそう楽になる。グループのなかの一人が問題に直面すれば他の人が助けることができるし、その後それがグループの別の人に生じれば、いかなる問題か思い出し、それが乗り越えられる問題であることが分かるだろう。これは「アルコホーリクス・アノニマス」の様子のように聞こえるが、まさにそうだ。違うのは、何かをあきらめることが目的なのではなく、研究を続け、完成させることを目指すものである点だ。

グループやペア（博士課程の同じ段階にいる学生一人と組むだけでよい）の実用的なメリットは、締切を守る上で役立つことである。一人ひとりが研究目標と自身の定めた締切を宣言する。これによって、達成に向けたモチベーションを高めることができる。締切の日が来たら、ミーティングを設定して進捗状況を報告しあう。計画通りにできていたら次の目標を立て、できなければなぜできなかったのか、何が問題なのか、目標未達についてどう感じているのかを話しあう。研究の過程で新たに大きな発見をした、あるいは計画自体が野心的すぎたということもあるので、ときには未達を受け入れることが重要だ。理由が単なる言い訳でない限りは心配する必要はない。一方で、もし自分のミスで期限内に終わらせることができずへこんでいるのであれば、その原因をより詳しく詰める必要がある。理由が明確になり、やるべきことがはっきりしたぞ、とあなたおよび周囲の人たちが満足したなら、同じ研究目標か、あるいはそこに少し手を入れて、新しい締切を設定してよい。

研究学生同士のグループやペアを組むもう一つのメリットは、執筆へのフィードバックを得られることだ。必ずしも同じ専攻のなかでなければならないというわけではない。実際、あなたや同僚にとってはほとんど当たり前なことを、専門外の人に対して明確に説明するのは、執筆にとって非常に助けになるだろう。

研究分野が互いに多少なりとも通じあっているなら（同じ研究科ならよくあることだろう）、互いの研究テーマについて具体的な知識はなくてよい。たとえば、社会心理学専攻のイブリンと地理学専攻のジョイスは互いの章の草稿を批評しあった。もちろん彼らはお互いの専門について特別な知識はない。彼らはともに社会科学分野の専攻であり、社会科学の研究として適切な調査・統計手法を理解し、英語が読めるというだけだ。これは、論文執筆が相当に高度で専門的な段階に達するまでは、互いのコメントが有益たるに十分な条件だ。彼らにとって不明瞭な箇所を質問することで、互いに文章をより明確に、シンプルに分かりやすく改善するのに役立つ。複雑な構造の文章や論理の展開の難解な箇所は批判しあう。リサーチ結果から結論への論理の飛躍について質問し、互いの研究への内発的な興味を深めていくとともに、自身の研究を改良する仕方について互いに学びあう。彼らは、互いの協力なくしては期限内に博士論文を終わらせ、学位を獲得することができなかったと確信していた。彼らの固い友情はその後も続いており、互いに論文のコピーを誇らしげに保管している。

▼博士生活の社交

大学とその研究科は、研究の側面と同様に社交的な側面がある。多くの大学や研究科は、アカデミックなイベントに合わせて（たとえばセミナー後の飲み会）、あるいはそれとは別個に（たとえば毎週開催される研究科のお茶会）社交イベントをセッティングし、こうした社交を促している。同期の学生や指導教員を、同僚としてだけでなく一人の人間として深く知るのは楽しいものだ。ただし、参加できない学生が疎外感を抱く場合は問題となる。大学内の学生の多様性に配慮した社交活動がなされることが重要だ。通常勤務時間外のイベントは、子育て中の学生を排除する可能性があるし、アルコールを中心にしたイベントは宗教上の理由から参加できない学生がいる場合がある。また、パートタイムの学生は通常の勤務時間内にすべてが行われると苦労するかもしれない。したがって、研究科がさまざまな活動を提供することが重要であり、学生はそれらを組織する責任はなくとも、指導教員や研究チューターに対し、配慮に関して指摘することはできるだろう。

プロジェクトマネジメント

博士課程はあなたの生涯で最も長く複雑なプロジェクトの一つとなる。したがって、タイムマネジメント、締切の設定、タスク管理、マイルストーンの設定といったプロジェクトマネジメントのスキルが非常に重要だ。ここからは、先に述べた心理的側面と同様、こうしたマネジメントの側面をうまく取り扱うことの重要性について考えていこう。

▼タイムマネジメント

ここまでで述べてきた博士課程の心理的側面は博士課程の研究プロジェクト全体にわたって継続的に展開し、往々にして繰り返し循環する。博士号を取得するために必要な概念的かつ実践的な要件は、限られた時間の中でクリアしなければならない。だから、他のあらゆるプロジェクトのマネジメントと同じく、しっかりとした計画を立て、時間を管理するということがきわめて重要だ。

あなたには、もし学習期間があればそれを終えてから、博士課程を計画し、実行し、完遂するまでにフルタイムで三年、パートタイムで五~六年の時間がある。博士課程ですべきことはもちろんあらかじめ分かっているだろうが、具体的な事柄にいつどのように取り組むか、あなたはどれくらい真剣に考えているだろうか。

活動には二つのレベルがある。一つは、博士号取得に必要なタスクを限られた時間内に達成するための、現実的な計画に沿った大きなレベル。もう一つは、具体的なタスクを期限つきのタイムテーブルに移し達成することにかかわる詳細なレベルである。さらに、これらの活動は研究タスクの一部であると同時に、博士号取得に向けたタイムテーブルにとって必須の構成要素であるとみなすべきなのである。

まずは、大まかな計画を立てることが大切だ。イワンが核化学の研究を始めた頃に立てた計画を振り返ってみよう。「最終的には溶液中の原子の『形』を突きとめることができたらいいな」。彼はそれ以上、目標を具体化することはできなかったが、目標達成のために基礎的な研究段階を踏む必要性は理解した。具体的には、まず粘度計に目盛りを付けなければならないことが分かった。そのために、粘度の目盛りがこれまでどのように付けられたか、粘度に関する文献を調べた。しかし、調べはじめると先行研究には混乱があり、それを整理する必要があることに気づいた。そのために、学術誌上で報告された計算を数学者の助けを借りて確認した。こうしたことにより彼の目標は次のように精査された——「検証済みの計算式にもとづいて目盛り付けされた粘度計尺度により溶液中の原子の形状を発見すること」。以前より明確に定義されたこの大まかな計画は、イワンが何をすべきか考え、研究を進めていくうちに徐々に形作られていったのである。

このように計画が変化するのは特殊なことではない。新入生は、「三年か四年の課程の後、博士号を得る」という、ぼんやりした長期計画をもって入学してくる。短期目標はより明確にできるかもしれない——研究を開始する、研究したい内容を指導教員と話しあう、設備やサンプルに手をつけてみる、などなど。しかし、現実的にはこれ以上、なかなか目標ははっきりしないものだ。多くの学生が、時間的制約やこなさなくてはならない手元の仕事などを顧みず、しっかりとした研究計画を立てないまま研究に臨みがちだからだ。

はじめのうちは、三年間（パートタイムの場合は六年間）というのは一つの研究を完成させるのにはとてつもなく長く感じる。しかし、それは幻想にすぎない。たっぷり時間があると思って研究を進めていると、後でとんでもない目に遭う。ある生物化学専攻の大学院生はこれを辛苦のうちに学んだ。抗がん薬の研究を始めて二年が過ぎた頃のダイアナである。

もう二年が過ぎて、残りはたった一年しかないって気づいた。三年なんて少なすぎる。倍あっても足りない気がする。最初は長いなぁと思ったのに。以前は実験をして、その結果をさらに深めようとしていたのに、今ではさっさと終わらせて「これが結果です」と言いたい気分。

タイムマネジメントの成功を確実にするためには、研究計画の各パートを（指導教員との相談の上で）簡単に達成できそうな短期目標に分けることが必要だ。慣れてくればより複雑で長期にわたる目標にも対応できるようになる。あなたは、習得中の研究スキルに加え、学会発表論文、ジャーナル論文、セミナー発表、論文のチャプター、そして前回のグループミーティングや進捗ミーティング以降に進めた研究の報告に及ぶまで、それらに関わるライティングとプレゼンテーションのスキルを磨かなければならないのだ。

心に留めるべきは、設定する目標は、最初は短期でも、経験を積み自信がつくにともなって、より抽象的で長期にわたるものにしていく必要がある、ということだ。あなたの指導教員はあなたの進度にあった目標設定を手伝ってくれるはずだ。初年次は比較的シンプルな事柄から始め、研究の進展に合わせ、徐々に締切を遠くに設定していく。自信をつけるのに必要な時間が異なるため、設定すべき目標とその時期は人によって違う。しかし、博士論文を最終的に書き上げる段階になれば、親身な指導と短期目標への回帰がすべての学生にとって必要となる。

第11章で私たち著者は、学生の自立のために指導教員が学生のタイムマネジメントの実践を助ける方法を提案している。もし、やり終えた作業をふまえつつ、今後の作業の方針について指導教員と話しあう習慣がすでにできているなら、あなたはタイムマネジメントを進捗具合にどのように活かせるか率直な議論ができるだろう。

博士課程のなかで、各段階の時間的制約を見失わないことはきわめて重要だ。自己の進捗度の不確実性を軽減できずに、タイムマネジメントのコントロールを失ってしまったら、あなたがストレスを感じる確実性は非常に高いだろう。

▼ストレス対策

ストレスと呼ばれるものには二種類ある。一つは生産的な不安、あるいは肯定的なプレッシャーであり、それなしにはほとんど何も達成することができないものである。締切に間にあわせるには、そして「パフォーマンス」を高めるには、ストレスから来るアドレナリンが欠かせない。もう一つは自分を衰弱させる不安、あるいは否定的なプレッシャーであり、こちらが典型的な意味でのストレスだ。症状としては口内乾燥、発汗、心拍数の上昇、パニック発作、睡眠障害、そして絶え間ない不安の感情などが挙げられる。ストレスによる発疹、頭痛、脱力感などをも引き起こす。このタイプのストレスは冷静さを失うことにつながり、まったく作業が進まない状態に陥ってしまう。

ここで必要なのは、そのコントロールを取り戻すことである。もしこの状態がいきすぎてしまった場合、何が起こっているのか見通しをつけ、失われた秩序を研究生活に再度もたらすためにも、大学のカウンセラーなどに相談する必要があるかもしれない。

あるいは、以下のアドバイスをもとに混乱状態を鎮め、ストレスのレベルを下げることも可能かもしれない。まず、やらなくてはならない膨大な事柄をカバーするリストを作ること。いったんするべきことを紙やパソコンに書き記した後、合理的な段取りが踏めるようそれぞれ重要度によって振り分ける。その後、常に短期目標を見えるところに掲げながら、それぞれ一つずつこなしていく。まずは一番簡単そうなところから始めるとよい。そうすることで、より難度の高い作業にも自信をもって取りかかれるようになる。これで長期目標の膨大さに圧倒されることなく、徐々に目標を達成していくことができる。

しかし、ストレスの要因が必ずしも自分のコントロールできる範囲内になく、他人が何かをするまで待たなくてはならないこともある。自分が作成した元のリストのなかで、どの作業は一人では進められなくて、どれは人と一緒にやる必要があるのかを見極める必要がある。自分を待たせている相手に連絡をとり、その後の進展を待っていることを優しく伝えよう。その相手はＩＴの専門家、統計学者、図書館職員、主任指導教員、あるいは設備担当の人かもしれない。

忘れてはならないのは、自分のコントロール外にあるストレス要因が解消されるのを待つ間にも、自分の手が届く範囲内にあるストレスへの対処とその低減は可能ということだ。実験や論文投稿の結果を入手するまで他の作業に取りかかれないというのは言い訳にならない。短期間パソコンに向かえない時期があったとしても、その間にいろいろと準備できることはあるはずだ。

博士課程の全工程を一連の作業とみなすとよい。「不確実性の漸進的減少」につながる。第７章で見たように、博士論文には「型」がある。この型は通過すべき段階を示唆し、それぞれの段階はそれをこなすための作業からなる。なすべきことのスケジュールが、「型」から「段階」へ、「段階」から「作業」へと移行するにつれ、それは個人に特化したものとなり、指導教員とのコミュニケーションがとても重要になる（第６章参照）。基本的に、それぞれの段階における作業をこなすにつれ、論文にまつわる不確実性は減少する方向に向かう。取り組める可能性のある課題ははじめのうちは幅広いが、数年にわたり作業をこなしていくにつれて狭まり、最終的には非常に具体的で特化された博士課程の研究報告として仕上がる。このアプローチを使うことは、特にプレッシャーを強く感じるときに役立つものである。

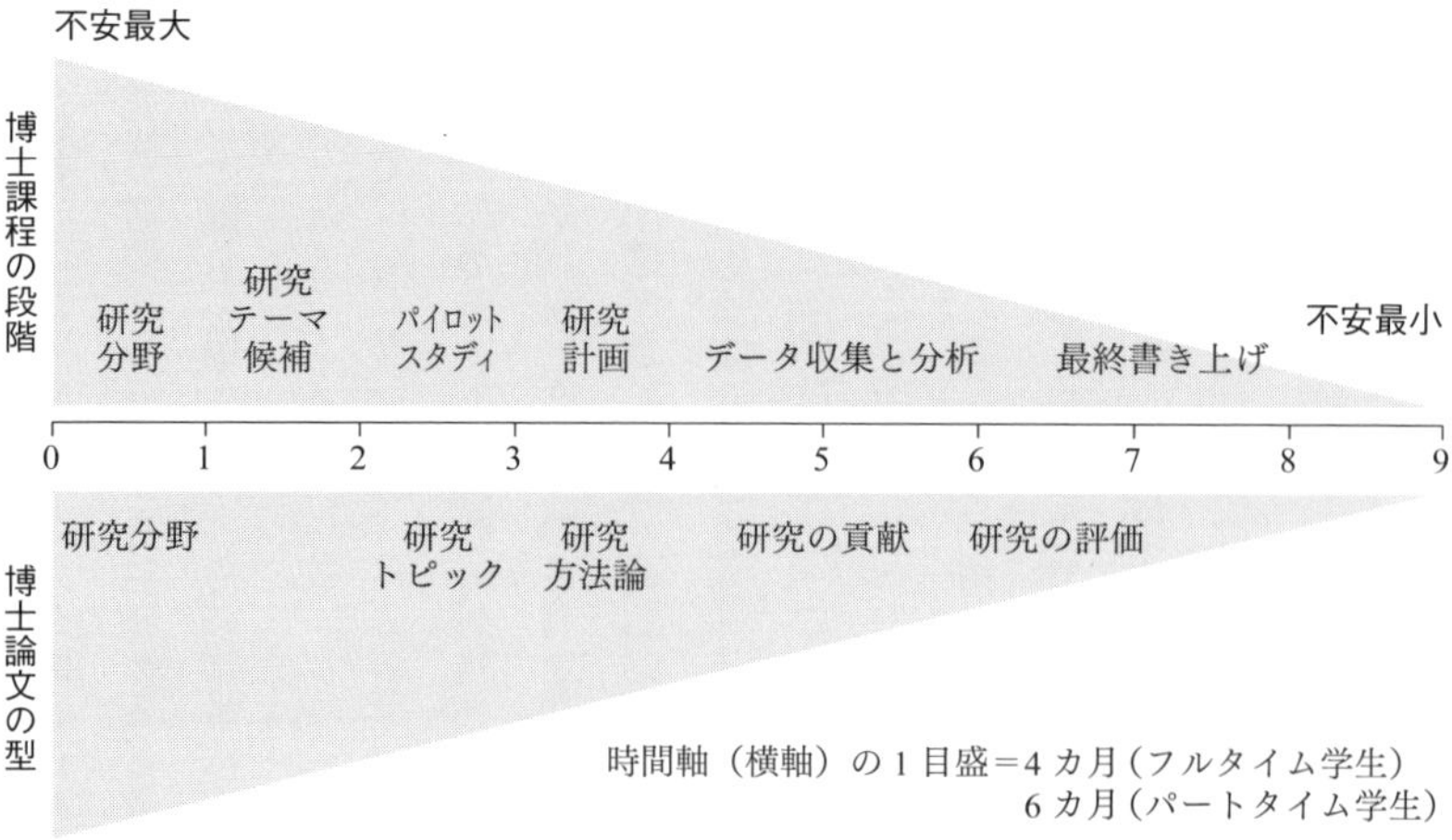

不安解消へと進む博士課程

時間軸で見た研究プログラムの例。図は目標設定の助けとなることを意図している。初期の段階では途中でテーマを変えるということもあるかもしれないが，ここではそのことに触れていない。指導教員と一緒に自分自身の図を作ってみよう。

▼タスクマネジメント

本ページの図は、論文の形態と博士課程の段階を示した便利なモデルである。第7章でみたように、論文の型は普遍的なものである。専攻によって若干の違いがあるかもしれないが、各段階はかなりスタンダードなものだ。議論の都合上、コースワークの期間を除いた、普通の博士課程の時間軸における典型的な段階を示している。

図のタイムブロックは「ターム」に対応しており（つまり各ブロックはフルタイム学生には四カ月（英国の大学院は三学期制）、パートタイム学生には六カ月に相当）、博士課程全体をたった六つの段階で示している。よって、この図はとても粗いものであり、意図的に粗く作成したものである。だが、タスクのプログラムの順番はうまく示されているし、詳細は指導教員と相談しながら改良する必要がある。このフレームワークにより、自分が現在している作業が、博士号取得までの全工程のなかでどこに位置しているか、おおよそ把握できる。この作業を怠ると、博士課程の期間は半分も過ぎたのに、ある朝、実際の研究をまだ始めてさえいないと気づいたダイアナのようになりかねない。

図を活用する意図は、左から右へと時間軸が進むにつれ不確かな要素を減らすことにある。全体的なレベルでは、タイムブロックは研究分野、研究トピック、研究方法論、そして研究の貢献といった段階〔一五一ページ以下参照〕に割り当てられている。もう少し具体的には六つの段階があり、最初の四つは一つの「ターム」、五つ目は二ターム、最後の執筆段階には三タームが割り当てられている。著者たちの経験から言って、ここに図示された時系列は、速めのテンポではあるが、非現実的なほどではない。なかにはこの通りに達成する学生もいるが、できない人もいる。適度に改良し、あなた自身の図を作れば、現在の作業を常に全体計画のなかで把握し、現実的な計画を立て、最後までやり抜くモチベーションが維持できるだろう。

もちろん、各段階を一直線に駆け抜けることを期待するのは現実的ではない。遅れることもあるし、早い段階で書き直すこともあるし、それまでの研究を完全に断念し、修正しなければならないこともあるかもしれない。ライティングを集中的に行う段階は博士課程の後半にやってくるものだが、書くことは研究に不可欠な部分なので、博士課程の初期段階から継続して書く習慣を身につけることが重要だ。おそらく図のなかの複数の段階に同時に対処するといったマルチタスクが求められることになるかもしれない。だからこそ、このタスクマネジメントのような時間軸に沿ったフレームワークを使い、自身の作業を全体のなかで位置づけることが重要なのだ。

▼研究段階

図のほとんどの段階は、細かい点に多少の相違はあっても、あなたの研究に何らかの形で関わりをもつ。以下は各段階の解説である。

研究分野

研究科によっては入学希望者に審査の一環として研究計画の概要を提出させるが、この段階で助けが必要なら、研究科の研究チューターにたずねるとよい。研究計画はあなたが何年もかけて研究したい分野を大まかに示すものなので、その分野に本当に興味をもてるか確認することが重要だ。これから数年間、多くの時間をその分野に費やすのだ。モチベーション維持のためには、その分野に何らかの内的な魅力があった方がよいだろう。もしかしたら、あなたは機器や場所、予算などの制約により、自由に研究分野を選ぶ立場にないかもしれない。その場合は、目の前にある分野で自分の興味をかき立てるよう努力する必要がある。

自身の選択や必要性に迫られることを通じて、この時期、自身の研究分野で仕事を最後までやり抜くのだという意志を強固なものにしなければならない。

研究テーマ候補

この段階では、学問的価値があり、博士期間内での実現可能性があるアイデアを探し求める。実際の研究テーマを選択するのは次の段階なので、この段階では「具体的なテーマ」ではなく「大まかなアイデア」さえ得ていれば、あとはぼんやりしていてよい、との考えは大間違いである。具体的には二、三のテーマを少し掘り下げておいて、次の段階でそのなかから一つを、現実的かつ専門的な観点から選ぶという段取りだ。

二、三の研究テーマの候補についてプロポーザルを作ってみよう。それぞれおよそ四ページ程度の長さでよい。時間的・内容的な実現可能性について、指導教員と話しあう叩き台にできる。研究し甲斐のある糸口を見つけ、現実的な研究テーマへと昇華させる力は、博士課程全体においてきわめて重要なスキルだ。この段階で学んでおくと後で非常に役に立つ。

パイロットスタディ

この段階の本質は、検証手法、データ収集方法、サンプリングの枠組、利用できるリソースなどに関連するので、専攻によって大きく異なるが、端的に言えば「それってうまくいく?」と自問する段階である。パイロットスタディの結果をもとにして、博士課程の方向性を再検討するのは怖いことかもしれないが、怖気づいてはならない。まさにそうすべき理由が見つかったのだから!

研究計画（調査のデザインを含む）

正式な博士課程学生となっているであろうこの段階では、自分が案出した研究調査が(a)課題に説得力ある形で対処できること、(b)分野に貢献する可能性が高いことを示すため、これまでより段違いに詳細な作業に注力することになる。したがって、先行研究を丹念に調べ、分野をしっかり調査し、貢献できる可能性のある部分を推定する必要がある。

理想的な研究デザインは「潜在的な研究結果に対称性がある」かどうかで決まることを、心に留めておこう。つまり、理想としては、特定の結果によって研究への評価が分かれるのではなく、どのような結果が出ても学問上の貢献になる状態がよい。高い平均値や強い相関も、低い平均値や相関のなさも、主張やアプローチのとり方次第では同じように興味深い知見となる、ということだ。この対称性はいつでも得ることができるものではないが、それを探し求める努力をすることは重要だ。もしそうした研究計画を立てることができれば、研究活動の後半で分野に対する貢献を明確にする際、大きなアドバンテージになる。

正式な博士課程学生としての登録は、およそこの段階で行うことになる重要なステップだ。これを経れば、あなたの研究が博士の水準に発展する可能性があると正式に認められたことになるので、実質的には最初の関門といえる。博士課程学生としての登録プロセスは、報告書に対して外部専門家による非常にフォーマルなレビューを経るものから、より緩いものまで幅広くある。自分が何を求められているか理解し、その内容に沿って準備を進めなければならない。

データ収集と分析

データの収集と分析は、専攻によって、また同じ専攻でも研究テーマによって大きく異なる活動内容をもつ。ただ、一つ共通して言えることは、良い研究者はこの段階でデータを熟知しているということだ。生のデ、ー、タ、だけでなく、それらを分析した結果も当然頭の中に入っている。決してのんびりせず、データと寝食をともにする。こうした集中的なコミットメントは、データを理論ごとに多様な角度から考察する上で非常に重要な心構えの基礎となる。すぐれた研究者はこのおかげで、新しく、革新的で、普通とは異なるアイデアのもと、無意識のうちに手元のデータを「分析」できるようになる。彼らはデータを頭の中で捉え、たくさんの「もしも…」を直感的に試してみている。そうすることでテーマに貢献できる新しいコンセプトを発見することさえあるのだ。

最終書き上げ

第7章で述べたように、最後の書き上げ段階は、常に思った以上の時間がかかる。覚悟を決めた有能な学生であればもう少し短くて済むかもしれないが、三タームをこの段階に割り当てるのは長すぎとは言えない。フルタイムで二ターム〔約半年強〕、パートタイムで一年というのは、このタスクの性質から見ても、第7章で論じたような「貢献」の要素から見ても、現実的ではない。

良かれ悪しかれ、博士課程は学生に対してプロのエディターの助けを借りて論文を書くことを明確に禁じていない。多少不明瞭な点は残るが、コピーエディターの存在も連絡の仕方も知っていて、かつお金を払う余裕のある学生が、こうしたことに明るくない、より純真無垢な者よりも有利なのは間違いない。コピーエディターのことなんて聞いたこともないし、彼らのサービスを受けることの正当性にも思いが及ばない、そもそもそれらのサービスを得るために使える金銭的手段もまったく持ち合わせていない学生は、不利な立場にある。

プロのコピーエディターあるいは校閲者の役割は、論文のライティングのスタイル、文法、そしてスペリングを正すことに限られている。その他の部分——たとえば、文章の内容——で編集者の力を借りることはフェアとはいえないだろう。しかし、エディターや校閲者が学生の論文に手を入れていることを、論文審査の先生たちは知らないので、実際のところは「入れ知恵」の侵入を制御できていない。これについては第9章でより詳しく述べる。

▼フォーマルな進捗管理

以上の段階を通じて行われる、自分自身による進捗管理に加えて、ほとんどの大学では博士課程学生の進捗に関する定期的なレビューが二つの目的で行われている。一つ目の目的は、進捗が芳しくない場合の「軌道修正」の実施である。二つ目は、修士課程から博士課程登録に「アップグレード」する重要な段階を含め、あなたが博士号への歩みを進めてよい状態にあるか判断することだ（第2章で説明した）。

レビューの形式は場合によって異なるが、通常は学生が進捗の要旨を記した文書を用意するよう求められ、経験豊富な学術スタッフに提示後、議論と助言を経て進捗状況の把握を決定する。学術スタッフの構成は大学によって異なるが、通常はあなたの指導教員、研究チューター、およびその分野の他の経験豊富な指導教員で構成され、レビューは一年に一回または二回程度行われる。

学生にとってこれはストレスフルだが、生産的でもある。レビューの主目的は、あなたがより優秀な博士課程の学生になるための支援だ。自分は専門家への成長の途上にある、ということを胸に刻むとよい。うまくいけば、これらのミーティングで自らの研究について議論することは、口頭審査や他の学術プレゼンテーションのためのよい経験になる。進捗に問題があっても、ミーティングはあなたの問題を突き詰め、生産的な方法で解決し、前に進む助けとなる。ミーティングでの議論は大変かもしれないが、今後に役立つアドバイスをそこで得て、あなたが博士課程を成功裏に終えられるかどうかは、その場にいる全員の関心事である。それを忘れないように。

もちろん、最もストレスを感じる部分は、経験豊富なスタッフが博士課程の継続を許可するかどうか決めるところだ。だが、ほとんどの大学では、このプロセスは一発では終わらない――一回のミーティングで、博士課程から退学するよう求められることはない。多くの場合、最初に警告され、たいてい、報告書を修正し、経験豊富なスタッフたちが、あなたが正しい方向に進んでいることを確認するため、別のミーティングが設けられる。スタッフたちにとって、これは主にリスク最小化のプロセスだというのを覚えておこう。彼らはレビューを、博士課程の失敗や中退のリスクが低いかどうかの判断材料を集める機会と見ている。あなたが彼らに提示できるのは、生産的な研究成果や、プロジェクトの中でうまくいっていない部分への明快な対処方法、そして期限内に博士課程を完了する現実的な計画とタイムテーブルである。

▼長期目標・短期目標の再定義

もし、博士論文の計画に対し、ここまで述べたような構造的なアプローチをとらないなら、進捗については指導教員からの助言に大きく依存することになる。進捗の自己評価も、さらに困難となる。

一方、短期目標を定めれば、指導教員など外部からの評価への依存度は小さくなる。次に進むべき段階が自分で分かっているからだ。このおかげで、「進捗状況の自己把握」は、それほど難しいことではなくなるのである。第一に、宣言した通りに物事を実行できたか分かる。第二に、それらを定められた期限内に実行できたかどうかが分かる。あなたの研究プロセスにおいてこの両方が予定通りにクリアできているなら――言っておくが、そうしたことはめったにない――あとは「質」の問題なので、指導教員の評価を仰げばよい。クオリティに関する自己評価は徐々にできるようになる。とはいえ、指導教員のコメントは評価の仕方を学ぶ上で最も重要なので、もらったコメントには十分注意を払おう。

他方、もし期限内に計画した作業が終わらなかった場合、あなたはその原因について考えるよい機会を与えられたことになる。どのくらいの遅れが、予測不可能で不可避な事態の発生によるのか、どのくらいが自分の経験不足、頑張り不足、作業量を正確に見積もる能力の不足によるのかを考えることになるだろう。たいがい、最後の「見積もり能力不足」が原因であることに気づくものだが。

博士課程の学生に典型的なのは、自身の進捗が思っていたよりも遅いことに、徐々に気がつくことである。この気づきは、やがて現実的に達成できそうな事項を改めて考え直すことにつながる。こうして短期目標が修正されれば、関連する長期目標も修正できる。近い将来にしなければならないことがはっきりすれば、長期目標は多少ぼやけていても大丈夫だ。関連する目標を達成していくうちに長期目標は近づいてくる。そうならないなら、何がしたいのかもう一度考えてみよう。

再考を重ねるうちに、博士号取得という目標自体が修士号取得に変わってしまう場合もある。これは通常、非常に残念なことであるし、そうする必要はないことが多い。この決断は、もともとの選択が誤っていたか、不幸にも指導教員がまったく職務を放棄していたというわけでなければ、学生のパニックに起因するものだ。考え過ぎが研究課題を狭めたり、テーマの再定義をもたらしたりする場合がある。博士号取得のための制約に対処する必要性を考慮しながら、そうした再定義を行ったのであれば、重要な教訓を得た証として前向きに捉えよう。

アダムの事例——短期目標に合わせてうまく進捗が生まれなかったゆえの再定義——は「災い転じて福となす」ポジティブな例である。当初、彼は「変化に対応可能な建築ルールシステムの伝達方法」という課題に取り組んでいた。彼はどの本を読むべきか正確に見通しており、それらのなかには建築学の領域のものはほとんどないことも分かっていた。しかし、アダムはノートをとりながら読み進めるうちに、思ったより分量が多く、何カ月もかかることに気づいた。なぜなら、彼は社会人類学や認知発達に対する構造主義的アプローチに強い関心をもつようになったからである。彼の論文はやがて、「デザイナーはなぜヒラメキによって真っさらな状態から『創造』するのか、あるいはそこには既存の型という立脚点があるのか」といった、デザイン教育における壮大な問いへと変化していった。

アダムが研究テーマの再定義をなしえたのは、設定した締切までに特定のセクションを書き上げるという短期目標を、あらかじめ定めていたからだ。何度もそうした短期目標の達成に失敗するうちに、彼は文献を読み進めノートをとり、執筆を進めながら気づいたことをもとに、長期計画を見直すことにしたのである。こうして彼の論文は生まれ変わった。もし彼が前提となっている目標設定に照らして考えなおすことなく研究を進めていたなら、おそらく論文を書き上げる最後の段階になってパニックを起こしていただろう。そうなれば論文を書き上げるのにさらに膨大な時間がかかったか、さもなければ可能な限りの時間を使ってできるかぎりのことを手当たり次第にまとめ、「これで十分であってくれ！」と願うしかない羽目になっただろう。

付録1には学生の進捗に関する自己評価のための質問票を収録した。自身の進捗把握、スキルアップ、そして指導教員との議論において役立てよう。

▼締切の重要性

これまで述べたことのなかで、指導教員の役割はどこにあるのか？　と疑問に思うかもしれない。もちろん指導教員は短期目標、そして長期目標を設定する上で非常に重要な相談役となる。しかし、多くの指導教員は、君たちには指導が必要だ、と学生を説得する労をとらず、アポイントメントの延期やミーティングの間隔を空けることに寛容な態度をとる。多くの場合、学生に頻繁に会うことはプレッシャーを与え、ストレスの原因になるのではないか、という指導教員の思い込みが根底にある。そうでなくとも、指導教員は自身の研究や執筆、講義の準備に比べて、博士課程学生の指導をひどく軽視しているのかもしれない。

指導教員は目標設定と締切順守の重要性にあまり気づいていないのかもしれない。学生は「いつか論文を提出する」ではなく、近距離の目標が必要なのだが、優秀な学生でさえ博士号が取得できるか自信がない、という事実に気づいていない指導教員もいるのである。

多くの指導教員は、学生たちが計画に沿った作業の遂行に苦労していることを理解していない。指導教員にとって、それが一連の実験やインタビューをともなう研究ならとりわけ、一直線に進むだけの自然な研究計画は自明に思える。しかし学生たちはよく「次に何をしたらいいのだろうか」と悩むものなのだ。学生と指導教員のミーティングのガイドラインに反して、指導教員が「うまくいく学生は自分の研究のペースを自ら主導できる」と信じている場合、自らのイニシアチブで定期的に学生と面会することを躊躇してしまう。

しかし、指導とサポートが必要だからこそ、学生には指導教員がいるのだ。両者の関係は知識への社会的アプローチの基盤だが、何を期待し、何が必要なのか——実際は、研究学位を手にするためのプロセスにまつわるあらゆる事柄が、ここに関わってくる——を理解するためのコミュニケーションは不足しがちである。もっとも、第2章で述べたアドバイスにあなたが従っていれば、指導教員との関係と、それぞれが果たすべき役割について、口頭で何らかの合意を得ているだろう。そうした合意があれば、両者の関係のあいまいさや混乱を解消し、ミーティングの調整の仕方や締切の設定について容易に話しあうことができるはずだ（指導教員と学生の関係については、双方の観点から第6章と第11章で扱っている）。

締切というものは、自分の学業に専念することと、その進捗具合を書面もしくは口頭にて説明することの間に必要な緊張感を与えてくれる。ほとんどの人は、ある程度の内面的なプレッシャー、あるいは外からのプレッシャーなしでうまくやっていくことができない。締切が迫ってきているだけでも、普通の人にとっては頑張るための十分なプレッシャーとなる。実際、締切間際までやるべきことに取りかからないという人は、決して珍しくはない。というのも、そういう人たちは、プレッシャーがかからないと、なかなか頑張れないのだ——戦略として推奨できるものではないが。一方で、達成すべきことの締切まで時間があるが、その間に踏むべきステップがないという状態にするのもやはり勧められない。作業の段取りやタイミングが考慮されていない無計画な状態は、作業の効率性を損ねるからである。

このような理由からも、常に厳守すべき締切が必要なのだ。イワンとアダムの例で見られたように、締切をしっかり守り、次の作業へと移っていくことは、長期計画の現実性を確認する指標ともなる。またそのなかで、遠くに見えていた締切が徐々に短期目標に変わってくるのである。

また実際に、学生によっては締切が本物の外部的制約になってくれることもある。たとえば、生物学専攻の学生の場合、季節というものが明確なタイムリミットとなり、その間に完成すべきことができず時が過ぎてしまえば、その条件が整うまでにまた一年待たなくてはならないことも多くあるのだ。しかし、博士論文の最終締切だけがはっきりとした節目になっており、それ以外に何の制約もない学生も多くいる。このような場合、疑似的な期限を設けることが不可欠となる。

疑似的期限は、学生自身が動機づけのために利用するツールのようなものだ。それは指導教員との合意により決まることもあれば、自分で自分のために設定することもある。たとえ後者が自分の状況に当てはまったとしても、必ず目標の締切を守ったことを報告する相手を誰かつくる必要がある。目標に対して公約をすると、自分の約束を果たすモチベーションが上がる。その相手となってくれる人は友人や同期の学生、あるいは親戚かもしれない。しかし、これは指導教員に対して報告するまでの間の、より細かいステップや目標を報告するためのものであった方がよい。指導教員との大まかな合意のなかに、定期的な報告を含むべきだ。そのような場においては必ずしも書面によるレポートを出す必要はないが、博士課程で研究を続けていくなかで最も重要なことの一つが執筆の継続であるので、レポートを書く機会は確実にあなたのためになる。

締切は思考の発展を確認していく意味でも、読むべき量の読み物を終えた、あるいは実務が完了したことを確認する意味でも重要だ。短期目標がどんなものであれ、進捗状況について話しあい、意見交換するための定期的な機会は、プロジェクトの発展のためにも、熱意を絶やさないためにも、必要不可欠なのだ。

博士課程中に教鞭をとる

学生数が増えたために、教員数を増やす必要のある研究科も出てきた。研究に携わる学生も、将来のアカデミック・キャリアを考えると、教壇に立つ経験が必要であり、さらに追加収入の恩恵にもあずかれる。そのため、以前からそうであるように、博士課程にいる学生をチューターとして任命することはあらゆる関係者にとって有益だ。それはセミナーに参加する学部生の小グループのチューターとなったり、小論文やラボのレポートを評価・採点したり、また教壇に立って講義をしたりすることも含まれる。理系の分野では、ラボでデモを見せるなどは当たり前のこととなっている。

このようなティーチング活動は三つの機能を果たす。働きすぎの教員は、必要な補助を入手でき、学部学生には、やる気に満ちた教育と最新の情報が提供され、院生には、欲しくてたまらないであろういくらかの資金に加え、博士号取得後のアカデミック・ジョブを望むなら、必要なスキルを磨く機会が与えられる。

通常、仕事内容と賃金を定めた一時契約書を、学科もしくは学部と交わすことになる。契約に対する賃金の合計は出来高にもとづいて計算され、それは仕事の分量を明確に決めてくれる。そのような契約書のおかげで、大学側は追加の支払いなしでは契約書で合意されている以上のことを要求できない。ティーチング活動にある程度でも携わる合意をした時点で、必ず時給と任務を明示した任命書を受け取ることが大切である。時間給のティーチング活動には二つの支払いシステムがある。最初は「接触時間」だ。つまり、クラスにいる時間を含んだ一括の支払いであり、授業の準備やテストの採点に追加の支払いはない。二番目は、時給制。つまり、教室で一時間、授業の準備で一時間、テストの採点で二時間行った場合、四時間分の支払いがある。もしその賃金が教職員組合などで推奨されている賃金以下の場合は、それをもとに交渉する場合もあるだろう。また、大学によっては院生のティーチングアシスタントとして雇われ、一定時間にわたって教育を行うのに対して、年間固定給が支払われる場合がある。

ほとんどの大学ではこれから教育活動に臨む研究学生などへの援助体制を整えている。大学によっては、チューターは大学の教育学部などで開講されている教授法についての正式な講義への参加を要求される。多くの学科ではチューター自身にフィードバックを与えて、教師としての能力を育てるためにもその仕事ぶりをモニターしている。Matthiessen and Binder (2009) が指摘するように、学会に参加したり、論文を掲載したりするのと同様、アカデミック・キャリアを目指す者にとってこのようなティーチング活動は重要な位置を占める。

しかし、いつものごとく、危険な面もあるので注意しなくてはならない。ティーチングや採点は準備に多大な時間を必要とする。UKRIは奨学金を受けている者に対して、ティーチング活動は「一週あたり最大六時間まで」と定めており、奨学金を受けていない身であったとしても、博士課程の学生にとってはよい基準となる。教鞭をとったからといって、博士課程の所定の期限や奨学金が受けられる期間が延長されるわけではない。教務関係の仕事が必要以上に増えすぎて、研究活動の進捗の妨げにならないよう注意しよう。

逆に、肯定的な側面として、教え方がすぐれているとみなされた場合、博士課程の修了前に学生が魅力的なジョブオファーを得られるケースもある点、申しそえておく。

博士課程学生が学生として扱われるべきか、アーリーキャリアのスタッフとして扱われるべきかについては、議論が高まっている（Grove 2021）。多くの学生は現状、両方の間で立ち往生しているようだ。たとえば、教育などの分野で責任ある役割を果たすことが期待される一方、スタッフミーティングなどを通じて部局と関わる機会はない。博士課程学生をスタッフとして扱うことには、教職員の仕事の複雑さに加え、社会保険への加入や、出産・育児補助など広義の労働者の権利をも理解することにつながるといったメリットを生む可能性があるが、奨学金の非課税特権の免除に帰結したり、大学が博士研究者の知的財産に対しより強い権利を握ったりなどのデメリットが生じる可能性もある。これは難しい問題であり、あなたの博士課程が進むにつれて議論もさらに発展するだろう。ただし、おそらくより重要なのは、そのようなステータスではなく、あなた自身がどのような利益を得られるかだろう。

第9章
アカデミックな環境で研究する

本章のポイント

1. 仕事場、時間管理、研究評価、同僚とのやりとりなど、事前の想像と実際の博士課程で異なる点について考えてみよう。
2. 生産的に仕事する時間を作り、休息時間を加味し、アイデアをまとめる時間を確保できるよう、予定を立てよう。
3. パートタイム学生なら、可能なタイミングで、必ず基本的な時間割を作成し、作業スペースを割り当て、邪魔されない作業時間の必要性を家族に説明し、良好なワークライフバランスを保とう。
4. 年長学生は、年齢への偏見と、それが大学でどのように扱われるかに注意を払い、年長学生のサポートグループに参加しよう。
5. 初めて英国で勉強する場合は、英国の学術環境と、より広い文化に適応するために時間をかけよう。自国出身者向けの団体を利用するのはよいが、必要以上の時間をそれに費やしてならない。英国の博士課程のスタイルは自立型であり、既存の知識を批判し、自身の研究に自信をもつ必要がある。
6. 権威ある人に対して抱きがちなステレオタイプを批判的に検証しよう。たとえば、専門的知識をもっている人、物知りな人、リーダーシップを担う人物像にまつわるあらゆるバイアスに抗おう。女性や少数民族、自分より若い人に対して無意識に抱きがちなネガティブなステレオタイプも、その中に含まれる。
7. 英語で書かれた既存の博士論文を読んで、研究分野の論文スタイルに慣れよう。ネイティブスピーカーであるかどうかは関係ない。論文は研究分野の適切なスタイルで書くことが重要だ。また、ライティングスキルの向上をサポートするコースも利用しよう。

8. ロールモデルを見つけ、メンタリングプログラムやバディプロフラムに参加し、関連するサポートグループを見つけよう。
9. 大学または学生団体のサポートサービスを認識し、恐れずに利用して、ハラスメント、嫌がらせ、差別、いじめに対処しよう。搾取に気をつけよう。
10. 必要なら休学申請を恐れずに利用しよう。

はじめに

アカデミックな環境で研究することは、他の多くの労働環境とは大きく異なる。博士課程の開始前に学術的な環境にいた経験は、学部生または修士課程の学生としてのものだろう。博士課程学生としての経験や、研究環境における他人との付き合い方はそれらと異なる。大学内での研究スタイルや規範も異なる可能性がある。この章の目的は、あなたが博士課程学生としての大学の環境に慣れること、そしてこの新しい環境をよりよくするためのガイドを提供することだ。

学術環境に身を置く

多くの学生は、さまざまなバックグラウンドをもって博士課程に入学する。勉強を始める直前まで働いていた者は多い。博士課程における研究と関係のある領域で働いていた者もいれば、完全に異なる環境から来た者もいる。

また、直前まで無職だった学生や、家庭に時間を割いていた学生もいる。学部や修士から入学する学生にとって、それまでの学びと博士課程との違いは、研究において求められる基準に関してだけでなく、適応すべき環境の面でも大きい。

以前の環境で通用した常識は何か、それは博士課程に進学した後も当てはまるのかどうか。こうした問いについて、他の多数の博士課程学生と一緒にまずいったん確認作業を行うのはよい訓練となる。考慮すべきは、実際の研究場所に関する前提条件、時間管理に関する前提条件、査定方法や仕事の評価に関する前提条件、同僚とのやりとりに関する前提条件などを含む。

たとえば、職場によっては、「出席主義（presenteeism）」を採用しているところがある。そこではたとえ手元に仕事がなくとも、その場にいて仕事をしているような雰囲気を出すことが大事なのである。目上の人よりも先に家に帰ることは考えられないだろう。しかし、こうした認識は、博士課程の学生にとっておよそ無縁である。雰囲気を出すことよりも、何を生み出したかが重要だからだ。別の例として、長いあいだ家族の世話に時間を費やしてきた過去がある者は、日々のニーズに非常に敏感かもしれないが、博士課程学生としては、長期的な計画を立てるスキルが重視される。それでも、すべてが異なるわけではない。たとえば、個人事業主として時間管理スキルを磨いた経験があれば、それは博士課程における時間の使い方へと、直接引き継がれるかもしれない。

異なる段階にいる博士課程学生を知り合いにもとう。仲間の学生が一〜二年後にどのような成果をあげたか、執筆段階がどういう状況かなどを理解するよう努めるとよい。そうすれば、環境に適応する方法や、博士課程の各段階で学生に何が求められるか、事前に見込みをつけられる。また、さまざまなバックグラウンドをもつ同僚学生が自分に合ったやり方を見つけ、優秀な博士課程学生に成長するのを見るのも、安心材料になる。

多くの大学では、博士課程開始時にスキル評価をしており、そこでは博士課程にまつわる実践的側面、または認知的・性格的側面など、いくつかの重要分野において自分の能力を自己評価することができる。これのおかげで、自らが開発すべきスキル領域を省みることができる。そのスキルはたとえば自分の研究についてしっかり考えることで成長するかもしれないし、大学のワークショップやアクティビティに参加するのもいいだろう。スキルアップの過程については第5章で述べた。

数学者のアンドリュー・ラニツキーには面白いエピソードがある。彼は最初の博士課程チュートリアルで、『イズベスチア』の最新号に掲載された記事を読むように言われた。その時彼は恥ずかしくて、なぜソビエト政府の機関紙が数学の博士課程に関連しているのか、指導教員に問うことができなかったが、彼はこの奇妙なリクエストに挑戦し、その意味するところを理解するため、涙ぐましくも図書館に向かった。悪戦苦闘の挙句、心優しき図書館司書の助けもあって、はるかに博士課程と関係の深い出版物——数学雑誌『イズベスチア・マスマティカ』にたどりつくことができたが、指導教員に聞けばこの混乱はすぐに解決されていただろう。

▼規定就業時間がないこと

会社勤め、子育て、フリーランスの家庭教師などといった他の活動と比べ、博士課程学生としての時間の制約はかなり緩い。指導教員たちとの定期的なミーティングもあれば、参加すべき研究グループのセミナーの一つ二つ、スキル向上に向けたワークショップもある。それでも、博士課程のほとんどの時間、多くの学生は孤軍奮闘することになるのであり、時間は図書館やラボで過ごしたりパソコンに向かい合ったりすることに費やされる。

外的制約がないときほど、人は怠けがちになるものだ。短期的には、今日あなたが博士号取得のために何をしたかなど、誰も気に留めてはくれない。明日、次の日、またその次の日……という風に、先のばしのパターンに陥りかねない。

やるべきことを後回しにしないために重要なのは、博士課程というものが複数の時間軸上で動いていることを意識することである。特に大事なのは、今現在、そして次の一〜二週間の間で何をするのか、そしてそれが博士課程という長期プロジェクトでどのような位置を占めているのか（短期と長期の目標について二二三ページ参照）を常に把握しておくことだ。もし短期的に何をすべきか把握していなければ、机に向かい、いざ研究に取り組もうとするときに困ってしまう。長期的なプロジェクトの全体像について感覚がつかめない場合は、目の前の課題に対して意欲がわきにくくなる。細々した重要でないサブタスクに傾注するようになり、進捗を生めなくなる危険すらある。長期・短期の時間軸を念頭におくことができれば、長期的なモチベーションを保ちつつ、作業に取りかかった時、今まさに何をすべきか見通しをつけることができる。こうした時間軸のなかでどの時点にいるのか、指導教員とのミーティングの締め括りに確認すると効果的である。たとえば、「次のミーティングまでは、量子ドットデータの入手に専念することにしています。それは細胞死のモデルを構築するために必要な五つのインプットデータの一つであり、この論文の第三章にとって重要な鍵の一つとなるからです」といった具合である。

また、初めから最後まで一つのことに集中する方が効果的なのか、それとも交互に多数の作業をこなしていく方がよいのか、自分の適性を検討する必要がある。たとえば、集めた回答用紙のデータと三週間にらめっこし、データ解析をした後、最新の論文を執筆するための先行文献レビューを書き上げるのに二週間費やすのがいいのか？それとも、あなたの場合、データ解析に数時間、そして文献レビューに数時間、といったように交互に時間を使うのがやりやすいのか？　これは個人差が大きい問題で、自分が一番よく分かっているはずだ。

同様に、作業のパターンについても、やはり個人差が大きい。経験のある指導教員は学生に次のように言っている。「博士課程学生として成功するには九時から五時まで学業に専念する必要がある。それは、朝九時から夕方五時までであろうが、夜九時から朝五時までであろうが関係ない」。うまく言ったものだ。博士号取得のためには十分な時間を割く必要があるが、それをいつするかはまったく関係ないのだ。早起きをして八時間みっちりと作業に取り組み、その日の残りをリラクゼーションに回すのを好む人もいれば、昼前に作業に集中することはできないものの、午後からは無理なく取り組むことができるという人もいる。朝、大学に行き、他の学生と話をしながら作業に取り組むことで、半日を費やすというやり方もありうる。時間が効率よく使われてさえいれば、それでいいのであって、自分の時間の使い方が他の学生とは違うせいで罪悪感を覚える必要など全くない。

さて、ここまで話をすると、それでは博士課程学生として成功するには実際に何時間費やすべきなのか、という問いが浮かんでくる。大まかにいえば、博士課程学生であることと、フルタイムで雇用されている状態は、ほぼ同じであるといえる。つまり、一週間におよそ四〇時間を目安にすればよいだろう。パートタイムの学生の場合は、これに比例させて割り出すとよい。

パートタイム学生が直面する問題

現在、四分の一以上の博士課程学生がパートタイムとして登録している。これらの学生は伝統的な博士課程学生とは違った問題に直面することになる。フルタイム学生が三〜四年かけて終わらせることを想定して博士課程が設計されていることは、パートタイム学生にとって何を意味するだろう？　なかにはパートタイムの学生を想定して博士課程を設計している大学もあるが、ほとんどの大学が、パートタイムで研究学位の取得を目指す者にあわせて取り計らってくれる。しかし、Gatrell（2006）が指摘するように、大学にしてみれば、あなたは多数いる学生のうちの一人でしかなく、どのように時間を調整しようとも、大学の決まりや規定にあわせて自分の学業や仕事などの時間を調整する必要がある。パートタイムの学生がフルタイムの研究者に比べてより痛切に経験する問題は、時間管理、作業スペースの設定、他にやるべきこととバランスをとりながらの勉強などが挙げられる。

▼タイムマネジメント

最も重要な課題は、日々の仕事から研究への切り替えを繰り返すことである。心理的な問題ではあるが、タイムマネジメントも鍵となる。これはあなたの研究と最終的な成功にとってこれ以上ないほど重要なことである。

学生によっては、日中、他のことに集中した後、夜になって博士号に関わる学業に専念するのは自滅的だと感じる者もいる。昨日どこまでやったかを思い出すのに時間がかかるし、寝る前に使える時間は限られている。また、いったん研究に集中すると、必要な睡眠をとるために作業を中断するのは難しい。

この困難に打ち勝つために、研究テーマを自分の日常の仕事に関連づけて選ぶのがよい。仕事中に思いついたことが博士課程に役立ったり、その逆もあったりするだろう。そうすれば、二つのテーマを定期的に行ったり来たりする必要はない。

フルタイムの学生にはない困難への対策として、週末を研究にあてるという方法をパートタイム学生から聞くことがある。こうすると、スペアとなる時間がさっぱり消え去ってしまいかねない。こうした状況を避けるために、特定の時間を博士課程の研究に割り当てることを自分自身に約束しよう。たとえば、二週間ごとの週末とか、祝日とか、一週間のうち二日連続した夜の時間をあてるのである。もしくは、毎朝早く、何時間か研究にあてる方があなたに合っているかもしれない。大事なのは、博士課程の研究、給料をもらってやる仕事、家事、そして自由時間、という風に、一週間をしっかり分割し捉えることだ。

また、一週間のうち平日丸一日を研究に割くことができるよう調整する方法もある。その場合、研究に時間をある程度でも費やせる日の直前か直後にすることを勧める。週のうち二日（土曜と日曜）をまるまる研究に当てられるなら、残りの研究日は、週の半ばに一日をとるより、月曜か金曜に設定すれば三日連続で研究できる。それ以外の日にすると、結局は前回どこまで研究を進めたか考えるうちに時間が過ぎてしまうかもしれない。

博士号取得までの期間がフルタイムの学生と比べてはるかに長いため、スケジュールに遅れないことが特に重要だ。期限は厳守すること。それによって集中を途切れさせず、初発のモチベーションを保つことができる。やるべきことを一つや二つ後回しにしたり、計画にない休憩をしたり、指導教員との連絡を怠ったり、セミナーへの参加を逃したりすると、進捗に相当なダメージを与えてしまう。そうなると「追いつくために」何をするべきかを考えたり試したりして頭がいっぱいになる可能性がある。大学外での日常的な仕事や生活から来るストレスに加え、ついていけないという気持ちが生まれてしまったときには、フルタイムの学生よりもパートタイム学生にとって、遅れをとることがはるかに深刻な事態であることを、容易に理解できるだろう。

また、社会人から「戻ってきた」場合、勉強の仕方を習い直す必要があるのも忘れてはならない。パートタイム学生として博士課程に臨むあなたは、フルタイムの学生にとってさえ難しいタスクに取り組むのだ。うまくいけば実にすばらしい成果を上げることができるが、長期間にわたって本当に頑張る覚悟を決めなくてはならない。この研究への取り組み方は博士課程学生として登録されている間、保ち続けなくてはならない。やるべきことに適した計画を立て、しっかり確実に実行しよう。

▼作業スペース

パートタイムの学生の場合、作業スペースについても考えよう。理想的には、あなたが博士課程の作業に集中できる静かで邪魔されない場所が必要だ。これは、博士課程に要求される膨大な作業に集中できるようにする、という実践的な理由だけでなく、心理的にも有用だ。この場所に来ることを博士課程の作業への心理的スイッチにできる。しかし、このようなスペースを手に入れることは多くの人にとって困難だろう。これに割くだけのスペースが自宅にないこともあるし、特定の時間だけ一人になる必要があることを子供やペットに説明するのは難しいかもしれない。CGJは、幼い子供をもつパートタイムの学生を指導したことがある。その学生は大学から遠く離れた場所に住んでおり、ほとんどのミーティングにはオンラインで参加した。ミーティング中に学生の子供たちが部屋に入ってきた場合、学生は「パパは今先生と話していて、トラブルに巻き込まれたくないから、夕食まで一人にしておいてね」と言いきかせており、効果的だった。

作業スペースを定期的に片付ける必要がある場合は、資料の整理が重要だ。多くの書類を扱っている場合は、各作業後に一貫した方法でファイルに保存しよう。代替案として、公共図書館やカフェなど自宅外で作業する環境を探そう。

▼ワークライフバランス

博士課程の学生、特にパートタイムの学生にとって、家族や介護、仕事上の責任があることは珍しくない。このような責任は、博士課程が進むにつれて変化することもある。

また、パートタイムの学生は、自分で学費や生活費を賄う必要がある場合が多く、財政面も重要な考慮事項である。そのため、博士課程、有給労働、その他やらなくてはならないこととの関係について注意深く考える必要がある。その結果、一定期間少ないお金で働く代わりに労働時間を減らす手配をしたり、無給休暇をとったりする場合もある。このような正式な手続きをしないと、労働生産性が低下し、勤務先の上司とトラブルになる可能性がある。こうした状況は、パートタイムの博士課程学生から一度ならず聞いた話である。

そのため、同僚、指導教員、学術部門、研究セミナーとの連絡に関して、本書で示されたガイドラインに一貫して従うとよい。実際、パートタイムの学生にとっては、このような定期的なルーティンを維持することがフルタイムの学生よりも重要だ。少なくとも、指導教員との定期的なオンラインミーティング（FaceTime や Zoom）、電話、テキストまたはメールは、あなたが道を踏み外すリスクを低減する。真剣に考えれば、自分自身のライフスタイルに適したアイデアを思いつくだろう。

第8章で孤立・孤独感問題を取り上げたが、これはパートタイムの学生に特に関連する。パートタイムの学生として大学の研究生活に参加することは非常に重要だ。幸いなことに、多くの大学ではテクノロジーを活用して、研究セミナーや議論をオンラインで利用できるようにしており、大学から遠く離れていても参加できる。また、パートタイムの学生同士が互いに知りあい、経験やコツを共有するためのグループが大学にあることも多い。

▼労働者であり学生であること

多くの博士課程学生が学業と並行して仕事をしている。これは、大規模な研究プロジェクトを構成するチームの一員として、研究アシスタントとして、あるいはセミナーのリーダーや実験室のデモンストレーターとしての仕事も含む。

大規模な共同プロジェクトにその一員として参加する場合、あなたは科学の生産ラインの一部となり、単純な繰り返し作業を行い、結果を次の実験または分析段階に移すために他の研究室メンバーに渡すといった役目を果たすだけとなってしまいかねない。こうした研究環境がもつカルチャーの一環として、ラボのための一般的な作業をある程度こなすことはあっても、あなたが最初から最後まで自己完結できるプロジェクトを担いたい旨、指導教員に伝えることは重要だ。

学術誌投稿論文の執筆と自身の博士論文の執筆を両立する難しさも経験するかもしれない。特に大規模な研究チームでは、自身の博士論文へと再利用できない大規模な共著論文に貢献することも求められる。あなたと指導教員の利益バランスが異なる可能性があることを認識しよう。

指導教員は、あなたが博士論文を完成させてしまえば、それをもとにした学術誌投稿論文への貢献をやめてしまうと心配するかもしれない、もし学術出版物があまり重要でない分野で働くのであれば、出版物や論文執筆の計画について指導教員と話しあう際に、利益相反の可能性を考えてみよう。

サイモンはシュミット教授の研究室に属する博士課程学生であった。彼は大学より四年にわたる奨学金を受けていた。しかし、二年半経った時点ですでに博士号取得に値するだけの実験をこなしてきたと感じたため、実験を終え、あとは論文の執筆に専念したいとシュミット教授にもちかけた。ところが、指導教員はそれに反対し、丸一年かかる新たな実験に取り組むよう勧めた。サイモンは自分が実験室において「雑用係」として使われているだけだと感じるようになり、シュミット教授は成果を出すことばかりに興味をもち、自分が早く博士号を取得できるように援助しようとはまったく考えていないと思いはじめた。これを学科長に相談したところ、学科長はその分野に詳しい同僚とそれまでの作業内容や研究結果を注意深く検証してくれた。その結果、二人はそれまでの実験内容や成果が博士号取得に値するものと認めたのである。学科長がシュミット教授に内密に話をし、「学生に最大限の実験をしてもらうことを目的とせず、自分の役割は博士号を得ようとする学生をサポートすることと捉えるように」と助言したのであった。そしてそのように述べると同時に、「本来四年目に充てられていた奨学金を新たな学生のサポートのために回してもよい」との言葉で締め括り、事は解決したのであった。

博士課程学生が引き受けることの多いもう一つの仕事は、大学内での教育である。これは、学部セミナーでのティーチング、実験室でのデモンストレーション、学生の答案採点などを含み、他の形態のパートタイム労働に比べて報酬が高額なため、多くの学生にとって貴重な収入源だ。また、大学院のティーチングアシスタントとして助成金を得ている場合、その対価の一部として教育に一定時間従事することが求められる場合もある。しかし、これらは博士課程研究の上で大きな負担となる可能性がある。解決策の一つは、同じモジュールから複数のクラスを引き受けることだ。これによりやりがいは減るが準備時間を短縮できる。また、有給時間外の自分の時間を過剰に費やさないように注意する必要がある。たとえば、授業時間外に学生からメールが届いた場合は、次回の授業中に回答すると恐れずに伝えよう。

年長学生

英国の大学における博士課程学生の大多数（七七％）は二五歳以上で、四三％が三〇歳以上である（hesa.ac.uk）。そのため、博士課程学生は、典型的な学部生よりも、博士課程の研究に加えて子育てや介護などもやりくりしなくてはならないなど、追加の責任をもつことがより多い。

さらに、指導教員があなたよりも若い場合もある。その場合、指導教員が自分より若くとも、博士課程の指導において十分な経験と資格をもっていることを認識する必要がある。そうでないと、年下の指導教員からの指導を受け入れることに抵抗感を抱いてしまうかもしれない。年長学生として、指導教員と大人同士の関係を築くため、特別な努力をしなければならない。

また、古くさい「年長学生」のステレオタイプや、勉学の苦難を乗り越える力に対する偏見に苦しむことがある。これには二つの側面がある。知的俊敏性が低い、分野についての考えが古いなどの、あなたに対する虚像を追い払わなくてはならないかもしれない。逆に、年齢ゆえに、あなたは課題解決能力がより高いと思われるかもしれない。年長学生が多くの人生経験をもっていたとしても、博士課程は初めての経験なのだから、万能なわけではもちろんない。このことを指導教官に忘れさせないようにするのが大事だ。

多くの大学には、年長学生のためのグループがある。そのようなグループに参加したり、必要なら自分で立ち上げることを検討しよう。あなたがあなたの研究科で唯一の年配の学生であったとしても、他の科目の学生とあなたの経験を共有し比較することには大きなメリットがある。このグループの一員として、あなたが抱えている困難について話しあい、他の年長学生もその困難を経験しているかどうかを知ることができる。経験を比較するだけでなく、必要に応じて伝統的な学生やあなた自身の指導教員に問題を提示するアイデアを出しあうこともできるだろう。さらに、そのようなグループは、大学内で年長学生への偏見をなくすために、学生組合と協力してキャンペーンを行うこともできよう。

こうした課題の存在にもかかわらず、あらゆる年齢の学生が博士課程を成功裏に修了している。最近博士号取得を達成したペッシー・クラウス博士は、三人の曾孫母である。その下に何世代もいるような高齢者は次世代のためにお家でゆっくり編み物でもしているべきと考える者もいるだろうが、上の世代にも博士号をとるロールモデルがいるのはすばらしい。

当時、博士号取得が八五歳という、英国人では最高年齢としてギネスブックに掲載されたエドワード・ブレック博士の指導教員になれたことを、ＤＳＰは特に誇りにしていた。また、現在の英国での記録保持者は、九三歳で博士号を取得した女性であるが、ブレック博士はその後九七歳で文学博士（「名誉博士的なものである」「上級博士」）を得ている。このような世代の壁を超える行為がより一般化することが望まれる。

英国の文化環境で研究する

博士課程のために初めて英国に来る場合、研究を開始し学術環境に適応するだけでなく、より広く英国の文化および教育のあり方にも適応する必要があるだろう。

落ち着くまで研究開始が困難になることもあるかもしれない。買い物や洗濯など、現地の学生にとっては当たり前で些細なことでも、あなたにとっては大変なことであり、そのつらさをうまく理解してくれない現地の学生に疎外感を抱くかもしれない。渡英前、または渡英後早期に、生じそうな課題を予想して、英国とその大学院教育システムについてできるだけ多くの情報を収集しておくことが重要だ。

この国に新しくやって来た学生は、人に会う努力をしない限り、社会的にかなり孤立する可能性がある。自国に友人や家族を置いてくれば、家族で食事をしたり、信頼できる友人と話しあったりするなど、今まで当然のことだった日常的な習慣ができなくなってしまう。母国語での会話が恋しいと思うかもしれない。これらすべては孤独やホームシックにつながる可能性がある。

このような問題の対処法の一つは、母国の人々が集まる大学のサークルに参加することだ。これにより、文化の違いに適応するショックを最小限に抑えることができる。特に、大学にそうした仲間がいないなら、大学以外の同胞と社交活動をすることも役立つ。ただし、幅広い学生と知りあうこととバランスをとることが重要だ。大学は、英国人だけでなく世界中の人に出会う絶好の機会を提供しており、母国の人々とすべての自由時間を過ごすことでこの機会を逃すのはもったいない。Hickson and Pugh（2001）は、世界中の駐在員が経験する文化的衝突に関連する問題を論じているが、同じ問題は他国で研究する研究学生にも存在する。

概して、新しい博士課程学生が外国で腰を据えて研究を始めるには、かなりの時間が必要なことを認識しておく必要がある。こうした事情に鑑み、留学時の研究開始に思ったより時間がかかっても辛抱すべきだ。

多くの国の留学生にとって、英国の大学院教育プロセスの自主性を重んじる性質が問題となる場合がある。このような学生は、指導教員が研究や執筆において重要な役割を果たすことを期待しがちだ。あなたは、叡智は古代から来るという伝統にもとづいた環境で育ったかもしれない。そうした価値観では情報源が古いほど、人物が上位であるほど、その発言の価値が高く評価される。父親、グル、教授との議論は、失礼にあたるため控えるものとされる。あなたは指導教員の指示に従い、そこから学ぶためにここに来た。年長者、先輩、教師に恭順を示さなくてはならない文化に出自があるなら、作業開始前に何をするかを指示されるのを待つ習慣があるかもしれない。少なくとも、アイデアについて承認を得てから取り組むべきだと思っているかもしれない。

もしそのような考え方を持っている場合、あなたは今身をおこうとしている新しい文化を理解するよう一生懸命努めなくてはならない。まず、この文化は新しさと変化を重視する科学的および学術的文化である。さらなる知識、理解、洞察、問題解決能力を提供してくれる、新しい概念、新しい分析、新しい結果を誰もが追求している。古いアプローチは置き換えられて歴史的興味の対象となる。ニュートンは今でも多くの人々にとって最も偉大な物理学者だが、私たちは彼の成果を現代物理学において研究することはない。百年前の歴史家よりも、私たちの方がイングランド内戦に詳しいのは、おかしなことでもなんでもない。

第二に、この新しい文化では、こうした学術的プロセスにおいて、主体的に取り組む覚悟を決めなくてはならない。あなたは、自身で考え、主導権を握り、年長者と議論するための手助けを受けるが、これらすべてが、常に変化する学術的議論に貢献するために必要なのだ。第三に、こうした問題に取り組むために、あなたは一貫して自分の力で努力する必要がある。これは欠陥ではなく、好機なのだ。

文化的な違いを克服できない場合、博士課程最後の口頭審査で非常に苦しむだろう。その場であなたは論文を断固たる自信を持ってディフェンスするよう期待されているが、元いた文化で権威ある人々に敬意を払うよう教育された学生は、審査委員との議論に大変な困難を感じることがある。実際、審査委員は高い地位を持ち、おそらく年上なため、一部の非西洋の留学生にとっては対等な議論を展開するハードルが高い。

可能であれば、セミナーにオブザーバーとして、しばらくしたらメンバーとして参加することで、この「非敬意的」な態度が学術プロセスの一部として広く受け入れられているという事実に慣れよう。また、自己主張スキルのコースに参加することで、学術プロセスで自信を持つレベルに至ることができるかもしれない。新入学および経験豊富な留学生のサポートネットワークに参加したり、必要に応じてそれを立ち上げたりするのもよいだろう。

男子留学生の場合、女性指導教員からの指示を受け入れがたいと感じる人もいる。これは出身地において、男性の方が女性よりも高い職業的地位にあるからである。女性指導教員であるマーロー博士は私たち著者に、新入生のモハメッドについて話してくれた。モハメッドは彼女の研究もコメントも受け入れず、彼女が指導教員であることさえも認めていなかった。彼女は隣の研究室の男性教員に二人の間に入ってもらうことにした。男性教員はモハメッドから研究の経過報告書を受け取ると彼女にそれを手渡し、そして彼女のコメントをすべてモハメッドに伝えた。モハメッドはその助言が、女性指導教員のものではなく、男性教員のものであると信じ込んでいた。これは永遠に続けるわけにもいかなかったが、この件は異文化に出自をもつ者同士が、大した準備もなくいきなり場を同じくしたときに出くわしうる困難の一端を表している。

もしあなたが、女性が男性よりも権威ある地位につく例が非常に少ない国から来ているのであれば、女性が男性と平等なだけでなく、国の最高の地位につきうる国は英国以外にも多くあると認識しなくてはならない。たとえば、ヨーロッパに限らず世界には女性の指導者も多くいる。パキスタン、バングラデシュ、トルコ、イスラエル、インド、スリランカ、ミャンマー、ガイアナなどが例に挙げられる。ここに挙げたすべての国において、政治の現場で立場を高めていく際、政府内の同僚として女性は男性と協力しあわなくてはならない。彼女らは仕事の日々の中で一貫して、そして目標を達成した後においても、自身のリーダーシップを実証しなくてはならなかった。

右に述べたものほど深刻な問題ではないが、学生のなかには指導教員をファーストネームで呼ぶのは失礼ではないかと心配する者もいる。もう少し些細なことではあるが、親密すぎる、あるいは敬意を欠いているように思われる呼び方で自分が呼ばれることに、学生が違和感を抱くこともある。どのように呼びあうかが難しいのは学生だけではない。指導教員も同様だ。まず、名前のどちらがファミリーネームで、どちらがファーストネームなのか区別がつかない場合がある。これは、たとえば日本ではファミリーネームが先でファーストネームは後に来る。また西アフリカの人名は英国人の耳にはとても聞き取りにくく、どちらがファーストネームか分からないことがある。こうしたことから指導教員が非英語圏出身の学生のファミリーネームをファーストネームと勘違いして呼び続ける事態が生じ、学生の方もまた勇気を出してそれを訂正する機会を逃す場合がある。

ここまで読み進めてあなたは、英国で学ぶにあたっては少なからぬカルチャーショックを受ける可能性があり、適切な振る舞い方は文化によって異なるという事実を理解したことだろう。たとえば、英国人特有の、あの「よそよそしさ」に対しても、最初は居心地悪く感じるかもしれない。

▼外国語の環境で研究をする

英国の博士課程の学生の約四割は海外から来ている。英語圏の国から来る人もいれば、英語圏で何かするのは初めての人もいる。英語で読み書きが流暢でも、常に英語で自分自身を表現しなければならないことで、パーソナリティの一部を失ったように感じるかもしれない。奨学プログラムの制約から、留学生はしばしば博士論文に必要な英作文の基準をよく理解しないまま研究科に受け入れられる。もしあなたの状況にこれが当てはまるなら、非常に不運な結果につながる可能性があるため、博士論文に必要なレベルの英作文に何が必要かをいち早く正確に把握しなければならない。受理された過去の博士論文を読むことでそうした英語力は向上するので、早くからこの作業に取りかかろう。さらに、英語でのアカデミック・ライティングは他の形式の文章とは異なるので、一般的な文章の書き方に関するアドバイスが常にアカデミックな文章に役立つわけではない（第7章参照）。

話す英語も問題となりうる。たとえば、ある学生は、「分野全体について広く読む（read around the field）」と言われて非常に混乱したという。『フィールド』？ どこのことですか？」常に理解した内容を自分自身の言葉で反復して、自分認識が正しいことを確認しよう。英語は多様な起源をもつ単語や多義語が多数存在する複雑な言語であることを覚えておこう。単語（field など）の意味がわからない場合は、辞書を使用して複数の意味があるかどうか確認してみよう。

英語が母国語である国（米国、オーストラリア、カナダ、南アフリカなど）の学生でさえ、英国の **trunk, pants, bum** などの言葉が、母国とは違う使われ方をしていることに混乱する。私たちは「セメスター」よりも「ターム」という言葉を使う。また、八一ページで説明したように、どこ出身かによって、教育水準ごとの「論文（thesis）」と「学位論文（dissertation）」の意味は違ってくる。

博士号が最終的に「書かれた」論文に対して与えられる、というのは当たり前のことだが、それに加えて、実践的な作業の組織化や、作業の異なる部分をリンクさせる議論の概念化においても、書くことは重要だ。アカデミックな英語と日常で用いる話し言葉の英語はかなり異なるのも難しいところだ。アカデミックな英語でアイデアやコンセプトを表現する力の重要性は強調してもし足りない。そのため、非英語圏出身の学生は、英語・文法力を改善するために初めのうちから努力が必要だ。ほとんどの大学はこれに関する支援を提供しているので、研究が終わるころまで放置せず早めに取りかかろう。英語は国際的な科学的および学術的共通言語であるため、その努力はキャリア全体でペイする合理的な投資だ。辞書はとても役に立つし、オンラインで手に入る。英英辞典でも英和・和英辞典でもいい。オックスフォード英語辞典など包括的な辞書のオンラインバージョンは、ほとんどの大学が無料で利用可能である。

学生の英語が不十分な場合、特にそれが優秀な学生だと、熱心な指導者は執筆プロセスにどの程度介入すべきか、道徳的な葛藤に直面する。学生の博士課程期間と英国滞在が終わりに近づくにつれて、指導教員は学生たちのために論文の一部を自分で書く必要性を感じるようになる。だがこれは受け入れられない。いろいろな理由があるが、筆頭にあがるのは、採用選考者の側には、英国の博士号候補者は適切な英語を書く能力をもっていると想定する正当な権利がある、という理由だ。同様に、学生は論文の英語をより磨くため、英文校正サービスを利用することがある。第8章で説明したように、これは一般的には推奨されない。専門分野に適したアカデミックな英語で書くことができるというのが、学位の保証するところだからだ。さらに、これによってたとえば、論文の一部が他人に書き直されて自分で理解できなくなった場合、恥ずかしいだけでなく、博士論文口頭審査で審査員が論文そのものの真実性に疑問を投げかける可能性もあり、そうなったら、恥ずかしいではすまない。

ロールモデル、メンター、そしてサポートグループ

私たちは博士課程のプロセスについて、他者との関わりのなかで多くを学ぶことができる。関連する経験を持つ人たちを観察し、交流することで私たちは学んだことを定式化できる。この学びの過程には、ロールモデルから学ぶ、メンタリングやバディスキームに参加する、サポートグループに参加するなどが含まれる。

▼ロールモデル

インスピレーションの源となる存在としてロールモデルをもつことは有益だ。決意とコミットメントがあれば目標を達成できる、という自信をつけるため、ロールモデルの存在を活用することができる。ロールモデルは、あなたが進むべき道筋を示すこともできる。自分自身と同じような立場から歩みはじめた人物を見ることで、彼らが踏んだステップを学び、自身の成長について彼らをお手本にすることができる。

ロールモデルは、自伝やドキュメンタリーを通じて知りうる同じ分野の成功者かもしれないが、一年または二年先にいる博士課程の先輩学生かもしれない。そのような学生と話すことで、博士課程の旅路で直面する困難な時期を乗り越える方法や、自信を得ることができる。以下では、ネットワーキンググループやメンタリングスキームを通じて、そのような学生に出会う方法について説明する。

学生によっては、自分のアイデンティティと関係のあるロールモデルを見つけた方がよいこともある。たとえば、男性と女性の指導教員をもつベロニカのコミュニケーションを見てみよう。彼女の場合、こうした関係を女性ともつのが大事なことだった。

　女性の指導教員に話す内容は、男性の指導教員と話す内容とは違う。女同士の絆って呼ぶほうがいいかも。もし個人的な問題で気になることがあっても、男性の指導教員には伝えられない。女性の指導教員になら伝えられるのに。

もう一人の女子学生アイリーンは言う。

　スタッフのなかに女性は一人しかいないから、彼女は間違いなく私のロールモデルで、男女の力関係から私を守ってくれる。彼女なしでは学業を続けられなかったかもしれない。

特定の分野では女子学生のロールモデルとなる人材が不足しており、適切なセルフイメージを描きにくい点で、女子学生は不利である。さらには、偏見を助長するかもしれない。経済学専攻のイボンヌは言う。「研究科には露骨な自称ミソジニストもいる」。また、同じ研究科のシューラは、自身が正式な博士課程学生へと昇格する際の経験を話してくれた。

私の指導教員は私が書いたものに満足しているようでしたが、フェミニスト嫌いの男性がものすごい悪意をぶつけてきて。二ページにわたってボロカスに私をなじり、私の自信はズタズタにされました。私の指導教員はこのことを権力濫用として委員会に訴えてくれました。

彼女の進学はそうした攻撃にもかかわらず内定した。

近年、ジェンダー平等は、Athena SWAN スキーム（https://www.advance-he.ac.uk/equality-charters/athena-swan-charter）を通じて話題になっている。このスキームは、ジェンダー平等の現状、改善計画の策定、その計画の実施について賞を創設し、最高の賞は他大学にリーダーシップとインスピレーションを示した大学に与えられる。これにより、多くの研究科が、専門分野でジェンダー少数派を支援するための具体的な措置を講じ、問題を議論し改善を促すワーキンググループを設置している。もしこれがあなたにとって重要であれば、地元の Athena SWAN グループのボランティアメンバーが歓迎してくれるだろう。詳細は右のリンクから確認できる。

もしあなたがエスニック・マイノリティ出身である場合、自身のエスニックグループからロールモデルを求めるかもしれない。アフリカ系カリブ人のウィンストンは英国で教育を受けたが、不利なグループ出身のロールモデルがいないことについて語ってくれた。自分が博士号をとろうとした主な理由の一つは、社会的に不利な立場にいる他の黒人学生に対し、博士号取得が可能であることを示したかったからだという。

マイノリティの文化を研究する黒人学生のカリーナは、研究学位取得のために進学する難しさについて語った。彼女にとっての学生生活は、組合員でなければ働けない場所のような雰囲気で、排他的だったと繰り返し述べた。カリーナは指導教員を頼めそうな人と話すたびに、「黒人自身がマイノリティ文化を研究すると偏った研究になる。だから白人の方がその研究には向いているよ」だとか、「それはすべて研究し尽くされてる。この国の黒人マイノリティについてはもう全部分かってる」と言われたという。

彼女はまた、マイノリティ人種グループは自己防衛のため、「出願先をとても慎重に選ぶ」と言う。彼女たちは出願を検討する時点で、大学とそのスタッフの態度について多くのことを調べなくてはならない。また、彼女は、自分や非白人の友人が、官僚主義的な対応の狙い撃ちによく遭っているとも述べた。つまり、図書館に入る際など、白人学生は単に会釈ですむが、彼女たちに対しては常に身分確認を求めるといったことである。

また、ナショナルスキームである Race Equality Charter（https://www.advance-he.ac.uk/equality-charters/race-equality-charter）は、ますます多くの大学で採用されている。これは、大学が人種平等に関する問題に対処するための仕組みの提供を目的としている。

▼メンターとバディ

メンタリングやバディスキームによるサポートも提供されている。このようなスキームでは、学生がペアになったり、小さなグループを形成してお互いの経験から学びあう。メンタースキームでは、経験の浅い学生が経験豊富な人とペアになる。一方、バディスキームは、同じレベルの学生をペアにする。時には、大学全体から選ばれた特定のマイノリティグループの学生で構成されることもある。

このようなスキームは、人に会い、アイデアを共有する貴重な方法だ。問題が起きてからこのようなスキームに参加するのではなく、思い立ったらすぐに利用しよう。話すことはたくさんある。

▼サポートグループ

もう一つのサポートの形態は、多くが学生団体を通じて組織されるピアサポートグループである。ほとんどの大学には、女性グループ、少数民族学生グループ、年長学生グループ、海外留学生グループ、ＬＧＢＴ＋学生グループなどがある。より大きな大学では、グループ分けがより具体的になることもある（「エンジニアリングの女性」など）。さらに、ディスレクシアや自閉症をもつ学生のためのピアサポートグループがあることもある。

性別間の関係が変化する現在の状況では、女性だけでなく男性学生も大学で「関係」問題を経験することが知られている。そのため、多くのキャンパスで「男性グループ」が登場し、男らしさの意味を探求している。全員男性のグループは、メンバーが自分たちの感情を見つめ、アカデミックな議論を離れることなく、行動改善に何ができるか考える機会を提供する。これらのグループは、メンタルヘルスに特に重要な役割を果たしている。

男性であることの意味について多くの矛盾した情報があり、「よい」男性である方法についても混乱がある。男性は敏感で思いやりがあるべきか？　それとも実直で寡黙であるべきか？　オックスフォード大学に所属する二五歳未満の若年男性の自殺者数の多さは、私たち著者がこの問題をとりあげるきっかけとなった（Hawton et al. 2012）。女性の自己啓発は一般的なテーマであり、女性向け雑誌などはアドバイスであふれているが、男性向けの情報はほとんどない。

近年の歓迎すべきトレンドは、労働階級出身や大学に行った経験のある家族がいない学生のグループの台頭だ。

このような背景をもつ人々は、家庭に伝わる暗黙知を簡単に見逃してしまう。これらのグループは、大学システムの複雑さを切り抜ける手段として、また学生向けのよりよい情報提供を大学に要求する手段として、この問題に取り組む機会を与えてくれる。実際、本書の役割の一つは、博士課程プロセスを謎めいたものから解放し、幅広いバックグラウンドの学生が博士課程にチャレンジできるようにすることだ。

ストレスを減らし健康を維持する

心身の健康の維持は博士課程において重要だ。健康な状態で入学する者もいれば、持病を抱えて入学する者もいる。適切なサポートがあれば誰でも成功できるはずだ。いかなる学生でもどこかのタイミングで不安を感じることがあるし、健康なんてはなから気にしてませんという人にとっても、ストレスは大きな問題になりうる。

博士課程以外の時間を作ることが重要だ。知的な活動よりは、身体の健康維持に焦点をあてた活動や運動に興じたり、あるいは一週間の予定を立てる際、休む時間をしっかり確保するのもいいだろう。運動の代わりに、料理や楽器演奏などで苦しい研究生活の気晴らしをするのもよいだろう。

研究で難しいのは、研究対象について考え続けると止まらなくなることだ。自分のための時間を見つけ、大学から離れた人々と交わることが重要だ。これは、頭を休めるための欠かせない時間になるだけでなく、アイデアが落ち着く時間を与え、新しい視点で研究に戻るためにも有効だ。たまに――学会の締切直前や複雑な実験の実施時など――夜更かしする必要は生じるが、博士号は週四〇時間以内の仕事量で取得可能だと私たち著者は考えており、これはゆるがない。

運動や休息といった気晴らしでストレスをすべて軽減することはできない。場合によっては、日々の困りごとや苦労をこえて、構造的な問題や、指導教員との関係や、研究室の人間関係に問題があるかもしれない。これについては、以下の「搾取」に関するセクション（二六一ページ以下）や、前章のストレスに関するセクション（二一四ページ以下）でも詳しく説明している。

博士課程のストレスから解放される方法の一つは、研究科内、大学全体、またはオンラインフォーラムやソーシャルメディアを通じて広く行われる仲間の学生とのディスカッションである。そのようなサポートは、博士課程の進捗やトラブルに対してより広い視野を提供するだけでなく、博士課程学生だけが理解できるフラストレーションのはけ口にできるので、きわめて有益なことがある。

さらに、ソーシャルメディアは、大学ではあまり議論されないテーマ、たとえばアカデミア以外のキャリアについて議論したり、博士課程を辞めるべきか否か考えをめぐらしたりする機会となる。ただし、ソーシャルメディアは暇を持て余した文句たれがストレス解消に集う溜まり場になっていることがあるので、非生産的でシニカルな議論に巻き込まれないよう注意しよう。

博士課程期間に長期的な健康問題や障害を抱える場合がある。視力や移動に問題がある障害は隠すのが難しいが、糖尿病やてんかんなどの病気は当人が申告しない限り外部からは見えにくい。そうした状況を他の人に言うかどうかは、あなたの個人的判断に任されている。

自閉症は、今や障害ではなく、神経多様性に含まれる多くの思考スタイルの一つとして捉えるのが一般的になりつつある。大学は、スタッフトレーニングや学生の神経多様性に合わせた手続きの改善を通じて、このことについての認識を高めている。オックスフォード大学で数学を学んだリチャード・ブラウンレス氏は、「私のリテラルで論理的で体系的な思考プロセスが博士課程での成功に寄与した」と述べている（Grubb 2013）。同様に、適切なレベルの支援とサポートがあれば、ディスレクシアの学生も優秀な成績を収めることができる。

多くの大学には、障害や神経多様性、ディスレクシアをもつ者が教員として在籍しており、あなたが探せば助言や支援が得られるが、彼らの時間にかかる負担にも注意する必要がある。英国人であれば、「博士課程障害学生手当」(www.gov.uk/disabledstudents-allowances-dsas) の受給資格を調べてみるとよいだろう。これには、さまざまな身体的および精神的健康状態をもつ学生への支援が含まれている。

大学は「合理的な調整」(二〇一〇年平等法) を行うことが法的に義務づけられている。ほとんどの大学が法人本部にウェルビーイングまたは障害オフィスなどの調整機能をもつ。重要なのは、あなたが慢性疾患を抱えながら博士課程を続ける場合、大学はあなたをサポートすべきであるということだ。残念ながら一部の大学は、学業を続けられるくらい十分に回復するまで勉強を中断するのが唯一の解決策だ、という姿勢をとることがある。回復というのは複雑な現象であるので、この解決策は一部の学生には適切かもしれないが、他の学生にはそうでない可能性がある。たとえば、数日間勉強できてから一定期間勉強が手につかなくなるケースもある。

最初の健康状態に関係なく、すべての学生にとって研究のルーティンが重要だ。また、定期的に食事をし、良好な睡眠パターンを確立し、必要な薬を服用することも欠かせない。大学はこうした状況に合わせるべきであり、指導教員はすべての学生が特定の健康状態に関係なく学業成就の手助けができるよう、研修やサポートを受ける必要がある。

うまくいかないとき

ほとんどの学生が博士課程を大過なく乗り越えられるよう、私たちは願っている。本書で強調しているように、博士課程は複雑なプロセスであり、すべての学生がアップダウンを経験する。しかし、日常的な波風を超えた問題が発生した場合、どのように対処すればよいのだろうか？　大きな問題が発生した場合には、どのようなサポートの仕組みがあるのだろうか？

▼ハラスメント、嫌がらせ、差別、いじめ

大学は力の濫用を防ぐために設計された一連の強力な制度的対策・実践を備えている。つまり、ハラスメント、嫌がらせ、差別、いじめなどへの対策だ。にもかかわらず、これらの憎むべき行為はまだなくなっていない。大学にいるその他大勢とは異なり、博士課程学生の研究・進捗・福利公正にまつわる責任は少数の人々、時には単一の指導教員の手に委ねられており、学生はきわめて弱い立場にある。これが、私たち著者が大学に指導教員チームを採用するよう強く勧める理由だ。指導教員チームは博士課程に学術的な多様性を保障するだけでなく、指導教員との関係が悪化した場合の「逃げ場のなさ」を防ぐ。

指導教員との関係が壊れたり、危険な関係になったりする問題のさらに先にあるのは、セクシュアル・レイシャルハラスメントや、セクシュアリティおよびトランスジェンダーといった立場に対する偏見といった明白なトラブルである。大学にこうした差別はあってはならないが、残念ながら事案は現に生じているのであり、被害者になったらどうすればよいか理解しておくことが重要だ。

もし差別の標的になってしまった場合、いくつかの解決法がある。よい出発点は、学生組合のような中立的な第三者からアドバイスを受けることだ。一部の大学では、ギルドやアソシエーションといった形をとっている。彼らは学生のアドバイス／サポートセンターがあり、さらには専任のポスドクアドバイザーがいる。

重要なことに、学生組合は大学と別組織なので、渦中の人物へ漏れ伝わるのを恐れることなく学生組合のアドバイザーに事情を話すことができる。女性、ＬＧＢＴ＋学生、留学生、および年長学生向けの部署も学生組合にある

だろう。学生組合は社交の場であるだけでなく、同様のトラブルを経験した学生と話すことができる場所でもある。アドバイスを受けた後は何をすべきか？　まず、発生した出来事を注意深く記録し、その後で問題を提起しよう。渦中の人物に直接提起することもできるだろうし、学生組合のアドバイザーに同行してもらうことも可能だろう。しかし、ほとんどの場合、大学院長または部局長にアプローチする方がよいだろう。問題を起こしている人物自身が責任ある立場にある場合（大学院長や部局長も博士課程の指導教員である可能性がある）、学生組合が適切な手順について助言できるはずだ。

いかなる結果を望むのか、決めることが重要だ。たとえば以下。

- 一人ひとりが問題行動を控えるべきであり、管理職などの責任ある人物がそれを保障すべきとされる。
- 状況の変更：指導教員を変更する、問題を引き起こしている人物とオフィスやラボを共有するよう求められない、など。
- 問題を起こした人物からの謝罪。
- 差別的行為により業績を過小評価されたと感じる場合、その業績を再審査に回す。
- 損害賠償：精神的苦痛の補償として、または不適切行為により失った時間の分の授業料や生活費に対する補償。
- 当事者に対する正式な懲戒。
- 再発防止のため、部局または大学において意識向上活動や研修を実施する。

多くの大学において、苦情処理の初動は、非公式な形での解決策の模索だ。問題が解決できない場合は、まず部局内で、そしてそれでも十分でない場合は、あなたの部局外の上級職員に対して正式な調査依頼がなされる。調査を行う個人は通常、あなたやその他の関係者（問題を引き起こしている人物も含む）に対し、書面かディスカッションのいずれか、またはその両方を通じた説明や「証拠」（たとえば、暴言やいじめの証拠となるメールがあるかもしれない）の提供を求め、その後、書面報告書を作成する。

調査結果に満足できない場合は、大学外に苦情を申し立てることができる。英国では、そのような苦情は独立調停者事務所（https://www.oiahe.org.uk）が受け付けている。

あなたの困り事が、個人で手に追える範囲を超えた大規模で構造的な問題である場合、やはりまずは学生組合や学生コースの代表者にアプローチするのがよい。彼らは変革を訴えるキャンペーンをコーディネートできる。実際、近年はカリキュラムを非植民地化しようというキャンペーンが多くの大学で起きている。繰り返しになるが、キャンペーンをうまく進めるには、あなたが望む結果、つまりあなたが大学をどのように変えたいかに照準を合わせるべきである。

自身に直接影響がない問題を見つけた場合はさらに対処が難しい。自分のやり方で問題に対処することを好み、いかなる善意から来たものだとしても、他人の助けなど不要と考える人もいる。事態が悪化する前に被害者と思われる人物と話すか、関係者を明らかにせずに部局の上級職と状況を話し合うなど試みるべきだ。このような状況で何をすべきか決める助けとなるよう、「バイスタンダー研修」と呼ばれる研修を行う大学もある。

あなたの指導教員、または研究室の同僚がデータを捏造したり、論文を盗用したりした場合、どうすればよいだろうか？　これを告発するのは明確な道徳的義務（いわゆる内部通報）である。一方で、もし告発が信用されなければ自身のキャリアが損なわれる危険性がある。最近では、ますます多くの大学が、こうした問題に関する事前警告プロセスを設けるようになっている。たとえば、本格的に告発を進める前に、問題についてしっかり話しあうための担当者にアプローチできる場合がある。

▼搾取

そもそも大学とは、共通の大目的をもつ人々の集合体である。博士課程学生を含め、誰もが、専門分野に対する一般の人々の理解を助け、研究セミナーや会議を組織し、学生募集イベントでのボランティア協力をすることが期待されている。研究室での作業をともなう分野では、ラボメンバーの全員が週末に部屋を整理整頓するよう要求されることもある。これらの活動は必ずしも研究を始めた際に一から一〇まで説明があるわけではないし、すべての活動がお金で補償されるわけもない。

それでも、こうした合理的な共助は搾取に転じることがある。まず、当然ながら大学と無関係の仕事を割り当てられるべきではない。あなたは指導教員の下僕ではないので、彼らの買い物やその家族のための育児を任されるいわれはない。こうした類の指示は明らかに不適切なので、すぐに大学院長または部局長に相談する必要がある。同様に、目的外のタスクに自費を投じることを期待されるべきではない。博士課程学生を含む研究グループ全員が研究セミナーのためにケーキを提供することが期待される場合があると聞いたことがある。すべての人にそのような貢献を求めるのは合理的とは言えない。

研究と何らかのかかわりはあるが、あなたが得る専門的な利益に比して不釣り合いな要求には微妙なラインがある。あなたは指導教員の個人的な研究アシスタントではない。あなたが専門家としてよく知っている方法論について、指導教員があなたにいくつかの質問をするのは問題ないが、あなたの博士論文と無関係で、またあなたの名前も載らないプロジェクトにおけるデータセットの分析を期待することは問題である。また、あなたの指導教員の一人がテレビインタビューまたは議会委員会出席の準備として背景調査を数日間行うよう依頼してきた場合など、あなたの名前がクレジットされない可能性が高いなら、割に合わない量の作業をするのは慎重になるべきだ。

また、報酬なしで教務を担うよう求められることにも注意が必要だ。自分の研究が事例として取り上げられている講義の一部として一五分ほどボランティアで話すのは問題ないだろう。ただし、指導教員がカンファレンスや会議で不在の間、報酬なしで講義の半分を行うよう求められることは問題である。

もちろん、あなた自身が他人を「搾取」する可能性も認識しておく必要がある。あなたの研究は研究倫理委員会によって審査されているはずだが、それでも注意すべき問題がある。あなたの研究のために人々が時間を使う必要がある場合（インタビューやフォーカスグループなど）、あなたの求めに対して、提供される補償が合理的かどうか考慮する必要がある。特に、低所得者や時間給で生活する人々に無償で自身の研究への貢献を求めるのは合理的だろうか？　自分自身が属していないマイノリティのグループに協力を求める場合、そのグループのニーズや懸念に十分に対処しているだろうか？　特定の集団に対して得られた研究結果を、他の集団にまで過度に一般化していないだろうか（たとえば大学生を対象に調査した結果を一般公衆にも適用する、など）？

▼プライベートな問題、家族の病気など

博士課程のような長期プロジェクトでは、途中で必ず何らかの困難に直面することになる。軽度の病気や個人的な問題は、生活の不幸な部分であり、指導教員はそれにより生じた中断に対して同情的であると考えてよい。しかし、なかには身体的または精神的な病気、長期的な障害の発生、家族や個人にまつわる深刻なトラブル、死別、お金や居住施設の問題など、より重大な問題を抱えている人もいる。

大学はこのような問題を抱えた学生への対処に慣れており、問題への配慮を求めることは恥ずかしいことではない。大学には通常、このような問題に対応するための「減免事情（extenuating）」または「軽減事情（mitigating circumstances）」と呼ばれるプロセスがある。訴えを起こすことについて前述したように、これらの状況でも、指導教員または大学院長に問題提起する前に、自分がどのような結果を望んでいるのか考えるとよいだろう。最も一般的

な調整は、研究の延長許可を得るか、休みをとることであり、研究期間が延長される（数週間から数カ月）。

一部の大学には、特に深刻な状況にある学生を支援する追加ローンまたは少額の寄付を提供する財政的困難基金がある。奨学金や大学院教育助手の役割などを負っている学生は、研究期間の延長や休止が資金援助に与える影響を調べる必要がある。

最近では、大学には博士課程学生の育児休暇や産休に関する明確な方針があり、財政措置も含まれる場合がある。あなたに関連する場合は、あなたの部局または大学院でこれらの方針を調べるとよいだろう。

むすび

本章の全体的なメッセージは、学術環境に適応する際に内省的なアプローチをとるべきだということだ。博士課程において、研究や勉強についてどのような前提を自分がもっているか、注意深く考えよう。これらの前提は、文化的背景、以前の研究、または職場での経験から来るものかもしれない。これらの前提を明確化し、乗り越えていこう。特に、博士課程の成功の基盤は批判精神と自信の文化にあることを認識しよう。既存の理論や権威に対して過度に敬意を払うことは、博士課程に必要な独創性を阻害する。

これらの前提について熟考し、博士課程で成功する現実的な計画のために、サポートグループやメンタリングやバディスキームを活用しよう。インスピレーションの源としてだけでなく、進捗を計画するガイドとしてロールモデルを見よう。

いじめ、嫌がらせ、虐待、差別、または搾取に遭遇した場合は、これらの問題に単独で立ち向かわないようにしよう。何が起こっているかを注意深く記録し、あなたの部局の上級メンバーや学生組合からサポートを受けよう。

指導教員、同僚学生、研究科と定期的に連絡をとるようにしよう。週の労働時間とスペースを明確にし、家族や仕事上の責任とのバランスをとるため、積極的にプランを立てよう。これらの問題は、あなたがパートタイムの学生である場合、特に重要だ。博士課程の複雑さから離れるために、一週間のどこかで気分転換する活動に時間を割くことで、健康を維持し、過度なストレスを避けるようにしよう。

大学内には、困難に立ち向かうため、あるいは学生として成長するためのサポートが受けられる場所がいくつかある。指導教員と直接話して問題解決できない場合、または指導教員が問題の原因である場合は、研究科のチューターと話すことが次のよいステップだ。また、学生組合は、問題がある場合にサポートする重要な役割を果たす。学生組合は社交の場としての側面のみが注目を集めるが、サポート機能も重要だ。

また、サポートを必要とする状況になる前に、どのようなサポートがあるのか知っておくことも重要だ。大学は、学業に支障をきたす問題を抱えた学生を支援する仕組みをいくつかもっている。困ったことが生じた後にこうした制度を調べるのではなく、あらかじめこれらの仕組みについて知るよう努めよう。詳細な情報は大学のウェブサイトまたは博士課程の学生ハンドブックで手に入る。

最後に、博士課程に適応するために、無理をしすぎないようにしよう。博士課程の学生になるのは、他のいかなる出来事とも似ていないので、作業のパターンやライフスタイルに慣れるには時間がかかる。この適応力や思考力は、博士課程だけでなく、それ以降のキャリアにも役立つスキルになるだろう。

第10章
審査制度

本章のポイント

1. あなたに適用される審査制度の規定を入手し、学習すること。
2. その規定には論文提出、口頭審査、修正、そして場合によっては上告制度などの手続きも含まれる。各段階でそれらの必要事項を満たしているかどうか確認すること。
3. 二七一ページのチェックリストを使い、博士論文を仕上げること。
4. 口頭審査の準備には以下が含まれる。
①誰が審査委員となるか、審査がどのような形で行われるか、できるだけ詳しく調べること。
②論文を見直し、要約をしておくこと。
③模擬口頭審査を行うこと。
5. 学位論文の写しとともに以下を用意すること。
①論文の体系的なサマリー。
②議論したい論点をリスト化したもの。
③想定問答集（二七五ページ参照）。

博士論文の最終審査は、学生にとっておよそ最も神秘的かつ恐ろしいものの一つだ。本章の目的は、論文の最終提出と試験についてガイドすることだ。各大学には、提出と試験に関する独自の規則があるので、オンラインで規定を読んだり、大学が説明のために開催するミーティングに参加したりすることで、これらを理解するのが重要だ。

最終的には、あなたが所属する大学で適用される規則に従う責任があることを忘れないようにしよう。

提出の告知

博士号の審査は長年の研究の最終地点、博士号への道のりのクライマックスだ。通常、博士論文提出の三カ月ほど前に論文審査願を提出するが、後述するように、できるだけ時間に余裕をもたせて早めに提出した方がよい。指導教員にはもちろん相談の上でだが、いつ論文提出・審査に臨むかは、あなた自身のプロとしての判断次第であると認識しなければならない。つまり、かなりハイリスクではあるが、指導教員からのアドバイスに逆らって論文を提出することも、多くの大学において形式上は可能だ。さらに、主任指導教員があなたの論文はまだ提出するべきではないと強く感じているのであれば、この見解が学術委員会などに通知され、提出を認めないという状況になる場合もある。これに関しては異議を申し立てることができるが、それよりも指導教員の支持が得られるように自分の論文の改善に力を注いだ方が得策だろう。

審査委員とのアポイントメント

博士論文の提出告知をした後、論文審査委員を指名する正式な過程に入る。論文審査委員の仕事は、あなたがプロの研究者として仲間入りを果たしたいと望むアカデミックな研究者グループを代表することだ。通常は審査委員のうち内部からの一人はあなたの指導教員以外の大学スタッフ、外部からの一人は（英国の場合は、たいてい英国内の）他大学の教員となる。

大学の評議会への審査委員推薦の責任は、あなたの指導教員と研究科長評議会、もしくは研究チューターにある。候補者について見解を打診されることもあるかもしれないが、実際、多くの指導教員が論文審査委員に関して、学生との間でしっかりした話しあいをもつ。

大事なのは、論文を書き終わる前に誰が審査委員になるのか知ることだ。指導教員がそれを教えてくれないなら、執筆の最終段階を進める途中で、それをたずねる機会を必ず設けるべきだ。おそらく審査委員はあなたが論文のなかで引用した著作の著者だろう。指導教員が審査委員を選ぶときによく使うやり方は、博士論文のなかで最も頻繁に引用・言及される英国の研究者をまず呼んでくることだ。もし検討の結果、参考文献リストからふさわしい審査委員が見つからなかった場合は、審査委員の論文を読んで、そこから引用できそうな関連性の高い内容を探すべきである。審査委員といえど人間である（あなた自身も将来審査委員の一人になるのだという点は覚えておこう）。そして、彼らは必ず、自分たちの著作が議論のなかに適切に組み込まれていることを期待する。とはいえ、無理してまで彼らの著作を論文で引用する必要はない。

これらはそれぞれ時間がかかるものであり、審査委員の任命において事前のプランニングが必要である。シニアの学者は忙しい。論文提出のタイミングを通知したときから提出日までの日数が長いほど、提出日から口頭審査までの間隔が短くなる。一カ月程度の間隔は問題ない。二カ月や三カ月でもまだ大丈夫だ。しかし、それが四〜六カ月かかる例も珍しくはないのが事実である。私たちの見解では、六カ月以上間隔が空くのは好ましくないものの、残念ながらありうる話である。これは最初に適任と思われていた審査委員が忙しく、忙しいという返事すら指導教員に返せない状況にあるときに起こる。

六カ月先の提出日にコミットするのは良い慣行である。実際、多くの大学ではちょうどその前後に「提出レビュー」というものを博士号進捗状況のモニタリングスケジュールに取り入れている。その間に、主任指導教員は非公式に審査委員となりそうな人にアプローチをかけ、審査のスケジュールについて同意をとっておく。同時に、提出のための現実的な締切をあなたに提示する。この締切に同意したなら、絶対にそれを守らなくてはならない。締切を逸したら、口頭審査には大幅な遅れが生じかねない。

論文提出

論文提出に際しては部局ごとに異なる取り決めがある。使用言語（よほど例外的な場合でない限り「英語」もしくはウェールズならウェールズ語）、用紙のサイズ、フォント、余白の大きさ、レイアウト、紙で提出するか電子ファイルで提出するか、などなど。紙に印刷して提出する必要があるなら、ハードカバーかソフトカバーかなど、綴じ方に関する指定もあるだろう。他にも、何部提出するのか、バインダーの色、タイトルのフォーマット、などなど。電子ファイルで提出するなら、ファイル形式と容量についてもルールがあるだろう。こうしたお役所的なルールをしっかり意識しなくてはならないが、いったんルールが分かれば、それに従うのは難しくないはずだ。多くの大学では、論文を正しい形式で作成するためのテンプレートがある。

特に注意すべき三つの要件がある。一つ目は提出が受理される最終日である。博士課程の学生として登録された瞬間から、この日付が設定されており、それはあなたの心に刻んでおくべきだ（DSPは、心に刻むより額に刻んでおくべきだと言っていた。そうすれば鏡をのぞき込むたびに目に映るからだと！）。これは通常フルタイムにして四年、パートタイムにして六年が上限であり、期日の延長は非常に困難である。

二つ目の要件は、提出物の長さの上限規定である。これは大学、実際には学内の研究科によって異なるため、できる限り早い段階で自分の論文の語数制限を把握しておく必要がある。制限を超えた場合、短くするようにと突き返されるだけである。場合によって、語数の関係で本文に入れたくても入れられない内容を付録として入れ込んで、制限を守ることも可能かもしれないが、多くの大学はさすがにこの手法に気づき、付録を含めて何文字までといった制限を設けるようになってきている。あなたの大学の規定をしっかりと調べること。実際のところほとんどの場合、文章をよりコンパクトにすれば内容がより明瞭になって、チャプターごとの論点の流れもより明快になる。フランスの数学者であったブーレーズ・パスカルは「時間があればもっと短い文章を書けたのだが」と手紙に記している（Pascal 1658）。

三つ目の要件は、論文が適切な学術英語で書かれているかどうかである。英語を母国語としない人にとってこれは特に重要である。締切が差し迫ったときになってこの要件をクリアするのは無理な話だ。代わりに、これは自分の教育プロセスの一環として考えるべきだ。博士課程の全体を通して、あなたの文章力が十分かどうか、継続的なフィードバックを得た方がよい。本書全体で折にふれて推奨してきたことだが、より主観的な部類に入るこうした要件に関して感覚をつかむよい方法は、すぐれた博士論文を読むことである。そうした論文は、大学の図書館を通じてオンラインでほとんど無限に手に入る。

すべての研究科が博士課程学生に要求するのは、審査委員やその他の読者に広く論文の概観を伝えるための、研究とその結果がまとまった要旨（通常三〇〇〜五〇〇語）である。この要旨を説得力あるものにするため、時間を十分に使おう。そうすることによって、読者に良好な第一印象を与えることができる。この技術は出版物だけでなく学会発表にも使える、プロとして押さえておきたいスキルだ。

繰り返すが、博士課程の目的はあなたをその分野における完全なプロの研究者にすることだ。したがって、論文はプロの研究者としての資質を表すメインの部分ではあるが、審査対象は論文に限らない。論文に加えてすでに出版した原稿も論文を補完するものとして提出すべきである。要件は二つ。まず、博士論文の掲げる特定のテーマに絞る必要はないものの、自分が審査されている当の分野にまつわる学術的な文章でなければならない（あなたがすぐれた切手収集家であったとしても、その領域で発表した業績は、プラズマ工学で博士号をとろうとしているのなら何の役にも立たないだろう）。次に、それらの業績は、どの教育機関のどの学位とも無関係なものでなくてはならず、その点を明言しなければならない（たとえば、自分の論点を支持するために、修士課程での研究プロジェクトをもとにした論文を提出することは許容されない。それは一つのものを二度カウントしたとみなされてしまうからである）。関連する共著論文は、研究に対するあなた個人の貢献を明確に特定できる場合にのみ提出が可能となる。

▼提出前のチェックリスト

提出前のチェック項目は事務的なものと学術的なものの両面でいくつかある。提出前に以下の事項を確認しよう。

- 提出に必要なすべての正式な要件を満たしたか？　年次レビュー報告書の完了、提出承認の取得など。
- どこまでが先行研究についての説明で、どこからがオリジナルの貢献か、区別は明確になっているか？
- 審査員が論旨と成果を理解するために十分な材料があるか？
- 領域内の先行研究を網羅し、論旨を支持する十分な論拠になっているか？
- 研究の背景、研究の実証部分、成果に対する評価と考察のバランスがよいか？
- リサーチクエスチョンと論文の構成を要約する明確なイントロダクションがあるか？
- 本論部分で示されたエビデンスをもとに研究の問に対処し、将来の展望を示唆する結語があるか？
- 論文は正しいフォーマットで書かれているか？
- 大学で許可された長さに収まっているか？　たとえそうでも、詳細が多すぎたり少なすぎたりしないか？
- すべての引用および実験／分析方法にレファレンスがあり、参考文献リストは大学で指定の形式か？

・論文提出願や図書館のリポジトリ申請など、関連する書式を提出したか？
・スペル、文法、および自分野に適した学術的なスタイルと形式について、論文を徹底的に校正したか？
以上、すべてクリアすれば提出準備が整ったと言える。

口頭審査

論文を提出して数週間や数カ月が経ち（あまり長くなければよいが）、口頭審査が行われる。これは一般的に英語で「Viva」と呼ばれる。これはラテン語で「生の声」を意味する「viva voce」を短く言ったものである。口頭審査では、あなたの分野において定評のある専門家二人の前で、自分の研究がその分野の発展に貢献するものであることを証明するために、あなた自身が出席しなければならない。

口頭審査は通常「プライベート」に開かれる。つまり、審査委員と学生だけが出席して大学当局は直接関知しない。もっとも、なかには大学関係者が独立した第三者として出席することもある。第三者の役割は、セッションの段取りを説明して口頭審査を管理運営することであり、口頭審査が大学の規定に沿って進行し、審査が合理的かつフェアであることを保証することである。このシステムがない大学の場合は、内部審査者が自身の質疑と並行してこの役割を引き受ける。

しかし、大学によっては、議論への参加はできないものの、他者の観覧を許可している場合もある。もし許されるのなら口頭審査の様子を事前に見てみるとよい。指導教員はたいてい同席しているが（大学によっては審査される学生が同意してくれた場合のみ可能となる）、発言は許可されていない。

新型コロナウイルスのパンデミック以降、ビデオ会議（Zoomなど）による口頭審査が急速に一般化した。この方法で口頭審査を求められた場合でも、この章のほとんどのアドバイスは変わらず適用可能である。個別のアドバイスとしては、オンラインで身振り手振りを使ってコミュニケーションすることは難しいため、対面であれば特に述べる必要のないことでも、はっきりと声に出しておく必要があるかもしれない。たとえば、論文の段落を少し読む際は「これからその部分を読みます」と明示的に言うとよいだろう。また、より視覚的な分野、たとえば図表の利用があるような分野では、どうすべきか考える必要がある。たとえば、オンラインのホワイトボードプログラムや、ドキュメントカメラの利用に慣れておくことで、ビデオ会議中に図表を描くことができるだろう。また、大学がこのタイプの口頭審査に関してもつ特定の規制（使用される技術や不正行為を防止するために大学がとる可能性のある手順など）にも精通しておく必要がある。

▼口頭審査で審査委員は何を目標としているのか

審査委員の仕事は、論文と口頭審査でのパフォーマンスをもとに、あなたが研究分野に価値ある貢献をなすことができ、傾聴に値する完全なプロの研究者であるかどうか確かめることだ。彼らはあなたと議論を交わし、あなたの論文の妥当性を証明するよう問い、研究結果がさらに発展すれば何が生み出されるとあなたが考えているのかを探ってくる。

審査委員はあなたの論文を読み終えており、それぞれの見解をもっていることは間違いないが、読み終えた時点ではまだ最終判断をせず、口頭審査が終わるまで待つ。これは、審査委員には、あなたがコミットしなくてはならない目下のセッションの間に、遂行すべきいくつものタスクがあるからである。

まず審査委員は博士号候補者であるあなたがその論文を書いたかどうかを確定させなくてはならない。多くの質問を通し、それを確認する。たとえば、「どのようにしてこの課題を選び、学ぶに至ったのか」「なぜその手法を選んだのか」「この実験をするにあたって、そしてこの特定のデータを収集するにあたって、どのような困難があったのか」。あなたは質疑応答を通じて、自分の研究についてどの程度細かいところまで熟知しているのかを示し、これが自分の論文であることを実証するのである。より根本的には、審査委員は論文の剽窃やデータの捏造がないかどうかを確かめようともしている。

彼らはまた、あなたがその分野においてプロであり、その分野を熟知しており、その課題を研究するために現在知られている最善の方法を用いたことを確認しようとする。彼らはまたあなたの論文を読むうちにさまざまな質問を考え、なぜこうしたのか、何を根拠にこのようなことを書いたのか、納得いくように説明を求める。プロとして自分の貢献の強みと限界の両方を理解しているかどうかテストする。論文を「守る」態勢に入るわけだが、口頭審査では「防御的」になってはいけない（すべての質問を自分の成果に対する攻撃だとみなしたりしないこと）。多くの学生は審査委員からのあらゆる質問に「防御的」に答えてしまい、口頭審査を実際よりも難しいものとしてしまっている。プロの研究者として、関連するアイデアを受け入れることで成長できる余地が自分にあることを示さなくてはならない。

さらに彼らは、その領域についてあなたにどれくらいの知識があるのかも評価しようとしている。重要な先行研究への言及がないのならば、なぜか？　特定の論文や書籍を引用したなら、なぜそれを引用し、それは俯瞰的に見たとき研究テーマにどのような貢献をなすのか？　あなたの研究は、その分野で倫理的に妥当な研究を実行するための規範に沿っているか？

また審査委員はあなたの貢献について議論もしたがる。あなたの研究とほかの研究は何が違い、どこが新しく、オリジナルなのか？　それはどのように研究トピックの発展に貢献するのか？　その貢献は適切な方法論のもとで示されているか？　論理的なアーギュメントを示せているか？　当該領域に新規の貢献をなした点について、貢献の度合いに見合ったクリエイティビティを提示できているか？

ここでは審査委員の役割を個別に書いてきたが、実際は審査委員はあなたのすべての回答を総合的に判断し、あなたの研究成果の価値、そしてあなたが専門家と呼ばれるに値するかを見極める。

▼口頭審査のための準備

口頭審査の準備をシステマティックに行うのも必要だ。EMPは、効果が明白であるにもかかわらず、本当の準備をする学生はほとんどいないという興味深い発見をした。マレー（Murray 2009）やラグとペトレー（Rugg and Petre 2010）は、準備の仕方について有用な導入を行っているが、本書の第11章にある「審査の仕方」（三三八〜三四二ページ）で口頭審査について論じているので、そこを読むことから始めるとよい。当該箇所では、審査がどのように行われるかについて情報を提供している。

口頭審査の準備には鍵となる四つの要素がある。

・よくある質問（FAQ）についての問答集（後述）を準備すること。
・論文の体系的なサマリーを準備すること。
・口頭審査で論題として提示したい内容をリスト化しておくこと。
・模擬口頭審査をしておくこと。

まずあなたは、以下に示すFAQを完全に理解し、簡潔明瞭に答えられるようにしておくことで、口頭審査での回答の仕方をうまく枠づけておく必要がある。

・研究トピックにまつわる先行研究の主な限界はどこにあったか。
・あなたの主張はどういったものなのか（つまり、あなたのアーギュメントとポジション、そしてリサーチクエスチョンに対する答えは何なのか)。
・あなたの研究の貢献は何なのか(たとえば、あなたの研究結果は何が新しいのか、何がオリジナルなのか)。
・あなたの研究の限界は何か。
・もしこれを初めからやり直すとしたら何を変えるのか。
・このトピックに対する研究がどう発展していくと考えているのか。

もしこれらの質問に対する明確な答えが頭の中にあり、簡潔にその答えを言えるなら、論文をディフェンスする態勢に一歩足を踏み入れたことを意味する。簡潔に答えるというのは二文、多くて三文のうちに答えられるということだ。それ以上必要なら、それは思ったほどあなたの成果が十分に焦点の絞られたものとなっていない可能性を示している。PhD Voice のウェブサイトには、いろいろな分野にわたって、こういった問いについての大変充実したリストが掲載されている。

第二に、各論点がどこにあるのかすぐに探し当てられるように、自分の論文に関する体系的なサマリーを作っておくべきだ。サマリー作成にあたり、よく使われる効果的な方法として、以下のようなものがある。これは完成した論文を並行してリライトするのにも有用である。

まず、罫線付きのA4の紙を最大三枚用意する。まっすぐの縦線を各紙の中央に引く。もともとの罫線がだいたい三五なら、縦線で分けられた七〇のハーフラインができる。各ハーフラインはあなたの論文一ページにあたる。各ハーフラインに番号を振ろう。一枚目の一から三五までは左側、三六から七〇は右側である。

ワードソフトを使う場合、二段組みのドキュメントを用意するところから始めよう。右と同じく、各ページに対応する数字を振っていく。手でやっても、数字をリスト化するのでもよい。あとは、以下で述べるように、数字の横に各ページのアイデアをまとめたメモを数語で書いていこう。これで作った文章は、携帯に送ったり、紙にプリントしたりして、手元に置いておこう。

二週間ほど時間をかけて、各ハーフラインに論文の該当ページのメインコンセプトを書き込もう。ここでは例として、ＥＭＰの博士論文（Phillips 1983）から研究手法について述べたページを見てみよう。

図2にあるように再分類されたグリッドは、グリッド内の反応パターンを表した二つの樹形図とともに提示されている。以上の三つの図は、どの要素とどの構成概念がともにクラスターを形成するか、視覚的に示している。このグリッドでは構成概念一は反対になっているのでスケールポイント五はスケールポイント一となり、スケールポイント四はスケールポイント二になり、同じことが構成概念三でも生じる。この例はイワンの二つの構成概念「逃亡／しなければならない」と「自分にとって退屈である／興味がある」である。二つのうち一つが反転した場合、「退屈」と「しなければならない」は似たような使われ方をしていることになる。この可逆性によって、構成概念間の完全なミスマッチは完全なマッチングと同程度に有意となる。二つの構成概念間のネガティブなマッチングは一つの構成概念の軸が反転したときはポジティブになる。この意味での「マッチング」は互いに強く関連した要素または構成概念を示しており、「ミスマッチング」は互いにネガティブに関連した構成概念を示している。互いに似た点がない要素や構成概念は特定のパターンを形成しない。

コア

グリッド・テクニックは大学院生が三年間の博士課程を通じて研究を進めるうちに生じる変化をモニターするのにも使われる。これを実行するためには、一人一人の継続的なグリッドをコアプログラム（Shaw 1979）を用いて分析する必要がある。このプログラムは同じ要素間・構成概念間で比較分析を行い、大学院生による使用のされ方に最も変化があった要素・構成概念を表示するものである。

ここまでの文章が次のようにまとめられる。

八六ページ　C〔construct, 構成概念〕の反転　マッチングとミスマッチング　コア紹介

この前後のページは左記のように要約され、全体の節が一つながりのハーフラインにまとめられた。

四章　調査方法　八二〜八九ページ　サブセクション　グリッド分析
八二ページ　分析　別表二八六〜二九一ページに言及　同じ解釈
八三ページ　コアとフォーカスの理由
八四ページ　フォーカス>>>八五ページ　グリッドの図表
八五ページ　図表
八六ページ　Cの反転　マッチングとミスマッチング　コア紹介
八七ページ　コアの説明　図表と例
八八ページ　diffのスコア、四〇%カットオフ、クラスターと孤立
八九ページ　計算　FB新情報　再分類されたグリッドから
〔これらの図・章やページ数は例であって本書のものではない〕

このエクササイズが終わる頃には、あなたは二つの重要な目的を達成しているだろう。まず一つは、論文全体を可能な限り詳細に書き直し終えている。そしてもう一つは、口頭審査で使いたいあらゆる主張や言及、説明がどこでなされているかが一目で正確に分かるようになっている。単に論文の流れを簡単に把握できるだけではない。目下の議論と関係する箇所や、読んだ記憶はあるがどこに書いてあるかすぐには思い出せない箇所を見つけて、審査

委員たちが一生懸命ページをめくっているのを尻目に、それが書かれているページ番号を即座に指し示すこともできるだろう。

　このような明示的成果にとどまらず、あなたは単なる紙の束をもとに、論文なしでも最後の訂正を記せる。つまり、論文が手元になく、外に出て友達や家族と過ごしている間も、「研究」を続けることができる状態になるのだ。この大事な紙の束は、バッグやポケットに入れておけば、見たくなった時や必要になった時にいつでも目を通すことができる。単に要約を紙に書き起こし、それを知り尽くしているという意識をもつだけで、あなたは口頭審査で審査委員を前にしても自信をもって受け答えができるようになるだろう。

　こうした一般的なアプローチに対し、自分の独自のバリエーションを発展させる方法もありうる。たとえばジェームズ（フランス史）はその紙を使い、論文のページの順序にあわせて、それぞれの課題とそれをサポートする事柄を書き綴った。よってどの課題が持ち上がろうとも、その課題がどこで論じられているのかを把握していた。口頭審査の後、ジェームズはこうしておいてよかったと述べた。審査委員は彼の論文をしっかりと読んでくれており、それぞれの論点とそれをどう正当化したかについて熟知していたからである。

　第三に、自分が口頭試験の際に論じたい内容をリスト化することだ。口頭試験は、その名の通り、試験である。しかし、それはこれまであなたが受けてきたどの試験とも違う。普通の試験の後は、「しまったなぁ、あの課題について汗水たらして勉強したのに、全然質問に挙がらなかったよ」と感じるかもしれないが、この試験の場合、自分の研究に関係があると思えばそれを自ら持ちかける。よってあなたは自分が専門家としての研究能力を備えているのを実証するために提起したいあらゆる論点を、審査委員が持ちださなかったら自分から持ちだすべくリスト化しておくことが必要だ。

　第四に、本番をうまくこなすためにも模擬口頭審査はしておくべきだ。口頭審査で一番厳しい出来事は、それまで検討もしなかった角度からの批判を審査委員が突きつけてくることである。そうしたときは、その場で答えがすぐ出せるように頭の回転を速くするほかない。それゆえ、準備のなかでも特に重要なのが、口頭審査を受ける前から、できるだけ多くの批判の対象を見つけ、それらについて検討しておくことである。それにより、あなたはその日までに回答を考えておき、より優位な立場で試験に臨むことができる。それが模擬口頭審査から得られるメリットの一つなのだ。また、回答する練習を重ねるにつれ、より自信がつき、より流暢に回答できるようになる。指導教員のうちの一人と模擬口頭審査を一緒にすること。できれば、他の博士課程学生とも一緒に模擬口頭審査をしあって助けあうようお勧めする。

▼口頭審査で学生は何を目標とすべきなのか

あなたの目的は、自分が完全なプロの研究者であり、研究テーマについて審査委員と対等なレベルにあると実証することである。これは大変な注文のように思えるかもしれないし、実際そうだ。しかし、得られるもの――アカデミックな地位と称号――もまた大きいのだ。

もし提出した論文がハイレベルで、その貢献が明確に説明されているのであれば、もうすでにあなたは審査委員を説得するための第一歩を踏み出している。口頭審査におけるあなたの目的は、自分が自身の課題に関して関連文献をよく理解しており、過去に行われている研究に鑑みて自分の研究の位置づけを適切に評価でき、そして自分の研究について詳しく説明できることを、審査委員に示すことである。さらには、論文の明確でない箇所や、誤りや不足がある箇所について審査委員を説得しなければならない。ここまで述べてきたような準備を済ませておけば、すでにきわめて有利な状態にある。質疑応答のストレスのさなかでは、自分が何を言いたいのか見失いやすいので、論文のサマリーを口頭審査に必ず持っていこう。こうすることで、自分の研究とその貢献にまつわる論点リスト

（私の論文はこういうもので、独自の貢献はこういうところにあります、などなど）を持参して口頭審査に臨むことになる。あなたが聞いてほしいと思っている点について審査委員が質問してこないなら、自分でそのトピックを提示しよう。これはまったく問題ない。

問いに直接答えない、政治家のような質疑応答をする必要はない。そうではなく、問いをまず出発点にするべきだ。当の質問に答え、それから自分の述べたい論点のうち、その質問と同じような領域にあるものを議論に含めていこう。たとえば、データセットに関して詳細な質問が審査者から示されたなら、その質問に答えたうえで、データセットを自分自身の手で作ったことや、革新的なデータ収集の方法論を用いたことなどをアピールする機会にするとよい。

▼口頭審査の実施方法

口頭審査の実施方法にルールはない。審査委員の専門家としての判断に任されている。そのため、実際に何が行われるかは状況によってかなり異なる。しかし、慣例は徐々にできあがる。二時間から三時間、ないし三〜四時間かかる場合があるが、一時間以内や五時間以上ということは基本的にない。学生は最初の一〇分から一五分の間で研究成果についてよりフォーマルなプレゼンテーションをするように求められるかもしれないし、求められないかもしれない。審査委員はその研究について別々の角度から質問をするように事前に取り決めているかもしれないし、決めていないかもしれない。しかし、審査委員同士が審査の進行をどう決めていようと、それを審査委員から事前に説明してもらうことはよいやり方である。そうすれば、学生は自分が審査の過程でどこにいるのかの見当がつくであろう。

口頭審査を候補者による手短かなプレゼンテーションから始めるやり方は、ますます一般的になってきている。

プレゼンテーションは、自分が論文内でどのような貢献をしたかの概略を説明するものだ。さらなる負担のように感じるかもしれないが、これには、審査の最初にあなたがコントロールできる時間を少し作ることで、あなたをリラックスさせようという意図がある。大学によってはそのようなプレゼンテーションをしたいかどうか聞いてくるところもあるが、そのような場合にはプレゼンテーションをするよう勧める。一部の大学部局においては、口頭審査の前により長い発言を他の研究学生や教職員など多くの人の前でするように求めるところもある。

あなたはまた、審査委員がたずねている質問の意味をしっかりと理解するために時間をとり、それが論文の内容とどう関わっているのかを考えてみるべきだ。いくつかの質問、特に口頭審査の最初と最後は論文に関して非常に一般的な質問をするものだ。それ以外のほとんどの質問は、論文の一部分に関連した質問だ。多くの質問は「○○ページにあなたは○○と書きましたが……」といった聞き方をしてくる。いきなり答えて、焦ってぐだぐだ回答するより、回答前に関連したページをめくり、さっと目を通すとよい。質問の意味がよく分からなければ、明確にしてもらうよう求めること。質問の内容をしっかり吟味し、よりはっきりとした回答をする方が、結局は審査委員とあなた両方にとってよい結果をもたらす。さらに、審査委員はあなたを罠にはめようとしているわけではなく、質問に対する回答を一つ失敗したからといって落とされたりはしないことを心に留めておこう。

うまくいった口頭審査の例は次の通りである。

ジェームズはフランス革命を専門とする歴史研究者であった。彼は口頭審査のために入室を許可されるのを待つ間、誰しもが感じるような不安を抱えていた。しかし、主任指導教員が、自分の研究成果について大変興味深かったと言ってくれたことを思い出し、自分を安心させようとした。学生だったころ、彼は近代フランス史に関わる専門家の集まるカンファレンスに参加し、そこで内部審査委員と外部審査委員の論文発表を聞いていただけでなく、その場において質問もしていたという。また、見解の違いを表明しながらも、自分の論文に彼らの論文を引用していたのである。ジェームズは彼らの論文が、ある時期に起こった歴史上の出来事を十分に考慮していないこと、そして自分が研究した資料により、その出来事に新たな光があたることを論じていたのである。

入室したときに彼はすでに対等の立場にあるかのような扱いを受けていることを感じて喜び、すぐに議論に入った。再びカンファレンスに戻って論じあっているような気分になり、自分の主張を自信をもって表明した。また、『博士号のとり方（第六版）』を読んでいたので、彼は論じたい内容のリストを持ってきていたが、必要ないことに気づいた。というのも、審査委員がすべてそれらの内容を聞いてきたからである。参考資料や脚注などに関するマイナーな修正は求められたものの、彼の論文は受理された。

これとは逆に、それまで特に検討もしなかった、自分の成果が抱える不足について質問をされたときは厳しい状況に立たされてしまう。このような場でされる質問は、すべてあなたの研究成果に関する内容である点は忘れてはならない。審査委員は朝寝起きが悪かったのを理由にあなたに特に厳しい態度を示そうとしているのではなく、あくまでもあなたの論文に欠点があるのを見出しているだけなのだ。そのため、口頭審査を受ける前に、指導教員や同輩からあなたの論文に対してできる限り多くの想定される反論を聞いておくことが大事である。そうすれば、どう反論し、自分のしてきた研究をどう正当化するのかなどを考える機会が得られる。批判的な審査委員を含め、皆あなたの味方であるという点は強く認識しておき、忘れないこと。その証拠に、審査委員たちはどこをどう直せばいいのかを具体的かつ詳しく提案してくれるのである。そのような提案に対して十分に聞く耳をもつこと。そしてそれらの提案を再提出する際に十分活かすことが重要となる。

次に挙げる例は困難に出くわしてしまった口頭審査である。

ハリーが選んだ課題は産業マーケティング戦略であった。指導教員たちは彼の論文がまだ弱いと感じていた。特に、掲げた問いに答えるため、寄せ集めたバラバラのデータを何とか一貫性のあるものにしようと試みているところに弱点があった。それは彼の主任指導教員が「まだ論文は提出しないように」とアドバイスするほどであった。しかし、ハリーは奨学金に関して期間制限があったため、そのようなアドバイスにもかかわらず提出を決めたのである。また模擬口頭審査などをする余裕もなかったため、実際の口頭審査で審査委員がその論文の良いところをいくつか述べた後、不足している点にフォーカスして話し始めた際、彼は落胆してしまった。委員たちは「これをどう改善するつもりかね」と聞いたとき、実はその分野への理解と、使用した手法(アンケート調査)への理解をアピールする機会を与えていたのだが、それまでこれらについて何も考えていなかったハリーは、その場しのぎで何とか答えようとオロオロしてしまった。そこで審査委員はやり方を変え、どのようにすればより充実した論文になるか提案をいくつか出してくれた。しかし、この時点でハリーはまごついており、何が提案されているか理解していない印象すら与えてしまった。彼が退室してから審査委員は、ハリーが再提出までに論文を改善できるか、あるいは代わりに修士号を与えるべきか話しあった。結果として審査委員は、疑わしきは罰せずの原則に立ち、再提出を求めることとした。

ほとんどの口頭審査は、もちろんこれら両極端な状況の間のどこかに落ち着く。その場ではあなたの論文が提起する議題について気の利いたディスカッションが繰り広げられると同時に、データやその分析、あるいは論点などで弱いと思われるところには鋭い指摘がなされる。これをうまく切り抜けなければならないので、口頭審査はかなり大変だ。博士号はこの努力に対して与えられるのだ。練習が必要だ。自分の成果を専門家の前で公然と発表する経験を積んでおくことは必須である。それにより、先ほどの例のごとく予想もしなかった批判などで狼狽することがないようにしておくのだ。そう大きな集まりでなくてもよい。審査委員としての経験があるものの、自分の審査委員とはならない学者を自分の所属する研究科から数人集めることが理想的である。他の博士課程学生もその時点にたどりつくまでにいろいろと手伝ってくれているだろうし、また自分も手伝ってあげていることだろうが、模擬口頭審査をする際は彼らが素晴らしい審査委員になってくれるだろう。

よい論文を書き上げるには、博士課程を通じて何年も書く練習を繰り返す必要があるのと同じように、公の場で自分の研究成果について議論し、正当化する練習が必要だ。これが非常に重要なのは、たとえば審査委員があなたの論文を読み、論点の一部が薄っぺらいと感じたとしても、口頭審査の議論で十分にその点を正当化することができれば、論文の書き直しや再提出を求めないということもありうるからだ。

▼審査結果

博士号の審査の本質について深く考えたことのない人は、審査を終えた学生がすぐに博士号取得の栄光に包まれるか、失敗して悲しみのうちに大学を去ると思いがちである。これは実情と一致していない。こうした両極端なケースの間には、ありうる結末のグラデーションが広がっているのであって、それを今から考えてみよう。なお、いつものごとく一般的な大枠を説明しているだけであり、自分の大学の規定においてどのようなカテゴリーが設けられているのかをチェックしておくこと。

- 口頭審査の後、博士号がすぐに授与される。めったにないことだが、これは最高の結末であり、目指すべき目標だ。
- 学位はすぐに授与されるが、いくつかの箇所の修正と細かな訂正が必要となる。そうした修正は通常一カ月以内に提出しなければならない。これは多くは「pass with minor corrections」と呼ばれるものであり、つまり、審査委員は「早く修正版を提出すればそれを初提出分として受領し学位を授与しよう」と言っているのだ。こうした場合の修正は議論には影響しない細かな計算間違いや、特定のポイントに対する言及不足や誤り、図表の説明不足などの些細なものであることがほとんどである。あなたはそうした修正で学内の審査委員を満足させ、学位を取得する。

- 審査委員が「合格だが、しかし……」と言う。論文と口頭審査の受け答えはまあまあだが、修正しなければならない点があり、改善を求めているのである。「審議」や「major corrections」とも呼ばれることがある。審査委員たちはどの点が弱いのか、その理由は何なのかを説明し、再提出までの時間として、普通は六カ月から一年を定める。残念ながらあなたは大学に残り、その分の学費、あるいは再審査料を支払わなければならない。厳密にどのような手順を踏むかは大学によって異なる。再提出の際の口頭審査は通常免除される。
- 審査委員が、あなたの論文は修正さえすればよい論文となるが、その前に直すべき点が多いため、書き直して再提出する必要がある、と言う。これは「再提出」と呼ばれるもので、右と同じくどこがどう弱いのか、何を修正すべきなのかは言ってくれるが、一年の猶予を与えられる代わりに学費も負担しなくてはならない。また書き直しが必要な量の関係で、口頭審査ももう一度必要となる。

この最後の二つの結果は、残念ではあるが決して珍しくはないし、悲劇だと捉える必要はない。学生は通常二〜三週間落ち込んで、また立ち上がる。最良なのは、できるだけ早く次の仕事に取りかかることだ。いずれにせよ、あなたは口頭審査から非常に多くを学んでいるはずである。審査委員は論文に何が足りなかったのか、何が足されるべきなのかをとても事細かに説明しているはずだ。心の整理がついたら——言うまでもなく、落ち込みようは相当なものだろう——、必要な書き直しに取りかかる良いポジションに立てるだろう。研究の再開までには時間をかけすぎないこと。心が落ち込んだままだと、与えられた期間などあっという間に経ってしまう。その間も一生懸命研究を進めて、論文の一部を著名な学術誌で審査してもらうことは、学術的にも精神的にもとてもよい作戦だ。

いったん再提出して学位を得てしまえば、一度失敗したことなど関係ない。第一、そんなことは誰も知りえない。大事なのは、これまでの研究をもとに、今後どのような論文を発表するかである。驚くかもしれないが、著名な研究者のなかにも、博士課程時代に論文を再提出しなければならなかった人は、実は数多くいるのだ。

他にも、以下のようなケースがある。

- 審査委員が「博士号候補者の論文は適切だが口頭審査がうまくなかった」と言う。こうなることはほぼないが、博士号の授与が、プロとしての素養を備えているかを基準にしているという事実がよく分かる。博士号を与えられるのは論文ではなく、博士候補者なのである。もしあなたがこの立場にあれば、半年か一年後にもう一度、口頭審査を受けることになるだろう。その間、研究分野に関して幅広い論文や本を読み、自身の研究の意義を深く理解するよう努めることになる。
- 審査委員が、候補者の論文は博士号の水準に達しておらず、また水準に達する見込みもないと考える。しかし、論文自体は修士号相当の基準には達しているので、修士号を代わりに与えることはできる。
- 再提出後の論文が、修士号相当の水準にあるものと評価される。

あまりないことだが、最後の二つは相当な打撃である。博士号が授与されないだけでなく、審査委員にとって論文を改善する道すら見えなかったのだから。こうした事態は候補者が（そしてこうも言わなければなるまい、「指導教員も！」）博士号の本質を理解しておらず、どうしたらその水準を見極め、そこに達しうるか分からなかった結果である。本書の目的は博士号の本質と博士号を得るための方法を理解してもらうことなので、読者であるあなたはこの状況に陥ることはない。著者たちの経験から、気休めにすぎない修士号の取得に終わってしまうほとんどの学生は、正しいやり方で研究を進めれば博士号をとる素養は十分にある。大学によっては、例外的な状況を除いて、最初の審査時には学位を授与できない決まりになっていることもある。学生は少なくとも再提出を一度は行う必要がある。

最後に、審査委員は候補者のパフォーマンスに満足できず、再提出も許可されないこともある。これは悲惨なケースであって、ありがたいことに、ほぼない。これは指導教員がそもそも博士号取得のために何が必要なのか理解していない場合、あるいは学生が求められる水準を理解し達成する用意がなかった場合にのみ起こる。もちろんこうした事態は避けなくてはならないが、現実に起こりうる。しかし、指導のプロセスと博士課程のシステムの水準が本書で述べてきた水準のうちどれかに達するレベルであるならば、こうした事態は起きえない。もしあなたにプロとしての研究を行う能力がないならば、相談の上、博士論文を提出するはるか前の段階で博士課程から去るよう勧告を受けていたはずである。博士号取得のために必要な要件を知っている人を見つけ、彼らから学んでいれば、こうした青天の霹靂ともいえる大失敗の悲劇は避けることができる。

▼口頭審査の後

結果にかかわらず、口頭審査の後は数日間休息をとろう。どれだけ準備ができていても、緊張した経験だろうし、修正が必要な場合は、口頭審査直後の感情的な高揚状態からいったん距離をおいて取り組むことが有益だ。

修正がマイナーな場合は、審査員のコメントのおかげで修正箇所が明確で、簡単にクリアできるはずだが、必要に応じて指導教員から多少のアドバイスを受けることもできる。

再提出や再審査が必要な場合は、変更計画を立てる必要がある。審査委員のコメントのコピーを作成し、タスクを分割すると良いだろう。大きなタスクについては、修正を行う手順を考えてみよう。取りかかる前に指導教員と相談するとよい。

一部の大学では、正式な規則によれば、修正過程で指導教員からほとんどサポートを受けられないことになっているが、これは一般的ではない。指導教員は学生の成功を望むので、目標達成まであと一歩という段階でサポートを差し控えるのは、何の利益にもならない。

不思議なことに、再提出ではより多くの作業が必要なのにもかかわらず、修正のリストは要審議のものよりも簡潔なことがよくある。これは、再提出に必要な修正が、より大きく一般的な類のものだからだ。再提出で必要な作業は、論文のために行った主要な作業に近いことが多い。つまり、言及していなかった理論体系と自分の研究との対比、見落としていた側面を調査するための大規模な追加実験や計算である。あるいは、論旨を明確にするために、論文構造の組み直しが求められることもある。ここでも、間違った方向に進まないように、指導教員からアドバイスを受けるべきだ。

まれに、審査委員の報告書に、対応不可能な指摘があることがある。たとえば、報告書で求められている実験が、もう使用できない機器を必要とする場合や、追加的な質問をする必要がある人物にアクセスできなくなっている場合、求められた作業が論文に与える貢献の重要性に比べて時間がかかりすぎる場合などである。こうした場合は、指導教員と相談して、修正を差し戻すかどうかを決める必要がある。たとえば、そのまま修正するのではなく、論文にその方法を説明する箇所を追加し、機器へのアクセスができなかったために不可能だったと述べることもできる。ただし、トーンは非常に控えめであるべきだ。これは問題のない戦略だが、他のすべての修正は高い水準で行わなければならない。

修正の際にどのように対処したかを記録しておくことが重要だ。審査委員のコメントのコピーを作成し、それぞれに対して自分が何をしたか、そして修正後の論文のどのページでそれを行ったかを記入しよう。これにより審査委員の修正確認が容易になる。

▼審査結果への異議申し立て

大学には、審査員の判断への異議申し立て手続きがある。これは、退学勧告など学生に影響を与える他の決定に対しても行使できる。

ただし、異議申し立ては、管理上の見落としや審査委員の偏見・先入観、手続きの不履行など、一定の理由にもとづく場合のみ行使できることを理解しなければならない。重要なことは、審査委員の学術的判断に対する異議申し立てはここに含まれないことだ。たとえば、論文の特定の修正について審査委員と意見が合わなかったからといって、異議申し立てをするのは適切ではない。しかし、大学が審査を行うことができる人について定めた基準を満たさない委員が任命されていた場合は、異議申し立てをすることができる。より微妙な問題として、自分の研究の特定の分野において審査委員が十分な専門性をもっていなかったために適切でない判断が下された、という理由で異議申し立てをすることもできる。

異議申し立てをする場合は、大学の手続きを詳しく調べる必要がある。また、学生組合からもアドバイスを受けるべきだ。異議申し立ての過程では求める解決策を明確にすることが重要だ。たとえば、論文を経験豊富な審査委員によって再審査してもらうことや、授業料の返金、修士号を得て修了するのではなく、博士論文として再提出することを許可してもらうことなどが考えられる。これを明確にすることで、委員会の意識を集中させて適切な判断を得る可能性を高めよう。

異議申し立てが不成功だった場合、さらに高等教育に関する独立調停官事務所（ＯＩＡＨＥ：oiahe.org.uk）に異議申し立てを持ち込むことができる。もちろん、そこに持ち込む前には大学内の異議申し立ての全段階を完了している必要がある。彼らのウェブサイトには匿名化された過去の判断事例が集められており、異議申し立てを検討する際の参考になる。ＯＩＡＨＥは高等教育に関してかなりの経験があり、適切な問題解決へと至る可能性が高いので、大学に対して法的措置をとる代わりにこのルートを選ぶことを勧める。

たとえば、博士課程における不十分な指導により学生が不合格や再審査になり、余分な費用負担が生じたケースで補償が行われたことがある。また、英語力が低い留学生を受け入れた後、大学が英語のトレーニングやサポートを十分に行わず、それにより生じた再審査に対しても補償が行われたことがある。さらに、提出された博士論文が必要水準に達していないことを十分早期に警告されなかった学生が退学勧告を受けないまま学業を継続し、そこで投じた余分な費用に対しても補償が行われたことがある。ただし、これらの結果は、審査の学術的な側面ではなく、大学側の対応の不十分さに対しての補償であったことに注意しよう。

第 11 章

指導と審査の仕方

本章のポイント

1. 以下のことを意識しよう。
①学生は指導に対して何かを期待している。期待についてちゃんと話しあい、学生を深く理解するとともに、もし適切ではない期待があれば考え直すよう促そう。
②あなたは学生にとってロールモデルであることを自覚しよう。学生たちはあなたの指示だけでなく、あなたの行動にも範をとる。
③指導は教育の一環であり、学生が研究の手順を身につけるための機会を提供するよう、体系的な教育方法を用いよう。
2. 指導法の研修を受け、経験を他の教員とシェアしよう。
3. 学生は簡単にやる気をそがれるので、指導教員の重要な役割は彼らのやる気を高いレベルに保つよう働きかけることである。彼らの抱える知的・感情的課題に理解を示してあげることが重要だ。
4. 学生と指導教員の間でお互いにするべきことの合意事項を設け、協力的な雰囲気を醸成しよう。うまくいかない場合はそのままにせずに話しあい、必要に応じて合意事項を見直すようにしよう。
5. 学生の研究力の成長に応じたサポートの仕方を模索しよう。
6. リサーチアシスタントやティーチングアシスタントを学生として指導する際は、自分の研究チームの一員として管理するだけでなく、研究指導を提供するよう気を配らなければならない。
7. 差別、いじめ、嫌がらせ、ハラスメントがないか気を配り、大学の方針を理解した上で、対策に積極的に取り組もう。疎外されている学生や、何らかの意味で排斥されている学生の支援の仕方を学ぼう。

8. カンファレンスに出席するための資金、学生を有料で雇うパートタイムの研究ポストや教育活動などに使うお金といった希少なリソースの分配が、特定のグループに偏らないよう配慮しよう。
9. 博士論文の審査を頼まれるのを見越して、普段から該当分野の直近の博士論文を読み、最新の合格水準を把握しておこう。
10. 口頭審査は明確な構成をもって行い、その構成を博士号候補者に伝えよう。

本章は、主に指導教員向けに書かれた章である。指導教員がよりよい指導をするための戦略について幅広く述べる。あなたがこれまで考えたこともなかった自身の役割について気づくきっかけになるかもしれない。学生にとっても、博士課程へのチャレンジにおけるパートナーである指導教員の役割を知ることで、お互いの関係を改善するためのヒントとなるだろう。

本章でのアドバイスに加えて、学内の指導教員研修に参加することをお勧めしたい。最近の調査では、指導教員の七六％しか自分の指導能力に満足していないという非常に興味深い結果が出ており、継続的なネットワーキングと研修の必要性を裏づけている（UKCGE 2021）。一読をお勧めする。ほとんどの大学では、何らかの形での指導教員研修や、他の指導教員と経験を共有できるややカジュアルなイベントがある。指導教員は孤独なものだ。自身の指導経験を超えた知識を多くもっているわけではない。したがって、他の指導教員と指導について話しあうことは、よりよい指導教員になるために役立つ。

指導教員としてのパフォーマンスを上げるためには、まず学生があなたに何を期待しているかを理解しなければならない。この「インサイダー情報」を理解すれば、学生に研究スキルを教授し、指導関係の方向性について良好な合意を取りつけ、学生の学術的な能力向上を促すために必要な素養を高めていける。また、必要に応じて学生の期待を、彼らのおかれた状況に合わせて正してあげることもできるかもしれない。

学生が指導教員に求めているもの

ＥＭＰが行った数多くのインタビューを通じて、専攻の違いによらず、学生たちは一般的に以下の事柄を指導教員に求めていることが分かった。

▼学生は指導を求めている

これは自明の理のように聞こえるかもしれないが、十分な指導を受けていないと感じている学生は驚くほど多い。研究をし、出版をし、講義もし、コンサルティングも事務仕事も行わなくてはならないプレッシャーの下にいる研究者（指導教員）にとって、博士課程の学生の指導は実に手間のかかる仕事のように感じられる。学生を「必要悪」とみなすようになるかもしれない。しかしこれでは、指導教員と学生が互いに楽しみながら利益を享受しあうような、高いレベルの心のつながりというある種の理想からは程遠い。

ジュリアは、学位取得から一年後のインタビューに答えて、「指導教員からほとんど助けを得ることができなかった」といまだに憤慨していた。ジェイコブズ博士は彼女が提出した論文に細かなコメントを付ける一方、研究の全体的な概要について決して話しあおうとせず、結果として彼女の提出した論文は、異なる方法論を用いた二つのセクションから成るものとなった。口頭審査にて審査者は、彼女の研究はあまりに野心的であり、どちらのセクションも求められる水準に達していないと思った。彼女は大きな改訂を行い、一方の部分を完全に削除し、もう一方を大きく加筆した。ジェイコブズ博士は、彼女が有能であれば、何の問題もなく両方のアプローチを網羅した論文が書けるだろうと思っていた。だがジュリアは、研究プロジェクトと論文を秩序立てるための専門的な助言を与えるのが指導教員の役割であり、細かいコメントに加えてこうした大局的な側面についてより多くのアドバイスをしてもらうべきだったと考えていた。

これは極端なケースだが、学生と指導教員の間のコミュニケーション不足は珍しいことではない。ジェイコブズ博士は責任をもってジュリアと定期的にミーティングをするべきだった。また、そうしたミーティングの場では、彼女が博士との共通了解に沿った十分な研究を進められているか確かめるため、プロジェクト全体について詳細な議論をするべきだった。さらに、より重要なことは、彼は早い段階で彼女の草稿をしっかりと読むべきだった。そうすれば、研究の全領域をカバーしきれていない不十分な内容のまま最終原稿に進む前に、それを止められたはずだ。そして、「このままでは通らない可能性が高い」とはっきり学生に伝えるべきだったのだ。実際、多くの大学において指導教員は学術委員会によって「論文に太鼓判を押す」、つまり審査段階に進めても大丈夫であろうと保証することが義務づけられており、ジェイコブズ博士が「この論文はまだ不十分だ」と思えば、ここで歯止めがかけられたはずだ。

より微妙なこととして、よい指導を受けられていないという感情は、「指導」に対する学生の定義が指導教員のそれと異なることから生じる。たとえば、フレディとフォースダイク教授（工業化学）は、指導時間に関して互いに意見の相違があった。フレディは言う。「彼は何でも指導したがる。一日に二回も『何か結果は出たか？』と聞くんだ」。しかし、フォースダイク教授はこう述べる。「私たちはもっと頻繁に会うべきだ。実際、会うのは月にたったの一度くらいだよ」。

つまり、フレディは研究室で指導教員と出くわす機会を逐一ミーティングの回数に数え、教授はアポイントメントをとって行うフォーマルなチュートリアルだけを指導の機会として数えていたのだ。さらにフォースダイク教授は言う。「フレディにはたくさんアイデアがあり、それらについて軽くたずねる機会が多いだけだ」。これはフレディが指導教員の役割だと考えているような、単に「結果に目を光らせる」こととは全く違う。

しかし、フレディは博士課程の全期間を通じてプレッシャーをかけられ続けたと感じていた。彼は言う。「指導教員の手足になったような気がしていたよ。何をやってもいつも『次』を要求される。彼とはいまだに一日二回も会う。彼は僕の背後にいて、もっと研究を進めるように促すんだ。でも、そうはならないけどね」。しかし、フォースダイク教授は、フレディが受け入れてくれる限りは、自分の助けが要るはずだと信じている。この状況について二人が話しあえば、かなり早い段階でこの誤解は解けていただろう。結果として研究期間のほとんど最後までこの状況が続いたのだが。実際、二人の間には二つの異なるタイプのミーティングがあった。一つは簡易で頻繁に実施され、継続的に行われるもの。もう一つは、互いに事前準備をして、より間隔をおいて、よりフォーマルに行われるものである。異なる目的によるミーティングの趣旨はより明確に説明されるべきだった。

▼学生は書いたものを指導教員に事前によく読んでおいてほしい

学生の目からすると、指導教員は、提出された研究報告に事前に少し目を通すだけで済ませており、「ミーティングでの議論も最小限で切り上げたい」と思っているように見えている。学生は、学部生のときに小論文に丁寧なコメントをもらった経験から、博士課程でも指導教員に事細かなコメントと研究に対する総評をもらえるものと期待している。彼らのなかで、指導教員とのチュートリアルは、指導教員が事細かにくれるコメントについて話をする場である。しかし、提出物の中身が研究の経過報告であろうが、研究結果の要旨であろうが、論文の一部であろうが、この考えは必ずしも最適とはいえない。

ほとんどの指導教員は、学生の研究の一部分に焦点を当てて詳細を論じることを好む。これは、学生が研究の特定の分野から大きく外れないようにしたいという考えによる。無関係ではないもののあまり意味がない事柄を学生は提案してくるが、それを無視することで、指導教員は学生に掘り下げるべき箇所を伝えようとする。それによって、面白そうなアイデアをかたっぱしから探究し、論文の趣旨から外れた脇道にそれようとする学生の意気をそぐことができると信じているのだ。そうした探究が当の研究や論文の進捗を生むことはないのである。

しかし、せっかく書いたものをそのように扱われると、学生に悪感情が生まれ、結果として指導教員と学生との間のコミュニケーション不足につながる可能性もある。次に挙げる事例はアダムとアンドリュー教授（建築学）が経験した問題を描いている。

アダム：七週間かけて書いたものに対し、彼はほんの些細な点について述べただけだった。指導教員は僕を手助けする気はないんだと思った。彼は私が書いたものを読まない。だからもう彼の助けは借りないでやるしかない。

アンドリュー教授：私が彼の書いたものの一側面のみチョイスし、そこを掘り下げるよう勧めるたび、彼は非常にうまく研究を進めてくれる。

それでもアダムは、自分が正しい方向に進んでいるのかとても不安で、何をしたらよいのかよく分かっていなかった。この局面において、二人のコミュニケーションが明快であることはきわめて重要である。研究の進捗状況にコメントするということは、それについて話しあうということだ。提出された原稿を議論の叩き台にしよう。それを用いてアイデアを提案しあうことで、研究をめぐる学生の思考を前に進めるのだ。原稿自体は脇にのけられ、後に論文の覚書として使われるかもしれないし、そのまま論文の一部になることすらあるかもしれない。しかし、それはすべてを熟読玩味すべき最終稿ではない。指導教員の仕事は、そこで提示された原稿を用いてどのように研究を進めるか、自身の考えを明確に学生に伝えることなのだ。

▼学生は指導が必要なときにいつでも指導教員と会える状態であってほしい

指導教員の多くは、学生が自分に会いたいときに会えるような体制ができていると考えている。しかし、実際は自分で思っているほど、学生にとってアクセスしやすい存在でない場合も多い。忙しくても、まずはコミュニケーションを円滑にするために、学生と定期的にコーヒーやランチを共にしたり、場合によっては飲み物（アルコールである必要はない）を買ってあげたりすることから始めるのはどうだろう。

研究課長や部局長といった管理職を併任する指導教員をもつ学生にとって、これは特に問題となりうる。そうした役職にある教員は、秘書に予定やメール、電話をマネジメントしてもらっている。これがアポをとるハードルを上げているのかもしれない。たとえ「研究学生との面会要求はいつでも予定に入れてくれ」と秘書に言いつけていても、秘書というフォーマルな連絡口を通して、もしかしたら取るに足らないかもしれないことを指導教員に聞きに行くのに抵抗を感じる学生は少なからずみられる。その結果、学生は忙しい教員を煩わせてはならないと考えるようになり、研究への不安をいっそう募らせ、長い時間を無為に過ごしてしまうかもしれない。指導教員の側でも、この沈黙を受けて学生のやる気に疑念を抱き、いらだちを募らせてしまう可能性もある。指導教員が秘書に守られていない場合でも、研究学生にとっては約束なしに指導教員を訪れるのは常にためらわれる。特に閉じているドアをノックするときは。

シーラはキャンパス内の道や廊下で指導教員と会う際、簡単な挨拶以上の会話を交わすことに抵抗を感じていた。ミーティングのアポイントメントをとろうとしても「会議や講義に急いでいるのかもしれない」とためらってしまう。指導教員とエレベーターで一緒になるときでさえも、「研究に問題があるので相談したいのですが」とは言いにくい。指導教員は、そうした学生のためらいの感情を汲んで、ミーティング終了時には、必ず次に会う約束をして、ミーティングの定期性を確保すべきだ。重要なことだが、学生が定期的なミーティングを「今月（あるいは今週）は話すことがないから」という理由でキャンセルするのを受け入れてはならない。たとえ短い時間でも学生にとっては研究の焦点に関する重要な知見が得られるし、そのためだけに面会する必要のないような些細な質問を問う機会となる。

他のことで手一杯なので飛び込みの相談を受けたくない旨、はっきりと学生に伝えた場合、勇気を出してさっとアポをとれる学生は多くないだろう。こうなると、行き詰まった学生は、指導教員が設定したミーティングのときまで時間を無駄にしなくてはならない羽目になる。

このようなときに役立つのが電子メールやショートメールだ。簡単な質問をしたり、長めのミーティングを要求したりするのに適切な手段である。どちらも連絡をとりあう方法として有効であり、押し付けがましくない方法である。しかし、いずれも対面のミーティングの代わりにしてはならない。

▼学生は指導教員にフレンドリーで、オープンで、親身でいてほしい

指導教員は学生とどのような態度で付き合ったらよいか悩むことがある。学生の研究に関心がない印象を与えるほどリラックスしすぎることと、逆にフォーマルで批判的すぎることとの間でバランスをとるのは難しいが、どちらの態度も学生を落胆させる原因となりうる。

お互いを呼び捨てにしあえるほどに気軽で親身な関係を学生と築けば、親しみやすいオープンな人だと学生に思ってもらえる、と感じている指導教員は多くいる。第2章で、学生の入学初期からこのような関係を形成することの重要性について議論した。しかし、これまで見てきている限りでは、必ずしも現実はその思いを反映していないようである。たとえば、天文学で博士課程にいたチャールズは次のように言った。

チャドウィック博士から物事を聞き出すのはとても難しい。今日のミーティングが研究を前に進めることにつながるかよく分からない。ミーティングはむしろ静かに進む。私は彼が発言を促してくれるのを待ち、彼はやがて数少ないフィードバックを私にくれたり、ときどき私の発言に口を挟んだりする。あまり助けにはならない。そんなに手がかりにも励みにもならない。彼は私の指導教員なので、無礼なことは言いたくないけど、私はいま、彼を避けつつある。

チャールズは、指導教員とのミーティングに不満で、指導教員を避けてさえいる。これは彼にとって研究生活上の大きな困難である。なぜなら、彼らの部屋は通路を挟んだ向かい側にあるのだ。

一方、チャドウィック博士は、お互いの関係はうまくいっているものと感じていた。

私はチャールズにフォーマルなミーティング以外で会ったことはないが、私たちの関係はフレンドリーだと思う。ミーティングは不定期だが割と多めで、二、三週間に一度、たいていはチャールズの提案で行っている。時間は長くとも三〇分から一時間程度。ときには一五分で終わることもある。私たちはたいてい、彼が手がけているコンピュータプログラムの詳細について考えるので、彼が問題の本質を説明してから互いに話し合う。プログラムは後でたくさん使うので、効率的に動くようにしなくてはならないのだ。

チャドウィック博士は、チャールズが求めるときにミーティングに応じており、チャールズが面会を申し込んでくることこそ、彼との関係がうまくいっている証拠だと考えている。チャールズは指導教員と話すとき、彼の名前を呼ばないようにしているが、にもかかわらずチャドウィック博士は、チャールズが問題提起をしてくれる、というその事実ゆえに、自身がフレンドリーでオープンな面倒見のいい指導教員だと自認している。残念ながら、チャドウィック博士はチャールズが研究に悩んでいて、それを博士に伝えられずにいることにまったく気がついていない。よい指導教員はアカデミックなことだけ考えているわけではなく、お互いの関係について話しあう機会を定期的に設けているものだ。

▼学生は指導教員に建設的な批判をしてほしい

これは特に微妙なところだ。批判したりフィードバックを与えたりするのは指導教員の仕事だが、そのやり方はきわめて重要である。批判が厳しすぎる、あるいはそのように学生に受け止められてしまうと、大変なダメージとなりかねない。大切なのは、褒めるところがあれば褒めるというのは、しばしば忘れられがちだがフィードバックの一形態であるということである。博士号取得者にインタビューした際、男女を問わずこの話題になると突然涙を流す人が多かった。それは、博士号を取得できず中退した人にインタビューしたときと同じくらい多かったのである。博士課程というのは多くの学生にとって知的なだけでなく、非常に感情的な経験なのだ。

指導教員は次の質問を気にかける。「研究は明確な構成をもっているか?」「テーマは包括的にカバーできているか?」「情報は先行研究にどのように関連しているか?」「研究方法は適当かつ適切に説明されているか?」「議論は明確か?」「研究は分野に対して十分な貢献をしているか?」「政策的含意はあるか?」など。博士論文を提出できるようになるまでに、そうした質問に学生が指導教員に頼らずに答えられるようになる、つまり自分の研究を自己評価できるようになることが大切である。

第8章では、学生が自身の進捗評価を指導者に頼るのではなく、自己判断に頼れるようになる必要について説明した。指導教員との議論の中で、自身の研究が評価される基準を会得していくことが重要だ。学生は、期待通りに自分の研究が進んでいるか比較し、努力と結果の乖離を自分で調節できるようになると、少しずつ指導教員のフィードバックを必要としなくなる。学生が自らの自己評価に自信をもつ。これは協力的な指導教員の、継続的で建設的な批判の賜物なのだ。

学生はこの種の助けがなければ高い確率でやる気をそがれ、自信を失い、博士号取得に求められる水準までたどりつけないと決めつけてしまう。これはまた将来に大きく影響を与えかねない。効果的なフィードバックを与える技術については、本章の後半（三一〇ページ以下）にて詳しく述べる。

▼学生は指導教員に研究対象についてよく知っていてほしい

多くの場合、これこそ指導教員が学生にあてがわれるそもそもの理由である。しかし、ある学生を担当する指導教員の全員が、必ずしもその領域の専門家とは限らない。誰か一人が専門家で、他にも分野に精通したアカデミシャンが近くにいるなら、よく面倒を見てもらえる環境にいるといっていいだろう。指導教員の研究スタイルと、指導教員の役割についての考え方が学生と一致することも重要だ。

学生は他の教員もリソースとして活用できるべきだ。博士課程の期間の内に、学生がその分野の専門家を必要とする時期は必ずある。彼らが他大学の教員を紹介してくれることもあるかもしれない。

学生は、指導教員が自分の研究分野に精通していなければならないと考える一方で、自分が抱える特定の課題について、指導教員も同じように精通しているとは考えていない。そもそも博士号というのは、候補者がある特定の分野のエキスパートとして認められたときに授与されるものである。

研究テーマの専門家だけでなく、博士号取得のプロセスに詳しい人（おそらくチューターだろう）と連絡がつくようにしておくのもいい。指導教員と学生との関係は、同じ分野に関心をもっている人たちというより、一緒に研究をする間柄という方が近い。互いの関係は、常に変化を続けるダイナミックなものだ。大切なのは、研究に関するコミュニケーションを明確にし、どのように研究を進めているかについて両者ともに熟知することである。

▼学生は指導教員にチュートリアルを構造化し、意見交換がしやすい環境を作ってほしい

一見シンプルだが、指導教員にとってはきわめて厄介なことだ。存分に話しあって研究を進めてゆくために良好な関係を作るのは簡単なことではない。すでに見てきたように、学生と指導教員の間には「話しかけやすい」という感覚に大きな隔たりがある。

学生は指導教員に、自分が何を言おうとしているかを「汲んでくれる」力を期待している。指導教員には、学生のアイデアを引き出すような工夫が必要だ。これには、質問を重ねていくしかない。学生は、「単純すぎる」と思われたくないがために、複雑かつ難解な仕方で話したり書いたりしているのかもしれない。あるいは、まだうまく思考を整理しきれていないかもしれないのである。

指導教員は、学生の意図を汲むために「読心術の講座を受講しよう」とは思わない。しかし、自分の考えを明確に言葉にできない人から情報を引き出すちょっとしたテクニックは、いくつか知っておいた方がいいかもしれない。

また、学生は、議論に集中するための邪魔されない時間が必要だと考える。だから、学生は指導教員に、指導中に電話をとらないでほしいと思っている（これは無理のないことだが、このことを指導教員たちに話すとおそらく一笑に付される）。また、教員はノックされるのを防ぐため、ドアにドントディスタープサインをかけておきたいと考

えたりもする。指導教員のオフィスが他の人と共有されていたり、フレキシブルスペースの部屋にデスクがあったりする場合は、静かで邪魔されない場所でミーティングができるよう、部屋を予約しておかなくてはならない。指導教員が、他のすべてを脇において、学生との議論に集中する姿勢を見せれば、学生は指導教員が真剣になってくれていると理解し、自分の研究に尊重されるだけの価値があると感じる。一方、複雑で、自分でもまだ言葉にしにくい事象を説明しようとしているときに邪魔が入ると、何よりイライラする。同じように、もし学生と教員が特定の問題について根詰めた議論を行っていた場合、思考の道筋をたどり直すのも難しくなってしまう。

話の途中で一度ならず邪魔がはいると、学生は自分がバカにされ、研究を低く評価されたように感じてしまう。快適な環境づくりに向けて行ってきた準備も水の泡だ。

ミーティングの間、指導教員は携帯電話の電源を切り、電話は留守番機能をセットしておくべきだ。何らかの理由で電話が鳴ってしまう場合は、「大事なミーティング中なので後でかけ直す」と相手に伝えればよい。緊急の場合を除き、電話による連絡をミーティング中に受けるのはマナー違反である。ミーティングのための日程調整もしたし、それにむけて準備もしてきたのだから。もちろん、これはメールやメッセンジャーにもあてはまる。ミーティング中は学生に全集中力を傾けなくてはならない。

さらに指導教員は、学生が学術セミナー、特に研究学生向けのセミナーに参加するのを推奨すべきである。セミナーは議論を通じて思考を発展させる貴重な訓練機会となり、アイデアを効果的に組み立てて書き表す助けとなる。発表の機会があれば、国際学会などで研究成果をどのように提示したらよいか、必要なスキルを学べる。指導教員として、ときにはあなた自身も学生とともにセミナーに参加するのもよい。そうすれば学生は、あなたに個人的な「師」としてだけではなく、同じ「参加者」あるいは「グループの導き手」の目線で接し、関係を深めることができる（だが、指導教員がすべてのセッションに参加するのは学生が参加・発言しづらくなるので問題である）。セミナーは、学生に、研究のあらゆる側面をオープンに指導教員に伝える自信を植えつけてくれるよい機会なのだ。

▼学生は指導教員に自分の研究に興味をもち、進むべき道についてさらに情報を与えてほしい

やり方はたくさんあるが、指導教員は、学生が今、何を必要としているのかを考えることが重要である。たとえば、学生が研究を始めたばかりのころ、読むべき文献を示すだけで、あとは図書館やオンラインで調べてきてください、という風にするのはよくない。初期のミーティングにおいては、関連論文を見つけ、整理するプロセスを実演することが有効だ。つまり、Google Scholar などの検索エンジンで参考文献を見つけ、論文の出版社のウェブサイトに大学図書館のアカウントでログインし、そして参考文献を保存し、文献データベースに記録するプロセスを示すのだ。些細なことに思えるかもしれないが、多くの学生——特に学部から直接博士課程に進んだ学生——にとっては初めての経験かもしれない。指導教員はまた、このタイミングで関連の文献を自分の所有する文献から見せてあげることもできる。

研究の段階が進むと、分野の最新の発見をレポートする学会論文の存在を気づかせてやる必要が出てくる。この段階では、学生と指導教員の両方が関連した文献を読み、学術誌の記事を互いに送りあうとよい。実際、そうした文献を教えあう行為は、両者の間の議論を有意義にするためにもきわめて重要だ。

最後に、すでに述べた通り、指導教員には学生を専門分野の他の研究者に紹介する責務がある。これにより、学生は指導教員一人から得られる以上の情報にふれることができる。こうしたコンタクトは、プロの研究者としての学生の芽を育て、学生が研究テーマについて議論するネットワークを作るのに役立つ。

▼学生は指導教員に修了後によい職をうまく得られるよう十分に関わってほしい

博士課程の指導教員として、学生の就職の世話は職務の一部ではないが、関連するアドバイスはできるかもしれない。最終年次になってからでなくても、学生のキャリアの方向性について話しあうことはできるが、これは大学のキャリアサポートの補足となるべきだろう。あなたは、学生がアカデミックポストを得られる可能性について現実的な評価を与える立場にあり、ポスドクやアーリーキャリアの講師職を採用する際に大学が求める資質を説明できる。ときには専門そのものでなくとも隣接分野で雇用機会が生まれる可能性があることを伝えるのもよいだろう。博士号取得者が不安定な非常勤教員として何年も過ごすことがある状況では、将来のキャリア計画について率直に話をすることが重要だ。

博士号取得者の大半は学術以外の職業に就くことになるし、キャリアをアカデミアの外に見つけることは決して失敗ではない、とあなたが思っている旨を学生に伝えるべきだ。第3章では、学生がさまざまなキャリアに向けてどのようにスキルを磨くかについてアドバイスをしている。インターンシップ制度も、こうした理解を促進するし、指導教員として産業界や政策立案者と強いつながりを作るのにも役立つ。また、同じキャリアパスを選んだ元学生と現在の学生をつなげることもできるだろう。英国大学院教育評議会の調査（UKCGE 2021）では、指導教員の二九％がアカデミア以外のキャリアに関するアドバイスをする準備ができていないと感じており、大学のキャリアサポートの併用の重要性がわかる。

▼ロールモデルの確立

これは指導教員の仕事の非常に重要な側面である。「言う通りにしなさい」ではなく、学生が「あなたがするようにする」という感覚で徐々に学んでいけるようにすべきだ。なので、研究があなたにとって重要で、真剣に取り組むのだという姿勢を見せるのがとても大切だ。あなたが研究に深く関わり、学術誌に成果を発表していく姿は、学生にとってお手本になる。

進行中の研究を見せることに抵抗がなければ、数週間や数カ月かけて論文を作成する過程で作ったさまざまな草稿を学生に見せるとよい。もしかしたら、あなたが半日かけて学会発表のスライド準備をする際、学生につきそってもらうこともできるかもしれない。これは、研究の際に必要なステップ（や失敗）や時間的制約を学生に理解させるのに役立つ。もちろん、これはあなた個人のやり方であり、学生は各自自分に合ったやり方を見つける必要があることは伝えなければならない。

あなたが博士課程学生の指導を事務仕事やテストの採点を理由に延期したりすれば、学生はそうした仕事は研究指導よりも重要であると感じる。同様に、学部生への講義を優先すれば、学生は研究指導があなたにとって優先順位が低い仕事であるとすぐに察知する。

博士課程学生に対して指導教員が、すべての研究を支える倫理的価値観を尊重する態度を示し、学生がそれを内面化することは特に重要だ。プロとしての行動規範と高い水準の誠実さは、学者として第一歩を踏み出す者の学習にとって、研究室の設備を適切な基準に沿って維持する方法や有効なアンケートを設計する方法などを学ぶのと同様に、重要なものである。より満足のいく結果となるようデータを改ざんするのが容認できないことや、被験者からインフォームドコンセントを得ることなどといった基本的な価値観は、簡単にうまく教えられるものではない。それらは指導教員が自らの研究を通じて実践し、手本とならなくてはいけないのである。また、剽窃が「知的財産の盗難」として現在扱われており、そして同時に盗作・盗用が明らかになった場合、科せられる制裁は多大であることも教えなくてはならない。最近ではある英国の教授が一〇年も前に提出していた博士論文において、かなりの部分が剽窃であると暴露されるという事件があった。まず、彼に学位を与えた大学は彼の博士号を取り消し、次に彼が働いていた大学は、同大学に汚名をもたらしたとして解雇した。研究倫理を尊重する必要性をこれほど明白に示してくれる例は他にないだろう。

研究手法の指導

一般的に指導教員は、自分では優れた研究ができても、研究の仕方を学生にどう教えたらよいかわかっていない。そもそも、指導教員の役割は教えることだと考えていないことすらある。しかし、研究指導のなかで、「研究する要素」と同じく「教える要素」について思考をめぐらせるのは重要である。教えるというタスクをめぐる重要な側面は、フィードバックを効果的に与えること、自立プログラムを発展させること、心理的に励ますこと、そして学生がアカデミックな役割を発展させるよう促すことである。順を追って説明する。

▼効果的なフィードバックの与え方

批判をするのは、指導教員の大切な仕事の一つだ。ここでは、「批判」や「批評」といった、一部の学生にとってネガティブにしか思えないような言葉ではなく、「フィードバック」という言葉を使いたい。よいフィードバックは、すぐれた成果への賞賛・励ましと、建設的で助けになる批判とのバランスがとれているものである。もし、それがうまくいかなければ、結果として以下のいずれかの事態を招く。

- 何が悪いのか分からないのに研究を否定され、学生は困惑し、落ち込む。
- 自己防衛に走る学生に批判を受け付けてもらえなくなる。
- よく分からないままに批判を全面的に受け入れ、指導教員に依存するようになる。

学生は、助けになる情報を得られなければ、やがてやる気をなくし、落ち込み、博士号の取得に必要な水準に達するのは無理だと決めつけ、諦めてしまうことになる。

フィードバックを効果的なものにするための経験則を紹介しよう。

・**「フィードバックに批判を含める権利」を得よう**：これは変に聞こえるかもしれない。確かに、原則的に指導教員は学生を批判する権利がある。しかし、先に述べたような悪い結末を防ぐためには、指導教員が、指導の一環としてこの権利をもっていることを定期的に学生に知らせるよう、意識しなければならない。

・**研究の発展がフィードバックの目的であることを強調しよう**：博士課程とは、学生と指導教員との「共同事業」である。だから、フィードバックの趣旨は学生の知識やスキルを伸ばすことである点をはっきりさせ、定期的に確認しよう。

・**肯定的な評価を最初にもってこよう**：あなたが学生の味方であり、その努力を評価していることを伝えよう。学生の研究上の強みと、前回から改善した点をまず指摘しよう。こうすることで学生は自信をもち、建設的な批判を受け入れられるようになる。肯定的な評価は本物でなければならない。「うむ。よくなった。しかし……」といって即座に長大な批判に転じるのは効果的ではない。ミーティングの最後に研究の強みをもう一度ほめるのも、メッセージを伝えるうえで効果的だろう。

・**称賛と批判のバランスを維持しよう**：著者たちの経験からいって、批判の数および重みは、これまでの成果に対する称賛と同じであることが重要だ。学生の称賛すべき点をいくつか挙げられない場合、その段階での学生の能力に対して非現実的な願望を抱いていないか真剣に考えなければならない。もう一つの可能性として、研究と質の水準を高めなければ博士号を取得できない旨、またこれが何度か続くようなら、次のレビューの時に退学を勧告される危険がある旨、学生に警告する必要性も考慮しよう。

・**批判は一般化して伝えよう**：学生が個人的な批判と感じないよう、個人の特性と関連する形で批判するのは避けよう。学生に対して、何が足りないと思うかを逆に聞くことから始めよう。こうすることで、学生は客観的な批判を受け入れやすい心持ちになる。厳しい批判をしなければならないときは「ここは厳しくいくぞ」などと前置きしよう。学生が見習うべき他の研究と比較するのもよい。

・**現在の研究と関係するフィードバックを提示しよう**：学生の自信喪失を招くので、昔の研究で犯した間違いを遡って指摘するのはやめよう。過去の研究に言及するのは、学生がそのときと比べてどの程度成長したかを示す場合のみにしよう。したがって、「君は表面的なことだけ見ているね」と言うのはやめよう。こういう言葉は学生のやる気をそぐだけである。必要なのは学生の研究に何が足りず、どう改善したらよいかを示すことだ。繰り返すが、学生の能力について次のようなコメントをするのはやめよう。「君の英文スタイルはひどいね。どうにかしないといけないよ」。このコメントは学生のスキルが足りないことを示してはいるが、具体的に何をどうしたらよいかにふれていない。もしEMPのように英文のスタイル、たとえば分離不定詞を使ったり、前置詞で文を終えたりするのが適切でないと感じるなら、それをどう改善したらよいかを示そう。「ページXやページYのように、前置詞で文章を終えるのはよくないね」と言えば何を直せばよいのかが分かる。もし、DSPのように、大胆な分離不定詞を使うことに寛大で、前置詞は文を閉じるのにとても便利だと考えているなら、不自然な語用や文法の間違いなどについて、別の例を考えてもらってよい。

・**フィードバックはあいまいでなく明確に伝えよう**：一度の面談で学生が受け入れられる分量を慎重に判断しよう。批判的なフィードバックは、できるだけ明確かつ具体的で、学生のレベルに適したものであるべきだ。一度のチュートリアルで与えるコメントの量に注意しよう。そうすれば、学生が圧倒されずに済む。代わりに、研究やプロジェクトの特定の部分や側面に焦点を当てるにとどめ、他の要素は今後の面談で議論することを学生に伝えよう。

- **研究の一部分だけにコメントする場合は、その理由を明確にしよう：**学生が圧倒されないように、当面は特定の部分に集中したいこともあるだろう。研究の残りの部分が満足いくもので、改善が必要な部分だけにフィードバックを集中させることもあるかもしれない。理由は何であれ、それらを学生に説明することが重要だ。
- **与えたフィードバックに対する学生の反応に注意し、それに応えよう：**自分の意見を伝えた際、それに対する学生の反応をしっかり受け止める姿勢を見せるべきだ。自分の意見にこだわりすぎ、学生の反応を踏まえて自分の考えを変えたがらない、あるいはそういう雰囲気を出すのは避けよう。効果的なフィードバックとは、これからに向けての基礎となるアドバイスとして学生に受け止めてもらえるものであり、あなた自身が学生の反応を素直に受け入れる態度を示すこともまた重要だ。
- **ミーティングを終えるときは、指摘した点を必ず確認しよう：**ポジティブな指摘も合わせて振り返り、今後何をする予定か学生に再確認させよう。この振り返りは誤解を避けるために不可欠である。進捗具合を評価する次回のミーティングの日程確認も忘れずに行おう。学生がしなければならないことを際限ない状態で放置するのはやめよう。学生には、ミーティングの要旨を書き、内容について指導教員の同意が得られた時点で指導教員チームの記録として写しを電子メールで送るよう勧めるべきである。
- **フィードバックを提示する際には論理的枠組を活用しよう：**学生が生んだ成果物のまさにどこが誤っているか、といった細かい点を詰める以外にも、学生の研究キャリアを考えた上で、適切な批判のレベルを見極めるのはとても大切だ。たとえば、研究のアイデアや全体の内容自体が不正確、あるいは定まっていない段階で、文法的な正確さへの細かな批判をしても意味はない。ほかにも、たとえば次の研究やインタビューの妨げになるようなやむをえない遅れに直面してしまったときは、何もせずに待つのはよくない、などと教えてあげるのがよい。問題を解決するのと並行して、読んだり書いたり分析したりの研究を続け、「車輪は回し続けたほうがよい」。同時に研究上の障害を取り除くために定期的な進捗状況の確認も行おう。

右の内容に加え、作業をさらに長く続けるべきか、あるいはその逆か、参考文献をより多く入れるか、文章をよりシンプルにするか、専門用語をさらに少なくしてシンプルなアイデアをより多く盛り込むかといったことすべてを、学生に伝える必要がある。あなたにとって、それらがどれほど当たり前のことでも、学生に何が必要で、なぜその必要があるのかをあいまいでない言い方で示すのは不可欠なことだ。以上すべてについて再検討が必要なら、修正前のもののどこを変えなくてはならないかについて、明確なアドバイスをしよう。学生が自分の研究のどこに目を向けるか学び、何が望ましく適切なのかを自分自身で判断できるようになるのは、基本的にはこうした方法によってなのである。

効果的なフィードバックを与えることにより、学生は少しずつ自分の研究を評価できるようになる。つまり、「指導教員の役割」を自分でこなせるようになる。長い目で見たとき、学生へのフィードバックは、自立したプロの研究者へと成長することにつながる。

▼学生を一人の人間として扱う

博士課程の学生への指導は、単に研究の進捗具合を監視することではない。博士課程を修めるということは全身全霊をかけた、非常に感情的な体験なのである。指導教員は、学生の能力や研究だけでなく、彼らの博士号への決意と、それに影響する周りの環境についても話をしなくてはならない。博士課程を通じて、学生の人生について考える必要がある可能性が高いと思っておこう。

以上のことは博士課程に限らず他人を指導する者全般に当てはまるが、残念ながら指導者側が相手の「人間性」

に向き合おうとせず、個人が作業を進めるなかで直面した困難を、深く考えないまま脇に追いやってしまうことは非常に多い。これは仕事の場において一般によくあることだが、アカデミック・コミュニティでは特によくみられる。すでに述べた通り、学者には訓練の機会が少なからずあるが、その訓練は普通、コミュニケーションスキルや人間関係に関するものではない。まず、学生は、一般の人が仕事に対してもつ以上の思い入れを研究に対して抱いているものと理解することが大切だ。なので、効果的なフィードバックを与え、仕事がうまくいっていない人によいヒントを与え、状況を探るスキルは、上司―部下関係においてよりも、指導教員―学生関係において特に重要なのである。

ここで必要なのは、指導者として問題だと感じることを、学生がどれほど動揺しそうでも、正直かつ直接的に伝えるコミュニケーションスキルのトレーニングである。一番悪いのは、すべてうまくいっているとこれまで常に思っていたのに、最終段階になってからようやく、研究が論文にできるレベルになっていなかったり、論文が博士号より下の学位しか狙えないレベルであったりすることに学生が気づくというパターンである。他にも、何かおかしいと自覚した学生は、指導教員が突然意味不明な悪意を抱いた可能性など、あらゆる失敗の理由を妄想しだすかもしれない。学生にとっては、なぜかは分からないが何かがうまくいっていないかもしれないと心配し続けるより、早い段階で研究の方向性に関わるはっきりした評価を得られる方がはるかによい。

たとえば、天文学専攻のチャールズは、このまま進むべきかどうか知りたいと思っていた。「できることなら研究は続けたいが、チャドウィック博士が難しいと言うのならそれはそれだ。はっきり言ってくれるならそんなに憤慨することもない。誰も何も言ってくれようとしないのがつらいんだ」。

一方、チャドウィック博士は、チャールズの遅い進捗状況とイニシアチブのなさにがっかりしていた。いわく、「彼には読まなければいけない文献があるのに、うまく研究計画を立てられていないのではないだろうか」。しかし、チャールズは私たち著者に次のように報告している。

僕は、指導教員に「何か読んでおくべき文献はあるでしょうか」と聞いたけど、彼は何もないと言った。博士はテストの採点に忙しく、あまり話してくれない。どのようにコミュニケーションをとったらよいかまだ分からない。僕たちに心のつながりはまったくない。学期の最後の日に彼に偶然エレベーターで会ったけど、交わした言葉は「どうも」の一言だけさ。

一方、建築学専攻のアダムは修了前の最後の日に次のように述べた。

私の指導教員は私についてどう考えているか、何も言ったことはない。それで、私の書いたものは彼にとってとてもつまらないから、批判するまでもないと思われている、と思うことにした。だけど本当は彼は、何年もの間彼の研究科で取り組んでいた理論を普及させる存在に私がなれると思っていたんだ。

アダムは指導教員の下で研究することを楽しんではいなかったが、博士課程の最後が見えてくるにつれ気分は回復し、学会で自分の研究が評価される見込みをもっていた。

アンドリュー教授はこうした状況を「私たちは彼の研究の方向性について何度か話しあいをした」と説明した。しかし残念ながら、この話しあいがもたれたのは、アダムが彼の研究を高く評価してくれる他の学者からサポートを得た後のことだった。

この二つの事例は、指導教員が学生の進捗状況を、①定期的なミーティングと②研究に対する率直なフィードバックを通じて適切に管理していなかったために起きた典型例である。

▼計画的な「自立」プログラムの導入

指導教員は、学生が自立した学者になるための手助けをする必要がある。自立のプロセスには、「十分な知識」と「自分の研究を自信をもってきちんと自己評価できる能力」の獲得を学生が自覚できるよう手助けする過程が含まれる。これは、学生の研究が進むにつれて指導教員が口を出す回数を徐々に少なくしていくことで計画的に達成できる。まず、短期目標を設定する（学生とのミーティングの日付も近くに設定する）。その後、学生にもう少し長い時間を与えて、より複雑な課題に取り組ませる。電話やメール、Zoom, FaceTime, あるいは手紙でもいいので、進捗報告の日程を設定し、より遠くにミーティングの日程も入れておこう。もし、学生が期日までに課題を終わらせるのが難しそうであれば、遅れる理由が妥当であるかを精査する。こちらから日時の設定を変えるのであれば、筋の通った理由を学生に示すこと。

博士課程も最終段階に入ると、指導を求める責任は学生へと移ってゆくが、それでもあなたは指導教員との合意を守れていなさそうな学生を駆り立てる必要がある。

博士課程も後半になれば、学生は学会論文やジャーナル投稿論文、セミナープレゼンテーション、そして博士論文、さらには前回のミーティング以降の進捗についてのレポートの執筆・提出に必要な能力を高める指導が必要になる。これには以下の取り組みが有効だ。

- 第一に、学生に「これが私が考えることです」という草稿を準備させ、それをあなたに相談せずに自分の判断で修正し、書き直させる。
- 次に、先の修正した草稿について話しあった後、学生に「これが自分と指導教員が考えることです」という草稿を書かせ、それにコメントを返す。
- 最後に学生に「これです！」という最終版の草稿を書かせ、記録として保存させる。よく書けた最終版は、いずれも論文に活用・収録できる。

学生には、まず短期の目標を立てさせ、学生の自信と能力が向上するにつれてそれを徐々に伸ばしていき、抽象的な目標になるようにすることが大切だ。学生が自立するスピードは各自で異なるので、それを考慮して指導スタイルを調整する必要がある。また、すべての学生に、論文の最終稿を書く段階でもう一度、じっくりとした指導が必要なことを忘れてはならない。

早くからガイダンスを必要としたグレッグ（古代史）について、グリーン博士は次のように述べた。

いつもはグレッグの方からミーティングをしたいと言ってくるが、前回は気になったので私の方から彼とのミーティングを申し出た。別に追い立てる必要はなかったが、彼に参考図書とアドバイスを与えた。次に会ったときには、彼はテキストについて私よりもよく知っていた。彼はとてもすばらしい学生だ。

グリーン博士は、グレッグは自己管理に長けているだけでなく、研究対象となる人物やその人物が生きた時代についての必要な情報を貪欲に求め、それを楽しんでいるので、自身の役割はグレッグを導いてやることだと考えた。あらゆるちょっとした付加的な情報ですら、グレッグにとっては研究を深めるモチベーションになった。彼は、グリーン博士が自分の結論や最新の発見について快く耳を傾けてくれれば、基本的にそれで十分だった。

指導全体を通じて、自立に向けた計画的なプロセスには以下のような段階が考えられるだろう。

- **初期の指示**：取り組むべき課題と短期目標を立ててやり、締切ごとに細かなフィードバックを与える。
- **中期の自立**：この段階では指示よりもサポートとガイダンスを行う。学生と議論して、何をどのくらいの期間でなしとげたらよいかを二人で決定する。まず学生自身にあらゆる成果の自己評価をさせ、成果それ自体よりもその評価に対してコメントをする。

・**後期の巣立ち**：この段階は意見交換を含む。学生が課題と期日を設定する。ここまでくれば、教員が指示せずとも、学生自身が詳細な批判的分析を自分の研究に加えられるようになっていると思ってよい。

各段階に移行するタイミングは、学生が自信をつける段階によって決まる。ここで最も重要なのは、各段階に見合ったニーズに気づいてあげることだ。

指導教員は、学生が自立プロセスのどの段階にいるか説明し、情報を与え続けるようにする必要がある。そうしなければ学生は、何か間違えたことをしたかも、と心配しながら、いらだったり、ひいてはやる気を失ったりするかもしれない。指導教員は、進捗に関するフィードバックに対し、学生がもっているニーズを察知する能力の向上を目指すべきだ。また、指導教員はプロの研究者がどのようにして研究を改訂・修正するために自己評価するのか、実例を通じて学生に示してやる必要がある。

これは、今まで行った作業が将来の研究にどう影響するかについて、学生と議論することで達成できるだろう。さらに、今後の計画とこれまでに達成した結果の間のつながりを明確にすることで、指導教員は学生に、より慎重になるよう、また計画が野心的すぎないよう注意を促すことができる。学生のニーズに敏感で、学生が自身のペースで進捗状況を適切に管理できるよう導く技能のある指導教員は、すべての学生に均一に対処する指導教員に比べて、この面でより充実した指導を行うことができる。

いったん学生が自信をもって進捗度を自己評価できるようになれば、彼らは指導教員への依存から自立へと向かう。この時点を境に学生はあなたを「チューター」ではなく、「同僚」とみなしはじめるだろう。

▼学生の助けになる「心のつながり」の維持

本章の冒頭に場面を戻そう。フレディはフォースダイク教授と「どのように研究を行ったらよいか」もしくは

「研究の進捗具合をどの程度の深度と頻度で報告すべきか」について話さなかった。結果として、教授の態度はフレディを落ち込ませ、研究に悪影響を与えることとなった。彼らはその問題について決して話しあおうとせず、膠着状態はフレディの博士課程期間のほとんどを通じて続いた。しかし、こうした問題を避けるのは簡単である。フレディの研究内容だけでなく、そうした二人の状況について胸襟を開いて話す、それだけでいいのだ。

同様のコミュニケーション不足はアダムとアンドリュー教授の事例にも存在する。もしアダムが、アンドリュー教授が自分の研究を読んでくれていることを前提にできたら（たとえ心の底ではそう信じていなかったとしても）、アダムはアンドリュー教授に「なぜもっといろいろなところにコメントをくれないんですか」と聞いていただろう。そうすれば議論は深まり、アンドリュー教授も研究の詳細に言及し、アダムの研究の射程に疑問をもっていることまで打ち明けていたかもしれない。アダムからの積極的な質問は二人の関係をまったく別のものに変えていた可能性があるのだ。そうすればアンドリュー教授はより幅広いコメントをし、アダムは「まったく指導してもらっていない」などと感じながら院生としてのほとんどの日々を過ごすことはなかった。もちろん、アンドリュー教授がせめてアダムの草稿にコメントを書き記していたら、アダムは教授がそれを読んでくれたと理解しただろうし、それはページにチェックの跡を残すだけでも効果はあっただろう。

大学院生は簡単にやる気をくじかれてしまうので、あなたの指導教員としての大切な仕事の一つは、彼らが十分なやる気を保つよう働きかけることにある。研究を進め、完全なプロの研究者になるための道のりには、もうあきらめるしかないのではないかと思うような迷いと幻滅の段階がある。そうした段階では気分が不安定になるので、つらい時期を乗りこえられるよう、細かな気遣いをしてやることが重要だ。

どんなに説得的に見えても、現状肯定にとらわれてはいけない。「学生が気の毒だから」といって、ミーティングを「不要」と判断したり、研究の進捗報告を見送ったりするのは学生のためにならない。もちろん、必要なときは学生をサポートしてやる姿勢が大切である。しかし、もし、さらに時間を学生に与えるべき説得的な理由が、いつも次から次へと出てくるのであれば、指導教員は学生の研究が脇道にそれていないか確認してやる必要がある。また、学生が数カ月から一年休んだ方がよい事態に陥ったら、正式に休学の手続きをとってあげよう。長い目で見れば、正式な休学とした方が、非公式に後れを生み出し続けるよりも、学生のためになる。その間、学生の生活が不安定であったり、何の縛りもなかったりすれば、学生と指導教員の間のつながりは損なわれるだけである。したがって不可欠なのは、あなたが定期的に以下のようにしてあげることだ。

・すでに指導の範囲内で合意した、あなたが学生にしてほしいことを紙に書いて渡す。
・学生が何をしてほしいのかについて聞く。
・変更点を含む妥協を受け入れる。

このような対処をすれば、学生は指導教員に軽視されているとか、指導を放棄しているとは感じない。パートナーとしての関係が強調されるに違いない。

学生とのつながりを適切に保つためには、あなたが指導教員としての役割を確実にこなすことが大切だ。学生のキャリアが困難に陥っているのに強く出すぎてしまうことを恐れ、学生の研究をプロとして論評するのをためらうのなら、あなたは学生が一番助けを求めているときに何もしなかったことになる。あなたがすべき助けとは、研究を進めるにあたって学生が直面する困難を完全に取り除くことでも、その方が学生に優しいように見えるから、という理由で困難に直面した学生を放置することでもない。そうした両極端にふれることなく、学生を導いてあげることだ。学生が経験するであろう心理的な苦難の日々を考慮に入れると、彼らが欲しいのはあなたのプロとしての助言だけではなく、理解なのだ。

▼学生のアカデミックな役割を発展させる励まし

指導教員にとって、単に学生の研究がうまくいくようにするだけでは十分ではない。もっと広く、学生が学者、そして研究者として成長できるよう手助けをするべきだ。特に、自分の研究をプレゼン・出版し、自分の大学をこえた、自領域の広い学術コミュニティに参加できるようになる必要がある。アカデミック・キャリアを目指す学生にとって、これは完全なプロの研究者へと近づく道である。また、教育の締めくくりとして、研究への関与を深める経験をさせてやることは、学者を目指さない者も含むすべての学生にとって有益である。

その一環として、自分の研究や関連トピックについてセミナーを開いたり、他人の研究発表を聞いたりする機会を学生に与えよう。つまり、学会などで発表者の発表内容に対し自信をもって質問・コメントできるようになる手助けをするのだ。学会に参加し、（セミナーで練習したように）フロアで発言し、自分の論文を発表するといった経験を積ませるのもよい。

学会発表論文が出版できるレベルに達している場合、評判のいいジャーナルでの掲載に耐えうる論文を書くコツを指導教員として教えなければならない。さらに、チュータリングや模擬実験などの仕事に応募するよう学生に勧めるほか、サマースクールのような他の機会に目を向けるよう促すのも、特に学生が大学で職を得ようと思っている場合には有効だろう。

このように学生をサポートするのは、それほど時間とエネルギーをとられるものではない。参加したい学会があるなら、あなたがやることは単に学生の前でそれらに言及し、あるいは彼らの分の経費を出してあげるための正式な依頼書にサインする程度で済むだろう。同様に、他大学の同僚が自分を訪ねて来たときに、学生を同席させてあげるのも学生のためになる。これには手間などほとんどかからず、だいぶお得だ。

学位取得のために研究をし、学問に携わりたいと思いながらも大学に通えないという人もいる。このような人には、大学が近くになかったり、障害をもっていたり持病があったり、介護者側だったり、自分のおかれている環境内なら勉学を進めることができる子持ちの人だったりが含まれる。

遠隔指導

新型コロナウイルスのパンデミックは、遠隔地での研究がますます可能になっていることを示した。多くの図書館やコンピューター施設は自宅からアクセスでき、研究セミナーはYouTubeや大学のウェブサイトでオンラインで視聴でき、FaceTimeなどの技術を使ってチュートリアルを行うことができる。通常は対面でチュートリアルに参加できる学生も、現地調査などのときには遠隔指導が必要になる場合もある。一方で、先に言及した調査（UKCGE 2021）では、オンラインだけの指導がもついくつかの問題点も指摘された。なかでも最重要の二点は、インフォーマルな交流の機会が少ないこと、学生が問題について正直に話すことを難しく感じることである。

効果的なオンラインチュートリアルには、対面と比べて、異なるスキルや工夫が必要だ。論点を明確にしてチュートリアルに臨み、話題の移動を明確にするとよい。会議進行に使うジェスチャーや身体言語といった微妙な手がかりが、オンラインではあまり伝わらないからだ。学生は、チュートリアルを始めるときに、パワーポイントのスライドや図表を使った簡単なプレゼンテーションを行うと議題設定に役立つ。ZoomやMicrosoftチームスなどのツールでは、参加者と画面共有ができるので、学生と指導者が同時に論文の草稿などの文書を見ることができる。GoogleドキュメントやOverleafなどのウェブサイトでは、さらに一歩進んで、複数名での同時文書編集も可能だ。最後に、視覚的なコミュニケーションが重要な分野では、たとえば図表について議論する際は、Apple Pencilなどの電子ペンと共有ホワイトボードやドキュメントカメラを使用すれば、学生と指導者が伝統的に対面で行ってきたような作業を再現することができる。

遠隔指導が完全に可能かどうかはまだ分からない。特に、声や身体言語、そして物理的なプレゼンスという要素群がアイデアを引き出す際に与えるポジティブな影響は、オンラインで再現するのが難しい。それでも間違いなく言えることは、オンライン指導は多くの学生の博士課程経験に対し何らかの役割を果たすということであり、これを効果的に行うためのスキルは、指導者にとってますます重要になってくるだろう。

ティーチングアシスタントやリサーチアシスタントの指導

博士課程の研究とは別に自分の下で働いている者、たとえばティーチングアシスタントやリサーチアシスタントを指導することは特に難しい。これは時間管理の問題でもある。学生は、教育に関する短期的なプレッシャーと、博士課程の研究に取り組むという長期的な必要性とのバランスについてアドバイスが必要だ。特に、博士課程研究が苦しい時に、逃げの戦略として教育に過度な時間を費やすことのないよう注意しなければならない。また、利益相反にも注意が必要だ。学生は、あなたをがっかりさせたり負担をかけすぎたりするせいで、研究学生として見られにくくなることを恐れ、教育に関する問題をあなたに打ち明けにくく感じているのではないだろうか？

ダフナは博士課程を修了しようとしている学生だった。彼女は博士課程の研究だけでなく、ダスグプタ教授のある担当科目のティーチングアシスタントとしても働いていた。彼女はダスグプタ教授が自分の論文の内部審査委員になると聞かされていた。彼女は、通常は科目担当者が用意するワークシートや授業演習に長時間を費やすよう求められるなど、教育に関して必要なサポートを得られていないと感じていた。しかし、彼女は問題提起すれば、ダスグプタ教授が自分を能力不足だと考えて口頭審査で不利になるのではないかと恐れて、黙って耐えた。

あなたの学生が、あなた名義で出資を受けたプロジェクトのリサーチアシスタントである場合、あなたは指導教員とプロジェクトマネージャーという二つの役割をもつことになるが、それらは完全には一致しない。たとえば、学生が博士課程研究のためには十分なデータを得ることができたとしても、プロジェクトの要件にはより大規模なデータ収集が必要な場合がある。

このような状況で効果的に物事を進めるには、指導教員から三つの工夫が必要となる。第一に、プロジェクトのできるだけ早い段階で、博士課程研究とは何か、ほかの研究プロジェクトとはどう違うのかについて、互いに納得のいく説明をすることだ。第二に、学生が論文作業に費やすべき時間の長さについて合意する必要がある。週あたりの最小時間と最大時間による目安の設定が考えられる。第三に、自身が指導教員兼プロジェクトマネージャーという二つの役割をもっていることを認識し、それを学生に明示するべきだ。研究プロジェクト成功に向けた適切なコミットメントの中で、指導教員としての責務、つまり教育という重要なサービスの提供をおろそかにしてはいけない。これには指導教員チームの形成も有効となる。資金提供されたプロジェクトに関与していない共同指導教員が、博士課程への指導を維持するための助けとなるだろう。

指導教員チームとして働くこと

第6章では、学生の視点から、チームとして指導されることの利点と同時に、生じかねない問題点について議論した。ここでは指導教員の視点から議論をする。この章の前半でふれた指導に関する内容は、任命された指導教員チームとして実行しなくてはならない。これは負担を分散する役割をもつものの、学生と指導教員との間の関係がより複雑になることも事実である。

うまく機能しているチーム指導体制には固有の特徴がある。

・リードをとる指導教員がはっきりしていること。第一指導教員や主任指導教員といった名称が使われる。学生の進歩に対する第一の「オーナーシップ」〔積極的に見張る責任と役目〕をもつ。その他のメンバーらは補助的な役割をもつ。

・お互いの責任範囲については指導教員同士の間で事前に議論・合意し、チームとしての機能にコミットする。

・チームメンバーは専門分野やスキルが明確にお互いを補完するものとなっている。より広い視点から学生の思考と活動にインプットを与えることができるだけでなく、学生の忠誠心を勝ち取ろうとするような競争心を取り除くといった利点もある。

・第二、第三の指導教員は主任指導教員の言ったことを繰り返すためではなく、学生の業績に対して異なる角度のインプットを与えることによってサポートするために存在する。

・チームのすべてのメンバーが学生と定期的（たいていは一学期ごと）に集まり、進捗状況を確認している。これらの進捗会議は、学生の研究に対する学術的見解を、すべてのメンバーが支持しうる形で発展させるために重要である。

・各メンバーが個別のチュートリアルで矛盾したアドバイスを与えることは避ける。矛盾したアドバイスは学生を意気消沈させるだけでなく、専門家としての指導教員への信頼をも落とすことになりかねない。

・しかし、全体ミーティングでは、不同意を示すのが非常に有益だ。異なる視座を示し、研究の方向性は代替案についての活発な議論のなかで練り上げられるものだ、と学生に見せてあげよう。しかし、学生が積極的に議論に参加し、ミーティングの最後には今後の方針について明確な結論が出ていなくてはならない。

右のようなチーム体制はあくまで理想だ。しかし、私たち著者はそのようなチームが機能しているのを見たことがあるだけでなく、実際に参加したこともある。このようなチームは結果的に参加するすべての人が満足する結果を生み出してくれる。このようなチーム体制の重要な機能の一つに、自分自身、博士課程を無事終えて間もない経験の浅い指導教員に、指導教員としての初めての経験を与える点もある。これは双方のコミュニケーションにとって役立つ体制でもある。経験のある主任指導教員に学生がどこでどう困っているのかを伝え、同時に指導教員が学生に何を提案しているのかを伝える手助けともなる。ただ、このような状況において起こりうる問題として、主任指導教員がその立場から撤退しなくてはならない場合、リードをとる立場に立てるサポートメンバーがおらず、チームを完全に再編成しなければならなくなる場合がある。

しかし、どのようなシステムにも言えることだが、意図しない方向に事が運んでしまうケースもある。

主任指導教員から最も頻繁に聞かれる問題は、第二・第三の指導教員が多忙ゆえにすべて主任指導教員に丸投げしてしまうという事態である。進捗ミーティングに参加しなかったり、参加したとしても心ここにあらずという状態だったりする。これだとこの体制で指導する意味がなくなるどころか、むしろ逆効果になってしまう。何より、チーム体制をとって指導にあたる意味の一つに、学生と主任指導教員の関係がうまくいっていないときに、その改善を図ることができる、というものがある。逆にうまくいっているときは、チーム体制を調整し、第二・第三指導教員は名目上のかかわりのみにしてもよい。

また、逆の極端な例では、お互いの研究の仕方が（ひいては、お互いの存在自体が）気に食わず、学生との個別のミーティングにおいてその感情を明らかにしてしまうケースも見られる。学生の忠誠心を我が物にしようと競いあう場合すらありうるのだ。これは学生のやる気と成長にとってきわめて有害である。このような場合、学科の研究チューターか、同じような役割の人物などに介入してもらい、別の指導体制をとるよう取り計らってもらう必要がある。

ほとんどのチームはこの両極端な例の中間にあり、サポート役に回るチームメンバーからのインプットの度合いについてもかなり開きがあるといっていいだろう。チームをうまく機能させるには指導教員同士が、専門家として、そして人間としてお互いに尊敬の念を抱いていることが重要であり、そこのことはチームを構成する際に必ず考慮に入れなくてはならない。

学術環境で研究できるよう学生を援助する

第9章で強調したように、学術的な環境での仕事は他の仕事とは異なる上、博士課程で学ぶことは他の種類の勉強とも異なる。あなたの学生が学部や修士課程から直接博士課程に進んだとしても、生産的に研究するためには、状況への適応に向けてかなりの努力が必要だ。

したがって、新しい学生と、彼らのこれまでの経験や、博士課程の環境に対して彼らが抱いている想像について十分なコミュニケーションをとることが必要だ。一〇年も社会人経験のある博士課程新入生が抱くイメージは、学部を卒業したばかりの新入生のそれとは大きく異なるかもしれない。

学生がすでにもっているスキルや、一般的なリサーチスキルを含め、彼らが伸ばすべきスキルについてもじっくり話す必要がある。Vitae Researcher Development Framework（https://www.vitae.ac.uk/vitae-publications/rdf-related）では、さまざまな一般的リサーチスキルを分類しており、議論の出発点となるかもしれない。欠点としては、博士課程初期の学生にはスキルの関連性やコンテクストの理解が難しいことだ。だから、必要なスキルについては一回限りの議論ではなく、継続的に話しあおう。

▼学生が学校に来るタイミングの見込み

あなたは、学生に対して、いつ大学に来てほしいかを話し合うべきだ。実験室では、メンバーが互いに実験を手伝うべきなので、九時から五時の定時でスケジュールを設定するのが妥当かもしれない。逆に、一部の指導教員は、学生はチュートリアルの時だけ大学に来ればよいと思っているかもしれない。この議論の一環として、学生が利用可能な作業スペースを明確にしよう。専用の机か、共有の作業スペースか、実験室の一部か、あるいは研究科内にまったく作業スペースがないのか？　彼らは共用室などにどのようなアクセス権をもっているのか？　これが明確でなければ、学生は指導教員に恥ずかしくて聞けないかもしれない。

▼固定された勤務時間がない場合の対処法

学生と時間管理について話しあうことは、固定された勤務時間がある仕事に就いていた学生の場合、特に重要だ。これは、学生がどのくらいの時間を博士課程に割くべきか、大学の見解を明確にすることにもなる。フルタイムの学生は、フルタイムの仕事に必要な時間と同じくらいの時間を勉強に費やすべきだろう。多すぎても少なすぎてもいけない。あなたはこの点を明確にすべきだ。

学会発表の締切前など激務が続く日々が一定期間あるのは当然だが、博士課程は学生の人生のすべての時間を奪うべきでないことは明確にすべきだ。関連して、大学外に関心事があるのは罪悪感を抱くようなことではないし、適切な長さの年次休暇の取得は奨励されるということを、学生に伝えよう。たとえば、夏休みの始めに休暇はいつとる予定かとたずねることで、休みをとるのは普通のことだ、という認識を明確にしよう。学生と指導教員の関係破綻の主因の一つは、指導教員が学生に不合理なコミットメントを求めることであり、それは暗黙の了解とされることもある。

これに関して、学生は自分への期待が大きすぎると感じたら、重く考えすぎず、それをあなたに伝えられる状態にあるべきだ。これは多くの場合、指導教員が本当に過度な期待をしているというよりは、学生が特定のタスクを効率的に行う方法を知らないために起こる。たとえば、学生は論文を目的に応じて効率的に読む方法を知らず、対象の細部まで理解しようとして時間を無駄にするかもしれない。または、下記の事例がある。

クワメは、一〇年間研究室の技師として働いた後に博士課程に入った学生だった。彼は学士課程ですばらしい成績を残し、その後の仕事でも優秀な成果を上げていたが、博士課程への適応に苦労していた。博士課程に入る前の職場では、毎日出勤し、雇用主から渡されるタスクのリストを忠実にこなしていた。彼は指導教員のキーブル教授から与えられた具体的なタスクの細部に集中することはできたが、広範で野心的なリサーチクエスチョンと自分が行うべき日々のタスクとの関連づけが苦手だった。一年間の苦闘の後、彼は自分が博士課程には向いていないことが分かった。いくら努力しても、大きく複雑なタスクを小さなものに分割するスキルを身につけることができなかったのだ。

この例からわかるように、学生は一日の「構造化されていない性質」に苦しむことがある。毎日上司からタスクを与えられる職場から来た場合は特にそうだ。このような学生は、あなたから職場のマネージャーと指導教員の役割が異なることについて教えてもらう必要がある。さらに、研究の計画方法について話しあうことも非常に有用だ。特に、学生と指導教員はさまざまな時間スケール——博士課程全体、現在のプロジェクト、直近の作業——と、その相互の関連を常に念頭におく必要がある。

▼パートタイム学生や年長学生

第9章では、パートタイムや年長学生に対して具体的なアドバイスを提供した。これらの学生を指導する際は読んでおこう。指導教員としては、パートタイム学生がどうしたら研究科の文化に溶け込めるかを注視する必要がある。彼らはコアタイムに行われる研究セミナーや研修コースなどの活動に参加できないことがあるため、適応が難しい場合がある。パートタイムの学生の指導者同士で協力して、研究科内で時間外のジャーナルクラブやディスカッショングループを組織するのはどうだろう。また、彼らと時間管理や作業スペースの確保についてより率直な議論をする必要がある。

博士課程の新入生の多くは、「年長学生」であり、大学院進学前に何年も家族や仕事の責任を負ってきている。彼らはこれまで培った、博士課程には不向きな作業スタイルを暗黙のうちに持ち込む可能性があるので、博士課程学生として期待されることについて話しあっておくことが特に重要だ。また、年長学生の知的能力や集中力に年齢差別的な偏見をもたないようにすべきだ。同様に、彼らに過度な要求をしないようにしよう。幅広い経験があるからといって彼らが若い学生よりも有能だと思わないようにする必要がある。大学内の年長学生グループに彼らを紹介するのも有用だ。

英国文化に学生が適応するのを助ける

過去に勉強してきた環境における文化から博士課程へと学生が持ち込もうとしている前提を理解することも重要

だ。たとえば、先生（あるいは広義の年長者）に対する敬意を重んじる教育文化があり、そのような文化から来た学生は、博士課程で必要とされる自立性を身につけるのに苦労することがある。そうした学生が敬意をもって相手の意見に異議を唱え、自分自身の見解を提示できるよう手助けするのは簡単ではない。一つの方法は、彼らが何かの話題——できれば、専門分野からは完全に離れた話題——について、ランダムに選ばれた立場で議論するロールプレイ演習を用いることだ。これは、他者と対立するような学術的な立場を堅持することと、個人的な対立を起こすこととの違いを学生に認識させるのに役立つ。

さらに難しいのは、学生が性別や人種や地位についてもっている前提だ。第9章では、これらの困難な問題に対処する方法についていくつか例を挙げた。このような問題に直面した場合、役に立つかもしれない。

▼言語

多くの学生にとって、初めて英語で作業することは特に難しいチャレンジだ。学生が英語堪能であっても、アカデミックな英語の能力が高いとは限らない。もう一つの難点は、日常会話で使われる比喩表現の豊富なバリエーションを理解することだ。過度に単純化せず、学生が語彙や言葉遣いを上達させるのに役立つようなバランスをとることが重要だ。複雑なフレーズや表現を使うことを避けず、代わりに簡単な説明を加えよう。学生の書き物であれ、その他の出版物であれ、文章の一節を細かく分析することは有益だ。しかし、これはあくまで演習であり、すべての書き物にこのような細かな注意を払うことはできないことを強調することが重要だ。

言語に関するアドバイスは、英語が母国語でない指導教員にとって特に問題になる。ここでもグループ指導が役立つ。多くの大学では、学生が執筆力を向上させるためのさまざまな支援の仕組みがある。つまり、グループワークショップ、執筆に焦点を当てたバディシステム、場合によっては個別指導などだ。自信がなくて学生のライティングスキルの向上の手助けができない場合、これらのサービスが特に役立つかもしれない。

▼ロールモデル、メンター、そしてサポートグループ

指導教員のあなたから学ぶことに加えて、学生は周囲の幅広い人々からも学ぶ。最も手近なところでは、講義、学会、研究セミナー、オンラインでの交流などを通じて、他の学者から専門分野の知識を学ぶ。

あなたは、とりわけ異なる研究段階の学生など、学生同士のネットワークを広げるよう奨励すべきだ。たとえば、グループ指導、ディスカッショングループや論文輪読グループの運営を通じて学生の交流を促進できる。学生は、自分の分野だけでなく、各段階の研究パターンについても互いに学ぶことができる。これはまた、多くの研究学生を孤独・孤立から救うのにも役立つ。

さらに興味深いのは、他の人から博士号取得のプロセスについて学ぶことだ。博士号取得の成功例としてどのようなロールモデルを想定し、その存在により博士号取得をどのように捉えるようになったか？　ロールモデルが果たす「役割《ロール》」はいろいろある。学生は自分より一年や二年上の先輩から学ぶかもしれないし、自身と同じ背景や属性をもつ人物を手本にするかもしれない。指導者としてあなたは、分野で成功した人々の多様な例を話題にしたり、多様な背景をもつ人物に招待講演を依頼したりすることでこのプロセスを支援することができる。

ロールモデルは成功例を与え、学生のモチベーションを高めるのに役立つ。しかし重要なことは、彼らが博士号で求められる要件を過大評価しないことだ。第4章で指摘したように、マルクスやアインシュタインのように自分の分野で革命的な変化をもたらした人々でさえ、博士論文では有能だが控えめな知的貢献にとどまった。そして後になってようやく、変革的な貢献をなしとげたのだ。

博士課程学生のためによりフォーマルなメンタリングやバディプログラムを提供している大学もある。これらに

ついては第9章で詳しく説明した。学生に参加を勧めるとよいだろう。また、多くの機関にある、幅広い支援グループにも学生の注意を引き付ける必要がある。

もし、あなたが大人になるまでの間に、博士課程の研究についてある程度の知識を得ていた場合――たとえば、身近な家族が博士号をもっていたり、博士号取得のために勉強したりしていた場合――全員が同じ状況にあるわけではないことを覚えておこう。多くの人々は、出自に博士課程研究にかかわる経験がないため、あなたにとって当然のことかもしれない事柄も丁寧に説明することが必要だ。実際、それが本書の役割の一つだ。

問題が起きたときの学生へのサポート

学生が博士課程をつつがなく過ごせるよう私たち著者は願っているが、ハラスメント、嫌がらせ、差別、いじめなどの問題が発生したり、学生に健康上の問題が生じたりすることもある。

第9章で学生のそのような状況にどう対処できるか説明した。あなたの役割は主に相談役になることであり、学生の懸念を軽視してはいけない。さらに、あなたは、学生のために利用可能な学内のプロセスとサポートを理解し、彼らを適切な部署に誘導できる必要がある。

▼ストレスと健康問題

学生たちは、ストレス回避で大きな恩恵を受ける。博士課程期間を通じて誰もが常に健康であるわけではなく、多くの学生が長期的な身体・精神の健康状態をやりくりしながら成功している。

あなたの主な役割は、学生の学術的成長を見守ることであり、彼らの健康に責任をもつことではない。あなたは彼らの医者やカウンセラーでもない。それでも、健康的な学習習慣をモデル化し、奨励することによって、学生の健康維持を手助けし、運動やストレス解消、博士課程以外の生活や趣味のための時間があることを明確にすることで、学生の健康維持を手助けすることができる。

特に、慢性疾患、なかでも精神的な疾患を持つ学生の指導は簡単ではない。短期的な心身の不調と異なり、休息期間を挟んだとしても完全な健康状態に戻るわけでは必ずしもないからだ。

学生の中には、長期的な病状の一進一退を抱えながら博士課程を過ごす者もいる。私たち著者はそのような学生も博士号取得が可能であると固く信じているが、指導教員としては彼らの進捗の見通しを柔軟に調整する必要がある。第12章では、研究機関がよりよい支援システムを整備する方法についてアドバイスを提供している。

特に、薬の副反応や調子に波があったりなどで作業パターンが一定でない場合がある。したがって、進捗の見通しを柔軟に調整する必要がある。ただし、学生が長期的に良好な成長を見せる限り、短期的な生産性の低下は過度に心配しなくてもよい。

▼ハラスメント、嫌がらせ、差別、そしていじめ

あなたが学生に対する加害者やハラッサーにならないためには、どうしたらいいだろうか？　こうした行動をわざととる人はほとんどいないが、明らかに一部の人々はそのような行動パターンに陥る。あなたの発言が学生に与える影響について考える必要がある。

特に、指導教員と学生の間の権力関係ゆえにあなたに少し恐れを抱く人が、あなたの発言をどう解釈するか考えてみよう。とりわけ、自閉症や英語力が弱い学生にどう影響を与えるか注意しなくてはならない。彼らはあなたが言ったことをそのまま文字通りに解釈する可能性がある。

シャダシアはサカモト博士の研究室の博士課程学生だった。ある日、定例の研究会でサカモト博士は（冗談で）最近の助成金を新しい分光器ではなく、研究室メンバーの休暇旅行に使うつもりだと述べた。シャダシアはこれをそのまま解釈し、必要な機器が手に入らないことによる研究の失敗を確信した。彼女は会議から逃げ出し、数週にわたり指導教員と話すことを拒否した。彼らの関係は元通りにならず、彼女は博士論文を完成させるために指導教員を替える必要があった。

さらに、同僚があなたの不適切な行動を指摘してくれた場合、真剣に受け止めることも重要だ。そのような指摘は、「え、私？」といったように人を防御的にさせるものだが、フィードバックを真剣に受け止めることは、あなたのプロフェッショナルな成長においてとても重要だ。

問題行動を回避する別の方法は、自分自身の暗黙的バイアスを理解することだ。そうしたバイアスに関するセッションに参加する機会を利用して、社会の特定のグループについてもっている微妙な偏見を表面化させるよう試み、それらを修正する意識を高める必要がある。また、他者が不快感を抱く可能性がある小さな行動、すなわちマイクロアグレッションも認識しておく必要がある。国際的環境をもつ大学においてよくない例としては、多様な名前の発音を学ばないことだ。これは、他の国籍の学生に対して無関心であると受け取られる可能性がある。

▼搾取

あなたが学生を搾取するパターンに陥らないことが重要だ。博士課程学生が、専門分野の対外広報への協力、研究セミナーや会議開催や学生募集の手伝い、およびラボでの日常的なタスクなど、あなたの研究グループや研究科における広い範囲の運営を手伝うことを期待することは合理的だ。

しかし、これらは搾取に陥る可能性がある。学生を自分個人のアシスタントのように考えてはならず、彼らが自分自身のお金を持ち出しで使うことを期待してもいけない。博士課程に直接関係しない大規模なプロジェクトへの協力を求める場合は、作業に対する金銭的報酬、または出版物でのクレジット掲載でバランスをとる必要がある。もちろん、少量の手伝いは合理的だが、一部の指導教員は、学生がほとんどクレジットを得られない仕事（あなたの単著書籍、公開講演または政策ブリーフィングなど）のために学生に多量の仕事をさせることがある。学生の過度な負担にならないようにし、彼らにクレジットを与える方法を考えよう。教育も同様だ。学生自身の研究について講義内で短い講演を行わせることは問題ないが、自分が留守の間学生に数週間も講義や授業を（学生自身も教務があるのに）担当させることは、ほとんどの場合やりすぎである。

指導教員として、あなたは学生の「単一障害点（single point of failure）」になる可能性があることを認識すべきだ。あなたが指導に失敗すれば、学生は博士課程に失敗する可能性がある。これは、私たち著者が集団指導のアプローチを強く推奨する理由の一つだ。

第9章で指摘したように、学生も搾取者になる可能性がある。これは、学生が特に社会的弱者を対象に研究する場合に起きる。このような研究を学生と話し合う際には、研究のリスクに注意し、想定される損害を最小限にする方法を考える必要がある。

もちろん、いじめや嫌がらせはどちらの方向にも起きることがある。あなたが学生から加害を受ける可能性についても考え、そのようなことが起こった場合には、スタッフ組合やサポートグループを効果的に活用しよう。さらに広く、指導教員の孤独感やこのような問題を話し合うための（形式的または非形式的な）同僚ネットワークをもつことは、とてもよいことだ。

審査の仕方

指導教員は自分の学生の論文審査委員にはなれない〔英国の博士課程が念頭におかれている〕が、他の学生の審査に呼ばれることはよくある。同僚が受け持つ学生の内部審査委員や、他大学の学生の外部審査委員を担当したりする。この重要なタスクにはどう取り組んだらいいのだろうか？

あらかじめ断っておくが、論文が適切かどうかの審査について、機械的・お役所的な基準を立てられるようなルールや原則はない。一般的に審査委員は概念的理解、批判的考察および論旨の明確さや構成を見て論文を審査する。通常、専攻分野ごとに博士候補が押さえるべきポイントがあるものだ。

それでも、ＥＭＰがみるところでは、指導教員や審査委員にとって、すぐれた博士に求められる能力を明確化するのは難しい。彼らは、そういった能力の一つひとつを、個々の産物であり、一般化に適していないと考えている。また、論文の質がとても低いときにそれを見分けるのは簡単だが、論文の何が面白くて刺激的かといったポイントは、経験を積まない限り見つけるのが難しいと言う。

大学の規定が提示する基準は通常、「知識体系への重要な貢献または理解」、「独立した研究を行う能力の証明」といった文言で示される。こうした条件はさまざまな状況に応じて適用される必要があり、その状況は個々の学生や分野、審査の場ごとに、審査委員が行う個別の判断にどうしても左右されるものだ。

学生同様、審査委員も最近のすぐれた博士学位授与論文を読んで考え、該当分野においてどの程度の水準をクリアする必要があるかを知らなければならない。またその分野の学術誌に目を通し、何がその知識体系への価値ある貢献として評価されているかも理解しなければならない。

博士論文審査を学術誌のピアレビューと比較するのは参考になる。学術誌のレビューは、分野の最先端で求められるスタンダードについての見通しを与えてくれるのだ。それらは以下のような問いについて考える際の参考になるだろう。たとえば，「この論文は見事なまでに十分に深く掘り下げているだろうか？」「学生は関連テーマについて完全に理解していることを証明しているだろうか？」「学生は今後の研究に役立つ研究手法を編み出しているだろうか？」といったものである。実際，こうした問いは学生の能力に対する次の問いに言い換えられる。「十分掘り下げているか？」「十分に理解しているか？」「今後の研究に役立つ研究手法を編み出す十分なレベルにあるか？」。こうした問いを経て，最終的に問いのすべては次に集約される。「これで十分か？」である。

もっとも，成績がすべて優でなくとも学士号がとれるように，博士号取得に際しても，必ずしも論文のすべてのパートが秀でている必要はない。

それでも，ときに学生は本当に「求められているもの」が分からなくなる。だからこそ，博士課程の初めのうちに方法や形式にまつわるガイドラインを示しておくことが重要なのである。たとえ研究科が何か情報をくれたとしても，それらは学生が本当に欲しい具体的な情報では必ずしもなく，学生が満足できない可能性がある。ある学生は，「論文の基本的な型を教えてくれたセミナーに行ったんだけど，異質で一回きりの経験を，無味乾燥な論文のフォーマットに落とし込まなくちゃならない難しさばかり強調されていたよ」と述べたが，これは多くの学生の感情を代弁している。学生には「論文には守らなければならない標準的な型がある」という事実を受け入れる上で，指導教員の手助けが必要だ。

口頭審査後の議論でよく挙げられる話題は，不十分な指導の犠牲になったことが明白な学生に関するものだ。博士論文の審査では暗黙のうちに指導教員も審査されるものであり，指導教員は自分が関わった学生の審査では非常に防御的になるものだ。実際，指導教員は，かつてほとんどの大学で自分の学生に対する内部審査委員に入っていたが，まさにこの理由ゆえ，最終的には排除されるに至ったのである。

審査委員は「博士候補者が指導教員の失敗の犠牲になるのはフェアといえるか？」という疑問に直面することになる。しかし、学位の水準を維持しなくてはならないので、候補者に同情するなら、どれほど寛大になったとしても、再提出の機会を与えてやるのが限界だろう。

第3章で述べたように、研究評議会は大学に対して、博士の教育課程を完結させ、四年の間に博士論文を提出させるよう大変なプレッシャーをかけている。結果として、期限内に博士論文を提出する学生の割合を高めることに成功したが、期限に間にあわせるため博士論文の提出を急いだ結果、再提出を課される学生が増えた可能性を指摘する者もいる。

より残念な帰結は、大学評価との関係を考慮して、研究科が十分な学位取得者数を確保するために、論文審査委員にプレッシャーがかかり、ボーダーライン水準の論文を次々に合格させてしまう可能性である。研究評議会が強く主張するように、彼らの目的は博士号の水準を下げることではなくて、博士号がより効率的に取得できるようになることなのだから、そうしたプレッシャーには断固として抵抗するべきだ。

本書を通して述べてきたように、博士課程の目的は学生の能力を完全にプロの研究者の水準に引き上げる点である。第10章で扱った博士課程の審査システムでも、当然この目的が反映されなければならない。

学位は、候補者の博士論文、口頭審査での受け答え、その他分野におけるこれまでの達成や出版物を含む補完的資料にもとづいて授与される。したがって、口頭審査は審査の重要事項だ。論文だけでは博士号の授与に十分ではない。うまくディフェンスできないと、次の二つの理由から学位が与えられない可能性がある。

一つは、質問を通じて審査委員は対象の学生が本当に論文を書いたかを確認するからである。審査委員はそのことを証明する者としてサインをするのだ。もう一つは第10章で述べたように、珍しいケースではあるが、論文は合格だが口頭審査には不合格という場合もある。そうした場合は論文の理解や解釈のレベルを高めるために一定の期間が与えられて再試験となる。

▼口頭審査

口頭審査は、中世の論文発表の際に行われた公式討議の原型を残している。当時はこの討議が終わってから、博士学位を授与し部門のメンバーとして受け入れるか否かを、オーディエンスの投票で決めていた。英国における口頭審査は現在、二〜三名からなる審査委員からの質問とコメントを皮切りに議論が展開される。

口頭審査には多くのパターンがある。形式はアフタヌーンティーの後のおしゃべり的なものから、異端審問的な取り調べに至るまで幅広い。ここでは、そうした両極端を避けた一般的な口頭審査の形式について必要な事項を述べる。

まず、ほとんどの学生は口頭審査で何が行われるか事前に知らないことを指摘しなければならない。しかし、ごく最近の書籍のなかには、実情を紹介することでこの状況を改善し、学生と審査委員双方に役立つものもある(Murray 2015 ; Smith 2014)。

Tinkler and Jackson (2004) が指摘するように、口頭審査とは「多くの指導教員と審査委員にとって頭痛の種」である。誰も口頭審査について公に語らないので、学生はその内容を指導教員ではなく仲間の学生に聞くことになる。仲間に聞くまで、学生は口頭審査に誰が出席するのかさえ知らないかもしれない。論文全体について一般的な質疑があることや、幾年にもわたる長大な研究がほんの些細な一点について批判される場合があることくらいは知っているかもしれない。学生は、口頭審査とはきわめて厳しいもので、審査委員が徹底的に論文を読み込み、討論を挑んでくると思っている。恐ろしい戦いが待っていると思ってビクビクしている学生が多い。

恐怖心を減らす方法の一つは、指導教員または他の経験豊富な審査員が、学生に対して、口頭審査の仕組みと中身の両方について丁寧に説明することだ。また、学生が何を準備すればよいか説明することが重要だ（第10章を参照）。水準が高く、試験が厳格である一方、審査委員と学生は結局は同じ側に立っており、全員が学生の成功を望んでいることは強調されるべきだ。

候補者と審査委員に加えて、一部の大学では議長にもう一人の学者が任命されることもある。あなたがこれを依頼された場合、その役割は議論が明確かつ秩序正しく行われるようにすることだが、議論そのものには参加しない。議長を任命しない大学では、審査委員が研究に関する質問をしながらこの役割を担う。

審査委員が事前に役割分担と進行について合意することが重要だ。候補者に最初に簡単なプレゼンテーションを行うよう依頼するか（第10章でその利点について記した）？　その場合は、候補者への事前通知が必要だ。どのように質問をするか？　これは口頭審査直前の会議でよく決められる。また、「どうしてこのテーマを研究することになったのですか？」といった候補者を落ち着かせるための簡単な質問を入れるようにすべきだ。

また、口頭審査は長時間に及ぶ場合がある。私たち著者は、二時間半を超えることは避けるべきだと考える。二時間を超える可能性がある場合は必要に応じて、候補者が休憩を要求できる、もしくは議長または審査委員が休憩を提案することが重要だ。これにより、審査委員は議論を確認し、候補者はエネルギーを回復できる。

ほとんどの大学では、指導教員がサイレントオブザーバーとして口頭審査に参加できる。一部の大学では、これに学生の許可が必要だ。これが適切かどうかはあなた次第だ。部屋に馴染みのある人物がいることは学生にとって有利だが、一部の指導教員はコメントを控えるのが難しいと感じる。

よい指導の成果

指導と評価に関する議論のまとめとして、よい指導が指導教員と学生双方にもたらすすぐれた成果についてふれたい。成果とは次のことである。

- 期限内に内実のともなった博士号を得ること。
- 研究の結果がトピックに貢献できること。
- 学会にペーパーを発表し、学生が外部からの批判・評価にふれる機会を得ること。
- ともに議論でき、論文審査委員の候補にもなる学外の学者とのつながりができること。
- 学術誌上に学生が論文を発表し、論文の掲載審査プロセスを経験できること。
- プロとしての今後の研究キャリア（大学の内でも外でも）への準備が十分にできていること。
- 研究者としての学生の歩みを後押しするような、刺激的な経験を指導教員も学生もしていること。

付録2に記載されている自己評価アンケートと博士課程の実践に関する議論のテーマ集は、この章で挙げた問題を考察することに役立てるという観点から提供されている。

第12章
研究機関の責務

本章のポイント

1. 大学は責任をもって博士課程学生を受け入れよう。
2. 研究科レベルの設備の整備に加え、学生にとって重要な追加情報を提供し、必要な場合には語学サポートを提供しよう。
3. 分かりやすい博士課程のハンドブックを配布し、大学と学生の間の定期的な相互コミュニケーションの機会を設けよう。
4. 博士課程指導に与えられるティーチングクレジットの配分に応じたリソースを提供しよう。
5. 博士課程教育の規則と博士課程教育の性格に関する定期的な見直しの場を設けよう。
6. 医療スタッフや相談員が博士課程学生の個別ニーズを把握し、学生の慢性的な健康状態に配慮できるよう指導教員を訓練しよう。
7. 研究科レベルでは、博士課程の研究チューターが主導的に博士課程学生の教育状況をモニターし、改善できるようにしよう。
8. 研究科に入学を許可する学生の基準と選考方法は定期的に見直そう。
9. 指導教員の選任と適切な指導形態についてガイドラインを作ろう。
10. 学生間で助けあうことができるグループやバディシステムを形成する仕組み、そして研究科の垣根をこえて学生が交流する機会をつくろう。

本章は大学の運営者に向けて書かれている。博士課程学生をサポートするための体制整備は、彼らの成功の重要な要因となるだけでなく、結果的に大学の研究成果にも大きくかかわる。過去数十年間、大学認証評価機関（QAA）や研究助成機関からの働きかけ、あるいは学内での博士課程に関する再検討などを通じて、博士教育に多くの変化がもたらされている。特に学生の進捗管理をより綿密かつ着実に行うようになったこと、博士課程学生のためのスキルトレーニングやキャリア開発活動の質向上、そして指導教員の訓練と養成に一段と力を入れるようになったことなどが挙げられる。よって、本章では、すでに他所で十分に議論されていることではなく、いまだなお大学側による改善の余地のある事柄——学生の研究生活、研究成果の質、そして博士課程の効率的な修了プロセス——について議論する。

大学の責務

▼博士課程学生のための全学的取り組み

ほとんどの大学には大学院（大学院、研究所、または研究者アカデミー）がある。これにより、博士課程学生が大学の重要な構成要素であることが制度的に認められ、リソースが利用可能になった。大学院は、トレーニングコースやネットワーキングイベントの実施を通じて、大学全体の研究コミュニティの構築に役立っている。一部の大学では、大学院がポスドクのトレーニングと研修も担当している。

大学院には、部局を通じた博士課程学生の研究活動支援施設の提供、入学オリエンテーションの調整、役立つ情報が詰まった（包括的な）大学院生ハンドブックの作成、必要に応じて博士課程に適したアカデミック・ライティング教育の提供など、多数のタスクがある。

大学院にはさらに「トレーニング」の役割もある。どのようなトレーニングが必要かはＴＮＡ（Training Needs Analysis）と呼ばれる広く使われているニーズ分析を活用し、プログラム選定の参考にできる。指導教員にサポートを提供することもタスクの一つである。それは（特に指導教員としての対人関係といった非技術的な面においての）トレーニングの情報提供や、指導教員としてのティーチングクレジットの認定なども含まれる。Researcher Development Framework（www.vitae.ac.uk/researchers-professional-development/about-the-vitae-researcherdevelopment-framework）は、いまやベンチマークとして受け入れられている。

分かりやすいハンドブックやウェブページ、そして入学オリエンテーションは重要である。ここではとりわけ、どこまでが大学院の責任で、どこからが研究科のやることなのかを明確に示しておくのがよい。

▼学生支援

博士課程の学生を支援する研究科の設備

大学は、研究科ごとの研究設備だけでなく、院生全員が使用できるコモンルームのような設備を設けるべきだ。そうすれば、そのような部屋は大学の他学科の研究学生同士が集まる場所として利用できるようになる。部局ごとにそうしたものを設けている可能性もあるし、大学全体にそうした設備があることもある。建物の一階が理想だが、気軽に使えるように、目立つところにあるとよい。学生に習慣的にその部屋を利用してもらえるよう、オリエンテーションをその部屋で行うのも良案だ。施設には文献やコンピュータ設備といった一般的に必要なものだけでなく、実験室や実験器具、技術者へのアクセスなど十分な設備がそろっていることが必要だろう。

学生の研究を支え、彼らに「アカデミア」への帰属意識をもたせるため、大学は研究学生のための予算を確保すべきだ。多くの支出は高額ではない。たとえばソフトウェアの購入、オンラインサービスの購読料、ラボで使用する消耗品、コピー代などである。最も費用がかかる項目は旅費だろう。どのような条件下でカンファレンスへの参加に経済的支援をするかの判断基準は明確に記され、公表される必要がある。支援条件には、たとえば学生自身のカンファレンスでの発表が必要なのか、それとも学識を深めるためのイベント参加が許されるのかなどを明記すること。研修への参加や図書館や博物館などへの訪問、フィールドワークに関する支援などにも同じようなポリシーがあるべきだ。また申請手順も裁可基準と同様に明らかにする必要がある。

同じく重要なのは、フルタイムの学生がアクセスできる研究環境を、近年増加傾向にあるパートタイムの学生にも利用可能にすることだ。たとえば図書館の開館時間は、日中キャンパスに来ることができない学生がいることを想定して延長すべきだし、コンピュータ設備や統計専門家への問い合わせ時間も同様だ。また、スキル向上のための研修コースなどの日時や支援に関しても同じである。オンラインアクセスであれ適切な旅費支援であれ、遠隔キャンパスや学習センターにいる学生も設備などにアクセス可能にすることも重要だ。

ハンドブックと学生とのコミュニケーション

研究学生のためのハンドブックは研究学位の本質と研究科のプログラムを伝える上で重要であり、定期的に更新すべきだ。ハンドブックのメインとなる情報には、大学の組織概要、入学、進級、授業料、試験、奨学金の規定、指導教員と学生が守るべき規則がある。作成にあたっては学生側の代表の視点を取り入れる必要もある。つまり、指導教員の役割について学生からの期待——分野における専門性、ミーティングの最低頻度、提出課題への迅速かつ建設的なフィードバックなど——にふれ、一方で、指導教員からの期待——意識的・自立的に研究を進め、実験結果を記録し、決められた期限内にまとめて提出することなど——にも言及することが重要だ。ハンドブックは明確でフォーマルであるべきだが、学生にも理解しやすいように書かれる必要がある。参考になるモデルは、全ての道路利用者に理解しやすいかたちで法律と交通マナーを提示する「英国交通規範」（Department of Transport

2021）だ。

また、組織側には、その規則の範囲内で、研究科のすべてのスタッフが従うべき倫理的・職業的なガイドラインも策定する責任がある。これは実験やデータ収集において倫理的に気をつけるべき事項、剽窃の禁止、データの捏造などに関して、学生にとって大きな指針となる。そして、スタッフと学生との間のハラスメントを防ぎ、適切な関係を築くガイドラインもあわせて示されるとよい。大学が学生を公平に扱っているか、多様な背景をもった学生に研究の場を提供できているかを検証するには、匿名化されたデータにもとづき、学生の背景・属性ごとにモニタリングを行うしかない。このことを頭に入れておくべきだ。モニタリングを適切な仕方で実装できれば、博士課程へのアクセスにおける障害だけでなく、アクセスが得られた後、順調に研究を進める際の障害を除去する取り組みにも活用できる。

大学は、研究学生と定期的な相互コミュニケーションを維持する必要がある。学期ごとのニュースレターは、大学への所属意識を育て、成功のモチベーションを与え、学生にアドバイスを提供することができる。特に成功しやすいモデルは、大学院と学生チームが共同で制作したもので、学生目線の意見とプロ目線の知見を両方提供してくれる。これは、過剰な調査のせいで学生が負担を感じることなく改善のアイデアや懸念の表明を述べることができる、簡易な方法である。これを実現する方法の一つは、オンラインの「提案箱」の設置であり、採用された提案は公表するとよい。

必要に応じた語学のサポート

非英語圏からの学生を受け入れる場合は、個々の指導教員ではなく研究科が語学トレーニングに責任を負う。大学は必要な者全員に開かれた語学コースを提供し、こうした学生をサポートしなければならない。アカデミック・ライティングや科学的ライティングは他の文書の書き方と大きく異なるため、英語のネイティブスピーカーであっても、そして特にディスレクシアに悩まされている者の場合、このようなコースへの参加が有益である場合もある。さらに、学生は学習過程を通して常に英語力の向上に努めるべきだ。たとえば、学業の初期の段階において論文の投稿をしたり、最初から頻繁に指導教員にレポートなどの文書を提出したり、また大学内や外部のカンファレンスやワークショップなどでプレゼンテーションをしたりといった活動が文章力をつけさせる。また、入学前に学生の英語力の水準をしっかりと審査するべきである。指導教員候補もまた、新たに指導する学生が自分のもとにつく可能性に興奮するあまり、語学力の低さを無視して学生を受け入れるようなことがあってはならない。

導入プログラム、サポート、そして所属意識の醸成

大学は、学生を歓迎し、博士課程がどのように機能し、効果的な学習方法は何なのかを確実に伝えるよい導入プログラムをもたなければならない。ほとんどの学生は、博士課程を経験した人を身近に知らない。また、博士課程が学部や修士課程とどのように違うかも知らない。したがって、博士課程学生として効率的に学習する方法をさまざまな観点から説明することが重要だ。これは正式なルールだけでなく、時間管理、研究スキルの磨き方、指導教員の管理方法、ワークライフバランスなど、効率的な学習にかかわるさまざまなトピックをカバーする必要がある。当たり前に思えるようなことでも説明することが重要だ。第2章と第9章の内容はここで役立つだろう。多様な人々（事務員、指導教員、博士課程の異なる段階で学習している多様な学生）から学生が話を聞けるイベントは重要だ。ここでは、パートタイムや年長学生など特定のグループに対するアドバイスをも含めなくてはならない。

研究科および大学全体で学生同士が知りあえるようにする取り組みは、貴重な支援だ。これらは大学が直接運営するか、または学生団体が組織するための支援や資金の提供が必要だ。小グループでお互いを支援するバディプログラムやメンタリングプログラムから、特定のニーズをもつ学生を含む博士課程学生向けの社交活動まで幅広い手段がある。

最悪の権力濫用であるハラスメント、嫌がらせ、差別、いじめに対処するための強固なポリシーと取り組みを大学が備えておくことは特に重要だ。これらの取り組みの一部は、指導教員などの権限をもつ人々を対象としている。これには、アンコンシャス・バイアスに関するトレーニング、受け入れがたい行動につながりかねないよくある落とし穴を回避する方法、スタッフがこれらの行動を見た場合に介入できるようにするアクティブバイスタンダー研修が含まれる。明確に伝えられた行動規範を確立し、これらに違反するスタッフに対して効果的な処分プロセスを確立することも重要だ。大学はまた、そのような規範が日常的な労働文化の一部であることを確認し、最初から問題が発生しないようにする必要がある。学生が苦情を提起する方法を知っており、上級職員が迅速に対応し、真剣に取り組んでいることがわかるようにすることも重要だ。しかし、このような権力濫用は、同期の学生や実験参加者といった研究協力者などに対して、学生自身によっても行われる可能性がある。これらのトピックに関する詳細なアイデアは第9章で説明している。

このような権力濫用への対処には、堅固かつ周知された告発手続きの構築が含まれる。学生は通常の苦情手続き以外の事案を調査してもらうため、どこに相談すべきかを知っておく必要がある。告発者の匿名性は最重要であり、提起された問題は迅速に調査される必要がある。大学と学生団体の協力的なアプローチが推奨される。

全体として、個別の研究科をこえた研究学生全員の帰属意識醸成を目標に設定すべきだ（Pathak 2021）。よい方法の一つは、多様な学生で構成されるワーキンググループを形成し、帰属意識の醸成の妨げとなる壁を取り払い、博士課程について知るべきことを学生が見出せるようにすることだ。これらのグループには、有給の仕事や育児などの負担のために参加しにくい学生にも参加を促すべく、時給が発生するとよい。

約四分の一にのぼる数の研究生がフルタイムではないものの、第9章で説明したように、パートタイム学生が経験する困難についてより意識を高めることが必要だ。これらの困難は多くの分野で発生するが、特に研究期間中の時間配分や金銭的負担は多くの学生にストレスを引き起こす一般的な原因である。したがって、研究期間中のサポート資源には、必ず特別な注意を払い、進学した出願者が過度の金銭的苦境に陥ることがないよう、研究科が十分な見通しを立てられるまでは、新規の学生を受け入れないようにしなくてはならない。

博士課程研究者を対象としたキャリアサポートは重要だ。博士号取得者はさまざまな職業に就く。大学キャリアサービスは、適切なイベントを開催し、関連性の高いアドバイスを提供するために、雇用主側にアピールするに際して博士課程の研究学生が特に必要とするものは何か、意識する必要がある。これには、学生が博士課程で学んだスキルをアカデミア以外の雇用主に理解できる形でプレゼンできるよう手助けすることも含む。

学生の健康とウェルビーイングのサポート

学生が心身のサポートを受けることは重要だ。研究学生をめぐる近年の調査（Pitkin 2021）によると、博士課程の学生のうち、大学による健康とウェルビーイングのサポートに満足しているのは三分の二にすぎなかった。

このようなサポートの多くは、医療センターやカウンセリングサービスなど、全学向けのサービスとして提供される。博士課程の学生に特化した適切なサポートの提供のために、大学院はこれらの部署と密接に連携することが重要だ。このため、学生、指導教員、およびこれらの部署から構成されるワーキンググループを設置し、博士課程学生特有のニーズを考慮したサポートを提供するとよい。たとえば、博士課程は、少数の指導教員の指導の下で一つの大規模プロジェクトに取り組んでおり、学部教育とは重要な点で異なる。そのため、指導教員との間で生じる問題は学生のパーソナルな部分に対する影響が非常に大きく、博士課程学生が研究のストレスから逃れられなくなる場合がある。

これらのサポートの存在は、入学オリエンテーション時に博士課程学生に周知されることが重要だ。院生ならそうしたことは学部生のころから知っているという誤った先入観ゆえ、これをおろそかにする組織はよく見られる。

さらに、入学時には時間管理、ストレス認識、人間関係、適切な心構えなどのトピックに関するセッションを行うことも有益だ。これにより、学生は博士課程研究という荒波に対処する一連のツールを得ることができる。

大学のメンタルヘルスサポートの問題点の一つは、多種多様な数々の問題が「メンタルヘルス」に含まれていることだ。これらには、(a)日常生活のストレス、(b)仕事量や人間関係といった耐えがたい外的要因による持続的な問題、および(c)命にかかわりうる個人の健康状態が含まれる。大学側がこれらすべてを一緒くたにして一つのアプローチで対処するのは単純で危険である。日常的なストレスに対する支援（たとえばマインドフルネスや瞑想）は有用だが、より重要な問題に対処することはできない。これらが唯一の支援策である場合、より深刻な状態の人々にとっては上から目線で偽善的に映るだろう。

最近の調査（UKCGE 2021）では、学生のメンタルヘルスとウェルビーイングに関して、大学の部署のサポートに満足している指導教員は五六％しかいないことがわかった。また、障害やメンタルヘルスの問題を目下抱えている学生を指導するため、指導教員がトレーニングを受ける必要性があることはしばしば無視されている。指導教員は、メンタルヘルスの問題を抱える学生に対して、カウンセラーやセラピスト、医師などから適切な専門的支援を受けることを考慮するよう勧めるべきだ。指導教員はアマチュアのカウンセラーじみたことをするべきではない。ただし、なかには進行中の慢性的な精神疾患を抱えながら、学術的な指導の継続を求めている学生もいる。こうした指導の実践に向けた、指導教員に対するトレーニングが不可欠だ。これは、健康状態に関して適切な専門家から学生が受けているサポートの補完であり、どちらも単独では十分でない。

また、博士課程の指導教員の健康ニーズも無視されてはならない。私たち著者は、勤務形態がスタッフの健康にどのように影響するかについて大学全体で意見を交換し、研究科の管理部門によるサポートのあり方と健康的な労働慣行の実践例を普及させるべきだと考える。

新型コロナウイルス感染症のパンデミックは、大学側が大学の全構成員の健康に注意を払う必要性を示した。このような状況では、大学が適切な専門家の助言を受け、ソーシャルディスタンス、マスク着用、換気などの観点で、施設の方針を明確に伝えることが重要であり、個人の判断に任せてはならない。

▼指導教員のためのリソース

博士課程指導のためのティーチングクレジット

教育、研究、および管理業務の分担を決める際、研究科によって使用されている負荷配分モデルのなかに、博士課程の指導が組み込まれることが重要だ。研究指導が特別なおまけとみなされた場合――この見解の下では、こうした業務を引き受けることはステータスになるのだから、教員は誇りに思うべきだ、とされる――、研究指導業務は教員にとって「真正な」職務の付加物であり、良心から行うべきものとして扱われ、ゆえに作業負荷の計算から抜け落ちてしまう恐れがある。最近の調査（UKCGE 2021）では、指導教員の五二％しか、研究指導が負荷配分の中で認識されていると確信できていないことがわかった。さらに二三％はよくわからないという回答だった。この問題は長年にわたって提起されており、実際、本書の初版（Phillips and Pugh 1987）でも言及した。こうした重要な問題は、もう今回限りで解決してしまおう。一部の研究機関は、博士課程学生の指導を教育ではなく研究業務とみなし、クレジットを与えない。研究指導は教員としての重要な役割とみなすべきであり、講義や学部生の指導に割く時間と同様に、教育活動に割いた時間として数えられるべきだ。研究学生の指導は教職員の日程・スケジュールに組み込まれ、必要な教職員数および予算などもあわせて確保する必要がある。

指導にどの程度の時間を割くべきかは、正確には分野によって異なるが、定期的に充実した指導ミーティングを行い、学生の論文をしっかりと読み、学生の研究分野に関わる最新の研究動向を追うための時間を十分に確保できる程度がよいだろう。一人の学者が最大何人までの博士課程学生を指導するのが適当なのかについて、ガイドラインを設ける必要もある。一般的には最大六人までが適当と言われている。もちろん研究チューターと他の関連する学者からのサポートがしっかりと得られる状態になっていることが前提である。指導業務は真剣に取り組まれるべきものであり、出世に影響する要素の一つとみなされるのであれば、指導教員のモチベーションも高まり、本書で書き記しているようなやり方でもって学生のサポートに当たれるに違いない。総じて、指導のためのリソースが提供されており、指導が学者としての活動において不可欠かつ当然の業務であると保証されていれば、博士課程教育の質および効率性向上に大きく寄与することになる。

研究科の博士課程研究チューター

研究科の「研究チューター」に対しては、博士課程のシステムが適切に機能するよう全学的なサポートが必要である。この支援により、チューターがもっている時間のかなりの部分——たとえば半分ほど——をこの役目に使い、あわせて教育業務を減らすことができる。

研究チューターの役割に対しては副研究担任、博士課程コーディネーター、大学院研究ディレクターといったさまざまな別称が使われているかもしれない。しかし著者たちはここでは便宜上、そういった役割のことを博士課程「研究チューター」と呼ぶことにする。この役割を設けるのは研究科の責任であり、その役職と責務は以下に記している。

指導教員のトレーニングとネットワーキング

効果的な指導を行うための指導教員トレーニングは現在、新任教員研修の一部となっている他、経験豊富な研究者もそれに参加するようになっている。多くの大学は、研究学位プロジェクトのマネジメントにおける重要な節目にうまく対処できるようスタッフを支援するセッションに資金提供している。大学は、これらのトレーニングに、パートタイムスタッフやサテライト／海外キャンパスのスタッフも参加できることを明確にする必要がある。ここでは大学院に関するガイドライン、内部審査の役割、研究における倫理的問題、学生が自分の研究の問いを策定する際はいかに補助するか、指導におけるその他の問題などが一般的に議論される。効果的な人間関係の構築や、自信をもって自己主張の行動をとる方法に関するトレーニングも重要だ。最近では、業務を人道的かつ敬意をもった方法で遂行する必要性が大学側から強調されている。単に有能なだけでは十分でないことをトレーニンググループで強調すべきであり、ハンドブックでも教員に対して注意喚起すべきだ。これは、上記で議論されたいじめや虐待行為に対するトレーニングへの入口となる。

指導教員たちと共同で実施される研究指導改善ワークショップでは、学習プロセスに主体的に参加し、ワークショップのファシリテーターだけでなくお互いからも学ぶことができる
よく設計されたプログラムでは、参加者全員が、以前には思いつかなかったかもしれない側面から研究指導について考えるようになる。これには、学生の視点をより重視した場合に見えてくる、指導教員の異なる諸側面などが含まれる場合がある。本書が示唆してきたような、学生が指導教員に期待することの諸側面に加え、博士課程の時期ごとに異なるニーズにどう対応するかについての議論も含まれうる。

他には、グループの構成や要件によっては、留学生特有のニーズ、長期的なメンタルヘルスの問題や障害をもつ学生の指導、または指導教員チームのマネジメントなどのテーマが含まれることがある。実績ある指導教員の実践経験や、研究成果にもとづいたアドバイスだけでなく、ロールプレイセッションも役立つ。これらでは、模擬的な博士論文口頭審査の実施方法や、建設的な批判を行う方法を学ぶこともある。また、グループ内の誰かが現在苦労している実際の問題を話しあうことだってできる――もちろん、機密性は担保の上で。

研究学生の指導はさまざまな緊張をはらんでおり、これらについて考えるための指導教員向け質問リストを付録

2で示した。これらの質問について議論することは、指導教員トレーニングの有益なセッションになるだろう。大学は、若手もベテランも、すべての指導教員が少なくとも一回のトレーニングセッションに参加するよう奨励すべきだ。得られるものがかなり大きいからだ。他の研究科や専攻の学者と出会い、経験を共有する機会が得られる。指導プロセスに関するヒントを得て、異なる専攻間で共通の困難があることに気づかされるだろう。

教育評議会の調査（UKCGE 2021）では、指導教員が指導実践を省みる機会の不足が明らかになった。大学全体で指導教員が経験を共有する非公式なネットワーキングイベントは、正式なトレーニングとは別の貴重な機会となるだろう。

結論として、悪い指導は悪い指導を生み出し、研究学生はニーズを無視されて、軽視されている気分や、落ち込んだ気分を味わいつづけることになる。一方、大学が指導教員に誠実な行動を奨励すれば、今後の研究や将来のキャリアを追い求める準備ができ、満足した博士課程候補者グループができあがるだろう。

▼適切なルールを整備する

学生の進捗のアップグレードと管理

現在ほとんどの大学では、博士課程を通していくつかのタイミングで学生の進捗状況を確認する正式なプロセスを設定している。普通は学生による報告書と、その後のレビューパネルによる面談がこれに絡む。このプロセスにはいくつか重要な機能がある。たとえば、進捗が生まれているという事実を認識させ、学生を安心させること。大学側が期待する水準を学生に伝えること。主任指導教員から得られる以上の幅広いフィードバックを提供すること。そして、自分のそれまでの業績を披露し、ディフェンスする機会を与えることなどである。

私たちは、各大学がこうしたレビューについて共通の手順を設定すべきと考えている。入学した年の最初の数週間で学生と最初のレビューをもつモデルは特に好ましい。そうすれば、ミーティングは定期的に行うものだという考え方が学生に定着し、またレビューパネルが誰なのかを把握し、馴染んでおく機会も与えられる。

定期的な進捗状況確認のなかで最も重要な要素は、アップグレード（進級）ミーティングである。このミーティングは、修士課程学生か「見習研究生」の資格を、正式に博士課程の学生へと格上げするために設けられる。このミーティングでは、学生が十分な進捗を生み出している証拠と、今後の研究に向けた明確なプランが提示される必要がある。それには充実した報告書と厳格な口頭審査がともなう。この過程は学生に自分の業績を披露し、それをディフェンスする経験をさせるだけでなく、最終的に博士号取得に必要なものとは何か教え、それに備えさせる機会ともなる。要求水準に達していない学生には、大学側からこの段階ではっきりと伝えなければならない。そのままの状態でこのステージを通過させるのは学生にとっても指導教員にとっても痛手となる。お互いに時間を無駄に使い、結果的にほぼ確実に不合格になってしまうからだ。

学生の進捗管理に関する他のアイデアは、Quality Assurance Agency（2018）によって示されている。個々の大学ごとに、学生の進捗と成功の記録を集約的にとるのも重要だ。そうすれば、異なる属性をもつグループの進捗状況を比較分析し、進捗や修了プロセスの改善に向けた制度変更の有効性を比較できるようになる。

現状の進捗状況把握に加えて求められているのは、博士論文提出後の状況把握である。私たちは、口頭審査後に大幅な修正が命じられた学生へのサポート、および再提出までの段階のモニタリングの観点から、各大学がより厳格な進捗把握のプロセスを適用するよう推奨する。たとえば、多くの大学の課題となっている領域として、外部審査委員の任命に時間がかかることが挙げられるが、これはモニタリング過程のなかで見落とされている点だ。

外部審査委員の任命

審査委員は、博士課程学生が所属を強く望むアカデミックなピアグループを代表して審査にあたる。博士論文とは、学生が学術界に対し、承認可能かつ学位にふさわしい知的貢献ができると証明するものだ。英国のシステムでは、審査委員のうち少なくとも一人を学外から招聘するよう求め、すべての大学で同じ基準で審査が行われるよう試みられている。

迅速な審査委員の任命は学生にとって非常に重要だ。長年の努力のすべてである博士論文を提出した後、口頭審査の日程が決まるまで長い時間がかかってしまっている状況は、学生の悩みの種になる。これは審査委員の返事の遅れによる場合もあれば、大学院の事務方による業務管理上の遅延による場合もある。

外部審査委員が大学から独立して評価を行える立場にあるかどうかは、審査の公正性を維持する上できわめて重要だ。特に研究者の少ない分野では、審査委員候補に、審査の独立性が十分に担保されていない、指導教員の知人が依頼される可能性がある。

この危険性を象徴する事例を二つ挙げよう。一つは、外部審査委員を務める他大学の教授が、審査対象の学生に仕事をオファーしようとしたケース。当然だが、正式なオファーは審査への合格が条件となる。もう一つは、外部審査委員を依頼された学者がその分野における権威であったものの、実は指導教員の配偶者だったケース。この外部審査委員は別姓を使っていたため気づかれなかった。どちらも正しい人選ではなく、後に任命は却下されている。

口頭審査とその後

口頭審査と論文修正・改訂のプロセスに関しては、学生と指導教員への明確な規則と助言があるべきだ。

口頭審査に関する規則には以下が含まれる。

・学生と審査委員以外に誰が同席するか？（たいてい学生の許可が必要だが）指導教員は同席できるか？その場合、指導教員はオブザーバーとしての役割しかもたないか？独立した議長がいる場合、その役割は何か？

・内部審査委員になることができるのは誰か？特に、指導教員チームやモニタリングパネルの普及により、副指導教員やパネルメンバーが内部審査委員になる制限はあるか？

・口頭審査を学生の簡単なプレゼンテーションから始めるか？　これは必須か任意か？　学生がコントロールできる数分間を与えることは学生の心を落ち着かせるのに役立つ。

・大学は、口頭審査開始に先立って、所属部局のスタッフや博士課程学生に向けて研究発表を行うよう、研究科が学生に依頼してもよいかどうかを決めなければならない。これにより、学生の達成した成果を称え、同じ部局内に伝えることができるが、失敗・再提出になった場合は気まずい思いをする可能性がある。

・口頭審査に必要な報告書はどのようなものか？　後の苦情や訴えに備えて口頭審査を記録する必要があるか？

・オンラインで口頭審査を実施する場合、どのような考慮事項が必要か？　ここでは本書の第10章が役立つかもしれない。

正式な規則の他に、学生ハンドブック上で、口頭審査の内容、持ち込めるもの、試験の時間の長さ、途中で休憩を要求できることの確認、準備事項、正式なドレスコードの有無についての明確な説明が必要だ。こうした内容は、経験豊富な指導教員や修了生たちからのアドバイスを共有し、その経験をもとにした体験談を提示する、対面またはオンラインのセッションにより補完すると効果的である。これにより、口頭審査を脱神話化できる。

口頭審査後の修正プロセスについても、明確な規則と正式なアドバイスが必要だ。通常、大学の規則は審査結果の種類と論文修正の提出期限について明確に規定している。大学が修正作業中の学生への研究指導を許可しないことがあるが、これはよくない。学生は最後のフェーズでこそサポートを渇望しているからだ。したがって、大学の規則ではこうしたサポートが提供可能である必要がある。

知的財産権証

近代社会において鍵となる資源は知識である、という認識が広まるにつれ、知的所有権はますます大きな議論の対象となっている。研究者を含む知的生産者の権利保障を目的として、著作権に関する法律は急速な進化を続けている。博士課程学生による研究と著作の適切な扱いはこの課題における争点の一つだ。

法律により、博士課程の学生を含むすべての著者は著作物・刊行物に対して著作権を有する。さらに、表示と同一性にまつわる「著作者人格権」も行使できる。表示（法律用語で「父権（paternity right）」と呼ばれる。たとえ著者が女性でも「父権」である！）とは、引用も含むあらゆる文章について、著作者名の表記を求めることができることを指し、著作の盗用から作品を守ることができる。同一性とは、同意できないやり方で著作を改変して転載されない権利を指す。

第一に議論しなければならないのは、博士課程の学生に（彼らは大学の教職員でないにもかかわらず）、著作物の権利を譲渡するよう求める大学があることだ。主張としては、大学の提供する資源を使って行う研究についての権利は大学に属するはずだというものである。書かれた研究成果は（発明や特許と違い）多額の収入源にはなりそうもないので、大学が学生の著作権を無理に譲り受けようとするのはむしろ不愉快なだけである。今ではますます多くの大学が、博士課程の学生にこうした権利を認めるようになっているが、喜ばしいことである。

二番目に、より大きな論争となりうる事柄として、学生と指導教員の著作出版物に対する貢献度合いの適切な認知がある。指導教員は実際には書いていないとはいえ、博士課程の学生を指導したという理由で学生の研究に共著者として名前を併記すべきか？　あるいは、謝辞として注釈に入れるのは、博士課程へのガイドとサポートに対するお礼として適切か？　研究科によっては、学生が論文を出版する際は、実際に執筆に参加していたかを問わず、指導教員を共著者として明記するようプレッシャーをかけているところもある。

英国ではこうした圧力は、政府から資金助成を受けている大学のアウトプット評価を目的とするResearch Excellence Framework の影響によって高まっている。二〇二一年のResearch Excellence Framework（2019）の規則は、「研究学生だけによって行われた研究は、所属高等教育機関で働くスタッフによって実施されたものとは見なされない」と明確に述べている。ただし、学生との共著による業績は、各教員が評価される業績の一つとしてカウントされる。だから指導教員は自らの評価をあげるために共著にこだわることがある。こうした慣習はどのくらい正当化されるだろうか？

第1章でも述べたが、ここでも専攻ごとの文化の違いは大きい。たとえば、理系では指導教員が研究ラインを確立しているのが典型であり、自らの既存研究を元にＵＫＲＩの助成金を取得し、学生を研究計画のなかに割り振っていく。そうした状況下では、学生の研究が共著の形になるのは明白だ。一方、社会科学や人文科学系では研究学生は通常、指導教員が専門とする分野のなかから学生が自分の研究テーマを選定し、指導教員も専門に関して学部生を指導するのに近い形で指導する。こうした状況で共著の形態をとるのは、実際に一緒に論文執筆を行ったのでない限り、やや違和感があるだろう。

学生が適切な慣習を知らずに、指導教員の裁量で共著の形態をとるよう仕向けられれば対立が生じる。したがって博士課程の初期の段階で、こうした点についてじっくりと話し合い、適切な実践についてコンセンサスを作っておくことが重要だ。博士課程ハンドブックには、オーサーシップにまつわるこうした実践について、さまざまな分野の事例をもとにアドバイスを与えるセクションを入れるべきだ。

大学のなかにはこうした問題について明確なガイドラインを示しているところもある。著者名は研究に対する貢献順に列記され、すべての著者がその名前のリストと順序に合意するよう推奨されている。また、少なくともその研究テーマについてセミナープレゼンテーションができる程度の知識をもちあわせているかを、著者となる条件とするのも妥当だ。著作権の論争が起こりうる可能性も考え、学生の貢献をしっかりと認める明確なガイドラインの提示が必要である。博士課程学生による研究の出版が、彼らの業績としてResearch Excellence Frameworkのなかで正当に評価されるようになれば、状況は改善するだろう。

実践ベースの専攻における博士号

美術、音楽、デザイン、テクノロジーなど、実践ベースの専攻においては、博士号の形態をめぐり議論が続いている。そうした専攻における知識は、専門的・芸術的実践によって発展するので、オリジナルの創作物が、それにふさわしい仕方で博士号に向けた提出物の一部となることがある。これは今日、多くの大学で受け入れられている。

議論の焦点は、当該分野の知識や発展に対する貢献——博士号授与にふさわしいレベルの貢献——について、彫刻（必要に応じて写真や映像で提示される）や楽曲（録音により提示される）のような創作物単体が、どこまでその証拠として認められるか、である。実際、創作物が研究の主たるアウトプットであり、文章は単にそれを説明するだけというケースは少しずつ増えている。

ビデオ作品、コンピュータプログラム、工芸品などを作ることは、実際の研究への貢献としてどのような位置を占めるだろうか？　現在、実践ベースの専攻では、完成品（パフォーマンス、展示、楽譜の作成とその演奏など）自体を知的貢献の証拠とすることよりも、博士課程学生が言葉によってその成果についてどの程度説明する必要があるのかが議論の中心となっている。

現段階では、創作物と文書の両方が必要とされている。両者の配分に関しては議論が続いている。通常、創作物にせよ文書にせよ、永続性とアクセシビリティが求められる。創造的な部分はイラストや展示、マルチメディアを使って、審査に対し完全に開かれた状態にならなくてはならない。なかには思考の過程を観察できるように、最終的に完成品となる前のすべての下書きなど、作品の創作過程も公開すべきだという意見もある。こうした過程を、言葉による分析の代わりとして捉えることもありうるかもしれない。

しかし、研究科に対して学生は、作品だけではなく、分野に対する理論的および実践的理解を示さねばならない。

学生は作品について論理的にその意義を説明する必要がある。当該分野において先行研究がない場合は、他分野から関連するアイデアを引用したり、自前で理論的な枠組みを作品に合わせて組み立てたりしなければならない。そして現在の課題に関する大きな文脈に対して作品がいかなる位置にあるかを定めることも必要である。提出した作品が、過去の蓄積をどのように発展させるか示すことが大事だ。先行研究を別な材料で、あるいは新たな方法でやり直すのも貢献として認められるだろう。第5章で報告したように、創作物、つまり作品を文書なしで提出許可したという事例を、著者たちは今日に至るまで聞いたことがない。

研究科の責務

研究科は博士課程教育の成功の鍵を握っている。シニアの学者は、研究科の役割について次のことを考えなければならない。すなわち、学生が学び、研究を成功させる上で研究科はどのような手助けができるか？　学生が指導教員以外の人からも学ぶ機会を得られるようにするための戦略は何か？　学生同士が互いに学びあうことを促すような自助グループやバディシステムは確立されているか？　専門分野における卓越した研究とは何か、研究者の役割とは何かについて、学生が理解を深めるための仕組みはあるか？

▼研究科の研究チューター

各研究科は研究チューターを雇用できるだけの資金を付与されるべきである。チューターは、自身の業務全体のうちの正式な一部として、こうしたアドミニストレーションにかかわる役割を担うべきだ。

講師が研究チューターになれば、学生にとって話しかけやすいという点でよい。これは重要である。なぜなら研究の初期段階で小さな課題が生じた際にも助けを求められるため、研究遂行の大きな妨げになるような深みにはまらずに済む。研究チューターが、もしシニアの講師や教授クラスの人材であれば、学生は気軽に困り事をチューターに相談できない可能性が高い。

講師がチューターに採用された際の課題は、研究科のすべての職員がその役割を真剣に受けとめるよう保証することだ。これはチューターの役割を実効的なものにするためにきわめて重要だ。チューターはときに、シニアの教授によるある学生への対応に関する問題を扱う必要があるからだ。教授クラスの人材をチューターに据えるのは、研究科の業務における博士教育の重要性を確証だてることになる。この場合、学生の立場に立って問題を解決するにあたって、地位の問題は少なくなるが、学生にとっての近づきやすさという側面が犠牲になる。

チューターが果たすべき職務はたくさんある。少なくとも、誰か一人が新入学生全員の概観を把握しなければならないので、チューターは学生の入学選考過程にも関わるべきだろう。水準を維持するためには、すべての学生を面接する必要がある。チューターは実際に面接に立ち会うか、同僚を選んで行ってもらうかして、面接プロセスに参加すべきだ。

チューターは、研究学生の進捗状況を積極的にモニタリングする役割を果たすべきだ。小規模または中規模の研究科では、チューターがすべての進捗管理スタッフのリーダーを務め、研究科全体の基準を一貫させ、模範的な実践例が指導教員チーム全体に広まるようにする。これにより、研究チューターは、学生のカウンセリング、指導教員のサポート、同僚との打ち合わせなど、モニタリングミーティング後の対応の経験が豊富になる。さらにこれにより、研究チューターはモニタリングプロセスがどう機能するかの広範な経験を手にし、進捗モニタリングシステムを改善するためのアイデアを提案できるようになる。これを管理しやすくする方法の一つは、一年のうちの決められたタイミングで進捗管理セッションを行い、研究チューターが忙しすぎる状況を避けることだ。大規模な研究科では、モニタリングチームの議長を複数任命し、チューターとのコミュニケーションを定期的にとる必要がある。ほとんどの大学では、進捗管理のための大学全体のシステムがあるが、詳細は各部局に委任する大学も少なくない。その場合、研究チューターは合理的なシステムを実装しなければならない。

チューターの仕事のうち、重要だがデリケートなものとして、学生と指導教員の関係がうまくいくよう管理するというものがある。この管理は学生の能力ややる気、指導教員の関心やコミットメントにも広がる。チューターは両者に対人関係上の行き違いが生じた際は、調停者の役割を担う場合もある。

チューターが果たす他の役割は、指導教員が大学を去る際、または学生と指導教員チームの一人以上のメンバーとの関係が悪化した場合の引き継ぎプロセスを管理することだ。後者の場合、私たち著者は重要なアドバイス（第6章）を提供しており、こうしたデリケートな状況への対処法を新人チューター研修の一部として利用できる。指導教員が大学を去る場合、主に二つの問題が生じる。第一に、指導教員が新しい大学に移動する場合、学生は彼らについていくのか？　第二に、学生が大学にとどまる場合、新しい指導教員に移行するためのサポートは何であり、新しい指導教員の選定はどのように決定されるのか？　研究機関は、これらの決定にあたって研究チューターをサポートする明確なガイドラインを備える必要がある。

チューターは指導教員である同僚と協力し、研究に対し十分なリソースが確保されているかどうかも確認しなければならない。たとえば、実験設備や研究技術者との協力などがそれにあたる。また、学校や民間企業などフィールドワークの調査先を確保する必要が生じる場合もある。

チューターの重要な仕事の一つに、先に述べた博士課程への進級やその他の進捗チェックに関する大学のガイドラインの解釈と伝達がある。すべての学生に対して一貫した基準を維持する必要があり、チューターはそれを学生全員に伝え、何が求められているか説明する役割を担う。異なるやり方が並行して用いられている場合、学生が進級についてきわめて不安になってしまうのは、理由のないことではない。これは勉強の妨げになりうる。

研究チューターは研究科のすべての新入生に対し、博士号をとるというのはどういうことか、実際に目にする機会を与えるとよい。直近の博士号取得者の論文を読んで評価させ、自分たちが何を目指しているのか理解させるのがよいだろう。もし、チューターの指導や解説なしにそれに取り組んだ場合、学生はこれらの論文を読み終えた際に落ち込んでしまい、これらの論文に近い長さやクオリティの文章を書くなど夢のまた夢だ、と決めつけてしまうだろう。しかし、チューターの指導の下、ペアか少人数グループで課題に取り組ませれば、学生たちは求められる水準をより容易に受け入れることができるだろう。この課題には、以下の作業を含むとよい。

・研究のサマリーを作成させる（人は批判を乗り越える前に、何が批判されているのかを整理しなければならない）。
・論文がどのような貢献をなしたのか、そしてその貢献が博士号に値すると審査委員が判断した理由は何だと思うかについて書かせる。
・研究への批判と不十分な部分を明確に理解させる。これにより、学生たちがそれとは異なる仕方で研究を進めることができるようになる。

この分析は研究科における博士課程セミナーで発表されるべきである。フィードバックを得る目的で自分の考えを発表することで、学生は自信をもちはじめる。また、このような過程を通して、学生は自らの課題を、自分の能力の範囲内にあるものとして感じられるようになっていく。

なお、研究チューターは博士論文の提出や審査など、事務的な手続きの形式にも精通していなければならない。こうした手続きに不慣れな同僚にとっても頼りになる存在となるだろう。最後に、研究チューターは以下のように、入学選考の全活動においても重要な役割を果たさなければならない。

▼受け入れ学生の選考の改善

学生選抜は研究科にとって非常に重要なので、体系的に実施する必要がある。私たち著者は、出願者を増やすため、指導教員の候補者が研究学生に対して研究テーマに関する情報を発信したり、施設紹介をしたりする特別なオープンイブニングの開催を提案する。これは、世界中の学生が参加できるオンラインイベントでもよいだろう。すべての研究科は、研究と論文執筆を期限内に所定の水準で修了できるポテンシャルをもった学生を探している。入試に関する研修実施はすべての機関で義務づけられているが、成功する研究生を選ぶのは簡単ではない。選考には学生の幅広い特性を考慮に入れるとよいだろう。たとえば、学位分類だけを基準に選抜すべきではない。学部生プロジェクトや修士論文でのパフォーマンスも特に重視すべきだ。また、夏季研究インターンシップなどの学外プロジェクトで成功していた場合、試験ベースの評価プロセスにおけるパフォーマンスが低くても、その埋め合わせとして加点を検討するとよいだろう。ただし、すべての学生がこうした課外活動に参加する機会をもっているわけではないことは注意すべきだ。

面接に加え、問題解決方法やフレキシブルシンキングに対する古典的なテストも課されるべきだ。そうしたテストを通じて、応募者のクリエイティビティや、彼らがとる問題解決へのアプローチについて分かる。解答が正解かどうかは二の次だ。大事なのは応募者の研究者としてのポテンシャルの確認である。これらの選考過程には、対面あるいはオンラインの面接も含むとよいだろう。

英文によるアカデミック・ライティングの力を見る簡易なテストも応募者の能力を判定する上で役に立つ。研究レポートや刊行論文、あるいはその場で読んだ新聞記事をスタッフがいる前で文章にて要約する作業を課して、執筆が本人によるものかを確かめるとともに、受験者が学習に必要なレベルでライティングに習熟しているかを測定できる。英国の大学で博士号を取得した者を新しく雇用した際、思ったよりも英語力や専門的な自己表現能力が低いことが雇用主にばれてしまうと、大学への信頼が損なわれる。選抜をしっかりしないせいで大学の評価が落ちたら、次第に出願者数は減るし、結局は損だろう。

研究学生の増加にともなう課題として、一部の大学では選考対象となる学生を指導教員ごとに割り振る傾向がある。これは避けるべきだ。アカデミックスタッフは自らが受け持つ学生の選出に際し、研究科から十分なサポートを得る必要がある。事前のコンタクトの有無に関係なく、受験者は指導教員候補全員および別の学術スタッフ（通常は研究チューター）によって面接を受ける必要がある。指導教員を選考プロセスに密接に関与させることで、研究のポテンシャルよりも大学が入学者から得られる収入を重視した選考となることも回避できる。

選考過程において、専攻分野に関する知識を有している証として、フォーマルな研究計画書も重要になることがある。研究科によっては、明確な研究計画なしにはいかなる学生も受け入れないとしているほどだ。研究計画はむしろ、一年かそれ以上の研究を終えた後、学生が博士課程へと昇格する際に活用されるべきと考える研究科もあるが、その両方を課す研究科も多い。すなわち、入学時に研究計画書を提出させ、さらに一年目の終わりにも、より詳細な研究計画書を出し直させる。

大学院入学志願者が、何のトレーニングも受けずに十分な研究計画を立てられるはずもなく、それを期待すべきではない。事実、研究環境に一定期間在籍して必要なスキルを身につける前に、よく練られた研究計画が作成できるとは思えない。したがって、もし大学側の規定ゆえに入学志願者に研究計画の提出を課すのであれば、計画書の作成において、入学志願者は希望する研究科のメンバーの手助けが必要となるだろう。さらに、この段階では、どのような研究テーマが特定の教員への受けがよいかを知るためのガイダンスのようなものがあるとよい。

選考面接のタイミングで計画書を提出できる志願者の場合、受け入れるか否かの判断をスタッフが下すにあたって、とても助けになる。この計画書のおかげで、選考側は、具体的な研究テーマに沿って、それを担当できるスタッフ、あるいは指導に前向きなスタッフが研究科にいるかどうか、そして志願者が研究の計画・実施に何が必要か分かっているか、必要な水準の研究を始めるにあたって十分な背景知識を有しているか、といった事項を判断することができる。

▼指導教員の選定

研究科の重要な責務の一つは、指導教員の選定に十分な基準を設けることだ。両者が相関する必要はないが、要素は二つある。すなわち、第一に指導教員候補の過去の研究経験と現在の分野における研究活動のレベル、そして第二に彼らの指導教員としての経験と現在の学生の指導状況である。

理想としては両方の面ですぐれた指導教員だけが選出されればよいが、そうした場合でも、普通は研修を通じた改善の余地が常に存在する。指導教員は情熱があって特定分野の研究における成功者であり、かつそのように見えることが、学生の博士号取得の上で非常に重要である。一方、自分の指導教員は研究活動の代わりに、教育領域、研究事務、教育政策、そしてコンサルティングといった非研究業務に熱心なようだ、と学生が感じてしまうと、学生の研究に対するやる気はすぐに冷めて、学位取得がおぼつかなくなる。また、アクティブな研究者であるためには、博士課程の学生が習得を必要とする、専門分野における最新の専門知識とスキルを有していることもまた不可欠である。

受け持った学生が博士号を取得する、という「指導の成功体験」はきわめて重要なファクターであり、少なくとも指導教員チームの一人はそうした経験をもっていることが望ましい。

▼適切な指導のためのガイドライン

指導教員に期待される役割について規定したガイドラインを研究科のポリシーとして提供するよう、大学が保証するべきだ。場合によっては、そうしたガイドラインは研究科をこえて大学全体で作成する場合もあり、内容は次を含むべきである。

- 一人の指導教員が担当することができる学生数の最大人数（特に主任指導教員として）。
- 学生が文書で提出した研究成果のフィードバックに必要な時間の上限（第6章で、この上限を決めることを推奨した）。
- 研究学生と指導教員は、一学期に最低何回ミーティングをするか（第6章でこれを決めるよう推奨した）など、指導における関係をいかに動かすかについて合意すること。
- 大学および研究科の関連する規定や事務上の要件が、守るべき締切に合わせてタイミングよく学生に通知されること。
- 研究の進捗度が十分かそうでないかについて、早めに学生に通知すること。
- 指導教員は学生に学術界のさまざまな人物やアイデアを紹介すること。
- 研究倫理や福利厚生について、またそれらと関連する困難をどう乗りこえていくかについて、アドバイスを学生に与えるべきであること。
- 指導教員は学生に、これらのガイドラインや大学院生という立場に関連する公式文書について紹介すること。

加えて、研究チューターは指導についての最良の実践（第11章で詳述した）を広める努力をすべきである。

▼研究学生のためのサポートグループ

学生がどのような環境において学業に取り組んでいるかは非常に重要だ。研究活動全体の中で、学生の学術的な知識が深まり、個人のモチベーションが高まるような、「充実した研究環境」の確立を目標とするべきだ。研究科は、研究の遂行を目的とするがゆえに、学生が家族や友人のほか、他学生から疎外されていると感じたり、孤独感を覚えていたりしないか確認する必要がある。博士課程を修了できない原因において、孤独感は知的能力の欠如と同じくらい深刻な重みをもつ。同期の学生のサポートや励ましは、こうしたしつこい悩みを和らげる大きな助けとなる。

これらの理由から、学生たちが、自分と近い状況にある他の学生と定期的に集まれるようにしておくのは重要だ。研究チューターが研究学生同士のミーティングの機会を設ける必要がある。こうすることで、大学への帰属意識が芽生え、研究に取り組む共同体の一員としてのアイデンティティが形成されていく。これらのイベントの開催は、パートタイムの学生、子供をもつ学生などの存在を考慮する必要がある。たとえば、週の異なる曜日や異なる時間帯にイベントを開催できれば、すべての学生がどれかには参加できるだろう。また、対面会議だけでなく、オンラインフォーラムの設置も可能だ。こうしたイベントを通じて、パフォーマンスや締切達成といった個々に課せられた要求を、学生が受け入れやすくなっていく。

研究に携わる学生には孤独ではないと常に伝える必要がある。学生の研究とその進展に興味をもっている人がいると理解してもらうのだ。これは学生の責任感の涵養につながる。博士課程を修了できない重要な要因に、自分が研究をやめても誰も気落ちしたりはしないという学生の思い込みがある。現実はそうではなく、大学と研究科が気落ちするのだ。実際、もし研究評議会から研究費を受け取っている場合、大学側には研究を完遂させせられなかったとしてペナルティが課されるのだ。

研究科が学生同士の交流を確保することにより、さまざまな形でお互いを助け合えるという学生たちの意識を高められる。しかし、コミュニケーションや議論にあたってのジェンダー的・文化的な差異を考慮すると、すべての学生にとって受け入れやすいような形で自助グループを導入する方法について、研究科が検討を行うことはとても重要である。

この章で私たちは、常に進化を続けるシステムである博士課程の存続にとって不可欠な課題のいくつかについて触れた。学術関係の政策立案者がこうした側面における高等教育の改善を真剣に試みている現在、システム全体の改善に関わる施策の策定はきわめて重要である。

むすび

本書のアイデアはすべて、実際の博士課程に関する、長年にわたる体系的研究と現場での経験をもとにまとめたものである。全体を通じて、これらのアイデアは、博士課程システムの体系的な再評価にむけたベースとなるものであり、よって目下進行中のシステム改善に資するものである。このようなシステム改善のための施策は、博士号のクオリティや修了者比率を高めるだけでなく、実際に博士課程で研究を進めている個々の学生の経験を、飛躍的に向上させることになるだろう。

付録1　学生のための研究進捗度自己診断表

この診断表は、博士課程の学生としてあなたが置かれている状況について、その実態に即して考える機会を提供するべく設計されている。設問はすべて肯定文であり、すべてに「強く同意する」と回答できることが理想だ。「強く同意する」あるいは「そう思う」と答えられなかった設問は、あなたがこれから改善すべき項目である。まずは一人で設問にすべて答えてみた後、診断結果を仲間と共有して話しあってみよう。お互いに、よい解決策を見つけることができるかもしれない。

博士号取得の道のりで、あなたがどの位置にあるかを診断する。以下の設問にA～Eで答えながら、別の紙に回答の理由も書き出してみよう。

A　強く同意する（Strongly Agree）
B　そう思う（Agree）
C　どちらとも言えない（Undecided）
D　そうは思わない（Disagree）
E　強く否定する（Strongly Disagree）

■自分の進捗状況

P 1.　私はどんな困難に出くわしても博士号を取得する決意だ。
P 2.　どんな状況でも私は博士課程を終える前に新しい職には就かないつもりだ。
P 3.　私は自分の博士論文に求められている水準について、はっきりと理解している。
P 4.　私は博士論文で「知の体系に対しオリジナルな貢献」を行う自信がある。
P 5.　私にはなしとげるべき研究計画があり、自分の進捗度を評価することができる。
P 6.　私は定期的に現実的な締切を設け、それを達成している。

P 7. 私の研究は一つの主張（つまり、「テーゼ」）による貢献を目指している。
P 8. 私はライティング能力を高めるために、あらゆる機会を通じて研究を文書にまとめている（レポート、草稿、章立て）。
P 9. 全体的に、博士号取得までの現在の進捗度に満足している。

■指導教員からのサポート

S 1. 私の指導教員は専攻分野における経験と知識が豊富な研究者である。
S 2. 私は自分の指導教員が博士号に求められる水準を過大でも過小でもなく正確に理解していると自信をもって言える。
S 3. 私は必要な時に助けを求めることができる指導教員と定期的に会っている。
S 4. 私はフレンドリーで話しかけやすい指導教員から多くの助けを得ている。
S 5. 私の指導教員はいつもミーティングの前に自分の研究成果を読んでくれている。
S 6. 私の指導教員は代わりに研究を進めたりはせず、私個人を尊重して研究を進めさせてくれる。
S 7. 指導教員との約束の時間にはいつも遅れずに行く。
S 8. 指導教員も私との約束の時間はいつも守ってくれる。
S 9. 私は指導教員との連絡を手助けしてくれる研究科の事務員と良好な関係を保っている。
S 10. 全体的に、私は指導の質に満足している。

■研究科からのサポート

D 1. 研究科は私の研究に対し十分な物的・財政的支援（実験室や研究場所、図書館へのアクセスなど）をしてくれている。
D 2. 研究科は学生が互いにサポートしあえる機会を提供し、私はその機会をうまく利用している。
D 3. 研究科は学生にセミナー発表のよい機会を提供しており、私も参加している。
D 4. 研究科はすぐれた研究者と接する機会を提供し、私はその機会を利用している。
D 5. 研究科は教員との社交の場を提供し、私はその機会を利用している。
D 6. 研究科は学会などアカデミックな集まりへの参加を奨励・サポートし、私はその機会を利用している。
D 7. 研究科は博士課程の本質や私の研究に関連する大学の規定について話しあう機会を提供し、私はそれに出席している。
D 8. 全体的に、私は研究科から受けるサポートに満足している。

付録2　博士課程学生の指導のための自己診断表および検討事項リスト

この診断表は、博士課程学生の指導教員としてあなたが置かれている状況について、その実態に即して考える機会を提供するべく設計されている。設問はすべて肯定文であり、すべてに「強く同意する」と回答できることが理想だ。「強く同意する」あるいは「そう思う」と答えられなかった設問は、あなたがこれから改善すべき項目である。まずは一人で設問にすべて答えてみた後、診断結果を他の指導教員と共有し、改善を要する課題について話しあおう。

博士課程学生の指導に対するあなた自身の認識を整理するため、A～E〔付録1参照〕に沿って各設問に答えてみよう。答えながら、別の紙にその回答になった理由も書き出してみよう。その紙は、今後の議論のためのアジェンダとして活用できる。

■指導教員としての役割と実践

R1. 学生にサポート、励まし、刺激を与えている。
R2. 学生のロールモデルになるために、出版活動を含む活発な研究キャリアをもっている。
R3. 学生の指導に充てる十分な時間を確保している。
R4. 学生の研究プロジェクトについて話し合うために定期的に学生と会っている。
R5. 学生が自分に容易に連絡をとり、相談できる体制をとっている。
R6. 「自立プロセス」を確立し、プロジェクトが進むにつれ独立した行動をとれるよう促している。
R7. 学生とのチュートリアルの前に、提出されている学生の文書を読み、内容について考えることができている。
R8. 学生と円滑なコミュニケーションがとれるよう、チュートリアルの構成に気を配っている。
R9. 学生に効果的なフィードバックを与えている。
R10. 学生にコメントをする際、必要であれば学生から目をそらさず話せる。あるいは別の仕方で、相手に関心を持っていることを示すことができている。
R 11. 学生にコメントする際、建設的な批評ができている。
R 12. 学生が提出する書類の全体にコメントしている。
R 13. 学生の有望な研究トピックを選び、それを発展させる手助けをしている。
R 14. 学生に関連分野の最新の研究について知らせている。
R 15. 学生に論文や資料を批判的に読むことを勧めている。
R 16. 学生が論文や資料を批判的に読むことを手助けしている。
R 17. 論文の内容だけでなくライティングについてのガイダンスを与えている。
R 18. 研究トピックと使用する方法論に適したオリジナリティとは何か、学生に理解してもらうよう手助けしている。
R 19. 専門外の課題については、学生が他の適任者からのアドバイスを確実に得ることができるようにしている。
R 20. 指導学生のプレゼンテーションには必ず参加するようにし、フィードバックを与えるようにしている。
R 21. 学生の論文は草稿の時点からレビューし、フィードバックを与えるようにしている。
R 22. 学生の論文から派生するかもしれない刊行の機会についてアドバイスをし、支援するようにしている。
R 23. 学生の学位取得後のキャリアについて興味を示し、進んで援助するつもりでいる。

■検討事項

コンフリクトは指導教員の役割に内在する。つまり、あなたが多くのジレンマに直面することは避けて通れない。たとえ明白な問題でなくとも、指導教員として目の前にあるこれらの課題に正面から対処する必要がある。このセクションのアンケートはそのような状況を見極め、どのように対処するべきかを考える一助となることを目的としている。なかには簡単に答えられ、まったく問題にならないと感じる質問もあるだろう。しかし、答えづらい質問もあるかもしれない。

以下が検討事項のリストだ。同僚と話し合う題材にも使える。また、自助的なガイドとして扱うこともできるだろう。

問題解決――自分に当てはまるのはどれか

C 1. 学生の研究に対する自分の提案やコメントを学生は常に聞き入れているだろうか？　それとも、学生の視点から説得されてしまっているだろうか？

C2.　学生とのチュートリアルを実りのある有意義な時間とみなしているだろうか？　それとも、イライラの募る歯がゆい時間と感じているだろうか？

C3.　学生の書くものを興味をもって読んでいるだろうか？　それとも、学生の草稿を事細かくチェックする編集者のような気持ちで目を通しているだろうか？

C4.　自己認識として、あなたは学生を指導する者だろうか？　それとも研究を指導する者だろうか？

C5.　もし学生の研究プロジェクトが学生の域を超えている内容であると感じたら、指導をやめるべきと考えるだろうか？　それとも論文の質にかかわらず提出までサポートすべきと考えるだろうか？

C6.　指導教員として、もし学生が論文を書く作業にてこずっている場合に手を貸すべきだろうか？　それとも論文に貢献しすぎてしまう可能性を心配するべきだろうか？

C7.　教員と学生の関係はあくまでもプロフェッショナルな関係であり、個人的なことに一切関与すべきではないと考えているだろうか？　それとも、指導にあたっては個人的に親しい友人関係を築くことが上手な指導に欠かせないものであると感じているだろうか？

C8.　指導教員として自ら学生との面談の時間を頻繁に設ける方が大事と考えているだろうか？　それとも学生の方から必要に応じてチュートリアルをするようもちかけてくるのを待った方がよいと考えているだろうか？

C9.　指導教員は学生が直面する問題に関してなんでも相談に乗ってあげられるようにすべきだろうか？　それとも指導教員はカウンセラーではないので、学生のためになんでもするという立場をとらない方がよいだろうか？

付録3　指導教員候補へのアプローチの仕方

ここでは指導教員候補にアプローチするときに使える三つの文例を挙げる。最初の二つは電子メールでのアプローチ。最後の一つは、たとえば博士課程の申請書などに使用できる研究提案の例である。

例1：明確なプロジェクトをすでに思い描いている学生の場合

カッターモール教授

私は現在、二〇二二／二三年度の博士課程への申請準備をしている者です。よろしければ私の指導教員となっていただけないかと思い連絡を差し上げている次第です。私は最近先生が書かれた一八世紀の家づくりについての本を拝読し、なかでも建築業者とサプライヤーの税務記録の慎重な分析にもとづくアプローチに特に興味をもちました。私が提案する博士課程の研究課題は、先生が対象とされた地域の造船に関する内容であり、先生のアプローチと同様に海軍本部に残るその時期の財政記録の分析を検討しています。この内容は私が二〇一七年に海軍の給与支出記録を分析して書いた修士論文を出発点とするものになります。ご興味をもっていただけましたら、正式に志願書類を提出する前に、一度お話の機会をいただけないでしょうか。

カミラ・チャペル

例2：幅広い興味をもち、研究プロジェクトを探している学生の場合

ヤンコビッチ博士

私は現在二〇二二／二三年度の博士課程への申請準備をしている者です。できれば私の指導教員になっていただけないかと思い連絡を差し上げました。先生が非線形動力学において広く研究をご発表されているのを拝見しております。私は修士課程の講義でこの分野について特に興味をもつようになりました。というのも、これまで学んだ数学のさまざまな領域、特に解析とトポロジーのようにそれぞれ個別のテーマとして見ていた領域を、この分野を通してつながりがあるものとして理解するに至ったからです。そこで相談に乗っていただきたいのですが、この分野において研究するとなれば、特にお勧めしていただける研究課題がないかということと、もしあるのであれば、そのことについて一度お話しの機会をいただきたいのですが、いかがでしょうか。

お返事をお待ちしております。

ジュリアン・ジェファーソン

例3：実践ベースの研究プログラムについての計画案

私は博士課程の研究テーマとして、演奏家と聴衆のやりとりを主体とした公演を行うことを通して、即興音楽の分野における実践を研究したい。

これは私が養ってきた実演と研究を基盤とする。私は過去一五年にわたり、自由即興のピアノと発声を含むパフォーマーとしての経験をもち、ラメッジ即興楽団をはじめとしたさまざまなグループと共演している。この経験は伝統的な即興音楽の実践に関する深い理解につながった。学歴についてはウェストミッドランド大学で舞台芸術の学士号を二等級優等学位の上部の成績で取得。同年、実演パフォーマンス分野にて学部長賞を受賞。また、ピアノ演奏を専攻したロイヤルラメッジアカデミーより音楽分野で修士号（上級）も取得している。

博士号を得る主な動機は、過去数十年の間に発達した即興音楽の理論的枠組をより深く理解することで、自分の実演を発展させることにある。特にルイスのマルチドミナンス理論(1)および集団即興とカオス理論・複雑性理論・アクターネットワークセオリーを接続させたボルゴの研究(2)は、パフォーマー・オーディエンス間の新たな交流形態の理論的支柱となるだろう。さらに私は、パフォーマー同士の共創に関するキンメルとフリストヴァ(3)のアイデアを拡張し、パフォーマー・オーディエンス間の共創を探求する方法について研究したいと思っている。

私の博士課程の研究計画は、これらの考えを、公演を何度か繰り返すなかで発展させていくというものである。それぞれの公演は理論に関する先行研究のサーベイ、オーディエンスや他のパフォーマーとのディスカッション、そして自分のパフォーマンスについての反省などを通じて探究される。それぞれの公演はビデオ撮影とパフォーマンスに使用したマテリアルなどを記録として残し、博士論文とともに提出する。ミッドランド・ニューミュージックフェスティバルの主催者とはコネクションがあるため、定期公演をする機会も確保できる。

最終論文の提出の際には、これらの公演に関する記録とともに、各公演をそれぞれ分析した文章、および各パフォーマンスのプログラムがその前の公演からのフィードバックと理論にもとづきいかに構成されたかを論じた文書を提出する。あるパフォーマンス後にオーディエンスにインタビューする計画もあるため、その結果もその文書に含まれる。

【参考文献】

（1） G. E. Lewis (2000) Too Many Notes : Computers, Complexity and Culture in *Voyager*, *Leonardo Music Journal*, 10 : 33–39.

（2） D. Borgo (2006) *Sync or Swarm : Improvising Music in a Complex Age*. London : Bloomsbury Academic.

（3） M. Kimmel and D. Hristova（2021）The micro-genesis of improvisational co-creation, *Creativity Research Journal*, 33（4）: 347–375.

訳者あとがき

本書は *How to get a PhD, 7th edition* の日本語版である。前回の第六版の出版から約七年が経った。第六版が著者の一人であったデレク・ピュー博士の遺作だったので、一九八七年に初版が出たこのシリーズも、ついに第六版でその長い歴史を閉じたと思われた。

しかし、予想はよい意味で裏切られた。第六版序文の謝辞に名前が上がっていたコリン・ジョンソン博士が新たに著者として加わり、新版が出たのである。世界規模で産業の高度化が著しい今日、訳者である私を含む高等教育に従事する者にとって待望の新版である。

私と本書との出会いは、私が博士課程学生であった二〇〇七年にさかのぼる。「悩み多き大学院生」だった私は、豪州・シドニー大学の図書館で、藁にもすがる思いで本書第四版（当時）を手にとり、たちまち虜になった。当時まだ日本語版は出ていなかったので、母国の「悩み多き大学院生」たちにも紹介したいと、版権を取得し、出版社を回り、二〇〇九年に最初の日本語版を出版した。私自身はその二年後の二〇一一年にシドニー大学より博士号を取得した。

第六版を名古屋大学出版会から出版したのは二〇一八年である。私は広島大学の准教授になっていた。その「訳者あとがき」で私は、「悩み多き存在」である大学院生からのポジティブな反響は予想していたものの、「若手、ベテランを問わず、多数の指導教員や大学院運営者たちからの好意的な反応は、予想を大きく上回るものであった」と書いた。関わり方に悩むのは学生だけでなく、指導教員も同様なのだ。

この後、しばらく停滞していた日本の博士号取得者数は、新型コロナウイルスのパンデミックやＡＩ技術の台頭などを契機とした高等教育の再評価もあり、盛り返しの機運が高まっている。

二〇二五年に出版した楠雄治氏との共著『楽天証券社長と行動ファイナンスの教授が『間違いない資産づくり』を真剣に考えた』（日経BP）でも、私は日本の「ミリオネア」に博士号保有者が占める割合は「一般平均の約一四倍」という推計結果を載せた。従来の「博士号≠取っても食えない」という風潮は、確実に変わりつつある。

前版の出版後、私は教授となり、二〇二五年五月現在までに主指導教員としてすでに六名の博士号取得者を世に送り、さらに四名の博士後期課程学生を研究室に抱えている。指導教員として中堅の域にさしかかった今、本書を自身の経験と照らし合わせると、その重要性・有効性に対する確信は深まるばかりである。

日本では、天然資源が乏しいなかで急速な少子高齢化が進展している。今後、高度な研究・開発力を擁する知的社会に変化していくべきなのは自明で、「博士」の役割や活躍の場がこの国で増えていくことに疑念はない。まだまだ「のびしろ」が大きい現状の日本で、本書が一人でも多くの博士号取得を目指す人、指導教員、大学院運営者の座右に置かれ、日本の大学院教育の向上に役立つことを心から願う。

本書（原著第七版）の出版にあたっては、名古屋大学出版会の三木信吾氏、井原陸朗氏に多大なご協力をいただいた。特に井原氏の細部にもこだわった校正と有益な指摘の数々は、本書の正確性と読みやすさの向上に大きく貢献している。記して深い感謝を捧げたい。

二〇二五年五月

角谷快彦

索　引

サ　行

タ　行

ナ　行

ハ　行

マ　行

ラ・ワ行

参考文献

BBC（2012）200 answers to 200 questions, *BBC News Magazine*, 21 December. Available at : https://www.bbc.co.uk/news/magazine-20774879.

Bell, J. and Waters, S.（2018）*Doing Your Research Project*, 7th edition. London : Open University Press.

Bloom, B. S., Engelhart, M. D., Furst, E. J., Hill, W. H. and Krathwohl, D. R.（1956）*Taxonomy* of *Educational Objectives : The classification* of *educational goals. Handbook I : Cognitive domain*. New York : David McKay.

Campbell, P.（1950）*A Short Trot with a Cultured Mind*. London : Falcon Press.

Cohen, J. and Stewart, I.（1994）*The Collapse of Chaos*. London : Penguin.

Delamont, S. and Atkinson, P.（2004）*Successful Research Careers*. Maidenhead : Open University Press.

Delamont, S., Atkinson, P. and Parry, O.（2004）*Supervising the Doctorate*, 2nd edition. Maidenhead : SRHE/Open University Press.

Department of Transport（2021）*The Highway Code*, updated 14 September 2021. Available at : https://www.gov.uk/guidance/the-highway-code.

Francis, J.R.D.（1976）Supervision and examination of higher degree students, *Bulletin of the University of London*, 31 : 3–6.

Fuller, U., Johnson, C. G., Ahoniemi, T., Cukierman, D., Hernán-Losada, I., Jackova, J., Lahtinen, E., Lewis, T. L., McGee Thompson, D., Riedesel, C. and Thompson, E.（2007）Developing a computer science-specific learning taxonomy, *ACM SIGCSE Bulletin*, 39（4）: 152–170.

Fulton, J., Kuit, J., Sanders, G. and Smith, P.（2013）*The Professional Doctorate*. London : Red Globe Press.

Gatrell, C.（2006）*Managing Part-time Study*. Maidenhead : Open University Press.

Gould, J.（2020）Why lifeas a postdoc is like a circling plane at LaGuardia Airport, *Nature Careers Podcast*, 11 November. Available at : https://www.nature.com/articles/d41586-020-03106-6.

Gregory, M.（1997）Professional scholars and scholarly professionals, *The New Academic*, 6（2）: 19–22.

Grove, J.（2021）Is it a good idea to treat postgraduate researchers as staff?, *Times Higher Education*, 13 July. Available at : https://www.timeshighereducation.com/news/it-good-idea-treat-postgraduate-researchers-asstaff?

Grubb, S.（2013）How students with Asperger's cope at university, *The Guardian*, 7 May. Available at : https://www.theguardian.com/education/mortarboard/2013/may/07/how-students-with-aspergers-cope.

Hartley, J.（2004）On writing scientific articles in English, *Science Foundation in China*, 11（2）: 53–56.

Hartley, J.（2015）Making writing readable, *The Psychologist*, 28（4）: 254–255.

Hawton, K., Berge, H., Mahadevan, S., Casey, D. and Simkin, S.（2012）Suicide and deliberate

self-harm in Oxford University students over a 30-year period, *Social Psychiatry and Psychiatric Epidemiology*, 47 : 43–51.

Hickson, D. J. and Pugh, D. S. (2001) *Management Worldwide : Distinctive styles amid globalization*, 2nd edition. London : Penguin Books.

Kuhn, T. S. (1970) *The Structure* of *Scientific Revolutions*. Chicago, IL : University of Chicago Press.

Lillywhite, C. (2019) NUS to cut entire Postgraduate Campaign budget, *Varsity*, 1 February. Available at : https://www.varsity.co.uk/news/16925.

Matthiesen, J. and Binder, M. (2009) *How to Survive Your Doctorate*. Maidenhead : Open University Press.

Medawar, P. (1963) Is the scientific paper a fraud?, *Listener*, 70 : 377–378.

Mewburn, I., Firth, K. and Lehmann, S. (2018) *How to Fix Your Academic Writing Trouble*. London : Open University Press.

Murray, R. (2015) *How to Survive your Viva*, 3rd edition. London : Open University Press.

Murray, R. (2017) *How to Write a Thesis*, 4th edition. London : Open University Press.

Oxenham, S. and Sutton, J. (2015) Words and sorcery, *The Psychologist*, 28 (3) : 198–201.

Pascal, B. (1658) *Les Provinciales, or, The Mystery of Jesuitisme*, 2nd edition. London : Richard Royston.

Pathak, P. (2021) Why it's time to retire equality, diversity, and inclusion, *Wonkhe*, 21 October. Available at : https://wonkhe.com/blogs/why-its-time-to-retire-equality-diversity-and-inclusion/.

Phillips, E. M. (1983) *The PhD as a learning process*, unpublished PhD thesis, University of London.

Phillips, E. M. and Pugh, D. S. (1987) *How to Get a PhD*, 1st edition. Buckingham : Open University Press.

Phillips, E. M. and Pugh, D. S. (2015) *How to Get a PhD*, 6th edition. London : Open University Press.

Pitkin, M. (2021) *2021 Postgraduate Research Experience Survey (PRES) 2021*, Advance HE. Available at : https://www.advance-he.ac.uk/knowledge-hub/postgraduate-research-experience-survey-pres-2021.

Polanyi, M. (1966) *The Tacit Dimension*. London : Routledge.

Popper, K. (1972) *The Logic of Scientific Discovery*, 3rd edition. London : Hutchinson.

Quality Assurance Agency (QAA) (2018) *UK Quality Code for Higher Education : Advice and guidance (research degrees)*. Available at : https://www.qaa.ac.uk/en/quality-code/advice-and-guidance/research-degrees.

Quality Assurance Agency (QAA) (2020) *Characteristics Statement : Doctoral degree*. Available at : https://www.qaa.ac.uk/docs/qaa/quality-code/doctoral-de-gree-characteristics-statement-2020.pdf.

Ratcliffe, R. (2015) Applying for a postdoc job? Here are 18 tips for a successful application, *The Guardian*, 1 February. Available at : https://www.theguardian.com/higher-education-network/2015/feb/01/applying-for-a-postdoc-job-here-are-18-tips-for-a-successful-application.

Research Excellence Framework (2019) *Guidance on Submissions (2019/01)*. Available at :

https://www.ref.ac.uk/publications/guidance-on-submissions-201901.

Roberts, G. (2002) *SET for Success : The supply of people with science, technology, engineering and mathematics skills*. Available at : https://webarchive.nationalar-chives.gov.uk/ukgwa/20100202124311/http://www.hm-treasury.gov.uk/roberts.

Rugg, G. and Petre M. (2020) *The Unwritten Rules of PhD Research*, 3rd edition. London : Open University Press.

Ryle, G. (1949) *The Concept of Mind*. London : Hutchinson.

Smith, K., Ledford, H. and Van Noorden, R. (2021) Starting up in science : Two researchers. Three years. One pandemic, *Nature*, 29 September. Available at : https://www.nature.com/immersive/d41586-021-02563-x/index.html.

Smith, N.-J. (2008) *Achieving Your Professional Doctorate*. Maidenhead : Open University Press.

Smith, P. (2014) *The PhD Viva : How to prepare for your oral examination*. London : Red Globe Press.

Snow, C. P. (1958). *The Search*. London : Macmillan.

Snow, C. P. (1959) *The Two Cultures and the Scientific Revolution*. Cambridge : Cambridge University Press.

The Grants Register (2021) *The Grants Register* 2022 : *The Complete Guide to Post-graduate Funding Worldwide*. London : Palgrave Macmillan.

Tinkler, P. and Jackson, C. (2004) *The Doctoral Examination Process*. Maidenhead : SRHE/Open University Press.

Trollope, A. (1883) *An Autobiography*. Edinburgh : William Blackwood & Sons. Available at : https://www.gutenberg.org/etext/5978.

UK Council for Graduate Education (UKCGE) (2021) *UK Research Supervision Survey : 2021 report*. Available at : http://ukcge.ac.uk/uk-research-supervision-survey.aspx.

UK Research and Innovation (2020) *UKRI Training Grant Guidance* Available at : https://www.ukri.org/wp-content/uploads/2020/10/UKRI-291020-guidance-to-training-grant-terms-and-conditions.pdf.

Watson, J. D. (1968) *The Double Helix*. London : Weidenfeld & Nicolson.

Watson, J. D. and Crick, F. H. C. (1953) Molecular structure of nucleic acids : A struc- ture for deoxyribose nucleic acid, *Nature*, 171 : 737–738. Available at : http://dose-quis.colorado.edu/Courses/MethodsLogic/papers/WatsonCrick1953.pdf.

Willis, R. (2010) The alternative way to get a PhD, *The Independent*, 15 April. Avail-able at : https://www.independent.co.uk/student/postgraduate/postgraduate-study/the-alternative-way-to-get-a-phd-1942607.html.

Willis, R. and Cowton, C. (2011) Looks good on paper ..., *Times Higher Education*, 4 August. Available at : https://www.timeshighereducation.com/features/looks-good-on-paper/416988.article.

Woolston, C. (2017) Postdocs : Big lab, small lab?, *Nature*, 549 : 553–555. Available at : https://www.nature.com/articles/nj7673-553a.

ウェブサイト

Academia.edu : www.academia.edu

Academic Technology Approval Scheme : www.gov.uk/guidance/academic-techno-logy-approval-scheme

The Alternative Way to get a PhD : www.independent.co.uk/student/postgraduate/postgraduate-study/the-alternative-way-to-get-a-phd-1942607.html

Amazon Mechanical Turk : www.mturk.com

BibTex : www.bibtex.org

British Library postgraduate student training : www.bl.uk/research-collaboration/doctoral-research

Collins Dictionary : www.collinsdictionary.com

Commonwealth Scholarships : www.cscuk.dfid.gov.uk

Evernote : www.evernote.com

Find a PhD : www.findaphd.com

Google Scholar : www.scholar.google.com

GRADschools : www.vitae.ac.uk/vitae-publications/vitae-researcher-development-programmes/gradschools

Help if you're a student with a learning difficulty, health problem or disability : www.gov.uk/disabled-students-allowance-dsa

Higher Education Statistics Agency（HESA）: www.hesa.ac.uk

jobs.ac.uk

LinkedIn : www.linkedin.com

Mendeley : www.mendeley.com

National Union of Students : www.nus.org.uk

Office of the Independent Adjudicator for Higher Education : www.oiahe.org.uk Oxford Dictionaries : www.oxforddictionaries.com

PhD Diaries : www.missendencentre.co.uk/phdiaries.html *and* www.missendencentre.co.uk/phdiaries2.html

PhD Life : www.phdlife.warwick.ac.uk

PhilPapers : www.philpapers.org

Pomodoro Technique : www.pomodorotechnique.com

Postgrad Forum : www.postgraduateforum.com

Postgraduate Studentships : www.postgraduatestudentships.co.uk

ProQuest Dissertations and Theses : www.theses.com

RefWorks : www.refworks.com

Race Equality Charter : www.advance-he.ac.uk/equality-charters/race-equality-charter

Research Excellence Framework : www.ref.ac.uk *and* www.results.ref.ac.uk ResearchGate : www.researchgate.net

Schlumberger Foundation fellowships : www.slb.com/who-we-are/schlumberger-foundation

Shut Up and Write : www.shutupwrite.com

Survey Monkey : www.surveymonkey.com

The Thesis Whisperer : www.thesiswhisperer.com

Vitae Researcher Development Framework : www.vitae.ac.uk/vitae-publications/rdf-related

《訳者紹介》

角谷《かどや》快彦《よしひこ》

1976 年生

民間企業勤務等を経て，

2005 年　早稲田大学大学院公共経営研究科修士課程修了

2010 年　シドニー大学大学院経済ビジネス研究科博士課程修了

2011 年　Ph. D（シドニー大学）取得

名古屋大学大学院経済学研究科特任准教授等を経て，

現　在　広島大学 Distinguished Professor，広島大学大学院経済学プログラム教授，広島大学医療経済研究拠点拠点リーダー

主　著　『介護市場の経済学』（名古屋大学出版会，2016 年）

Human Services and Long-Term Care（Routledge，2018 年）

博士号のとり方［第 7 版］

―学生と指導教員のための実践ハンドブック―

2025 年 5 月 25 日　初版第 1 刷発行

定価はカバーに
表示しています

訳　者　角　谷　快　彦

発行者　西　澤　泰　彦

発行所　一般財団法人 名古屋大学出版会

〒 464-0814　名古屋市千種区不老町 1 名古屋大学構内

電話(052)781-5027 / FAX(052)781-0697

印刷・製本 ㈱太洋社　　ISBN978-4-8158-1194-5

乱丁・落丁はお取替えいたします。